L'HOMME QUI PLEURAIT

CATHERINE COOKSON

L'HOMME
QUI
PLEURAIT

Traduit de l'anglais par
Michel Darroux et Bernadette Emerich

PIERRE BELFOND
3 *bis*, passage de la Petite-Boucherie
75006 Paris

Ce livre a été publié sous le titre original
THE MAN WHO CRIED
par Heinemann, Londres

ISBN 2-7144-1382-X

Debout, je regardais l'homme qui pleurait,
Son visage baigné de larmes, sa bouche crispée,
Il cognait sa tête contre l'arbre,
Ses épaules se soulevaient comme des collines
Qui surgissent des entrailles de la terre;
Et je compris que j'étais la source de son angoisse,
Je sus alors qu'elle ne me quitterait plus:
Qu'elle dévorerait mes jours,
Qu'elle guiderait mes pas,
Qu'elle s'érigerait en juge de mes péchés mortels.
Les larmes de mon père devenaient les clefs
Qui m'ouvraient le monde,
Me dévoilant ses extases, et ses misères.

C.C.

PREMIÈRE PARTIE

LE VOYAGE
1931

CHAPITRE I

— Si tu assistes à cet enterrement, je te promets que tu ne vivras pas assez vieux pour t'appesantir sur ton chagrin. Ils n'ont pas encore identifié l'homme, mais, par Dieu, si tu te montres à cet enterrement, ils le feront. Et quand ceux de Hastings Old Town ont réglé le compte de quelqu'un, il n'a plus le loisir d'aller raconter ce qui lui est arrivé, crois-moi.

Dans la petite cuisine du cottage, Abel Mason regardait fixement sa femme. La peau tannée de son visage semblait tendue, comme durcie par de la colle; ses lèvres longues et minces demeuraient entrouvertes, pareilles à celles d'un dormeur au sommeil léger. Seuls les yeux montraient quelques signes de vie et leur expression faisait ressortir l'immobilité du reste du visage. Mais il était difficile de définir cette expression, car dans le brun profond des prunelles brûlaient à la fois des sentiments de dégoût et de pitié.

C'est ce sentiment de pitié que perçut sa femme et qui la poussa à crier :

— Ignoble individu !

Et sur ces mots, elle attrapa le pot à lait sur la table et le lui jeta à la figure.

Au choc du pot contre son front et au contact du lait qui se répandait sur sa tignasse blonde, coulait sur son visage et dans le col de sa chemise, il bondit en avant, le poing levé. Mais il se contenta de frapper violemment le coin de la table, tandis qu'une voix de fausset parvenait d'un angle de la pièce :

— Papa, oh papa !

Sans bouger le poing, il se pencha au-dessus de la table, le lait qui tombait goutte à goutte était maintenant teinté de rose.

Quelques secondes s'écoulèrent avant qu'il ne se

redressât pour se diriger vers l'extrémité de la pièce, là où l'escalier, presque aussi raide qu'une échelle, conduisait à l'étage supérieur.

Sa femme le regarda grimper l'escalier; puis, le visage tordu comme par un tic, elle passa dans la souillarde, revint avec un torchon et se mit à essuyer la table en bois avec de grands gestes du bras. Arrivée à l'endroit où le lait était teinté de sang, elle l'épongea avec fureur, comme si, en faisant disparaître cette tache, elle avait voulu en effacer l'origine.

Elle tendit la main vers son fils âgé de sept ans et lui ordonna :

— Enlève ces morceaux !

L'enfant, après un moment d'hésitation, se pencha, ramassa les débris de la poterie et sortit de la pièce pour les emporter. Il traversait l'arrière-cuisine vers la porte de service quand sa mère arriva derrière lui et dit, en ponctuant chacun de ses mots d'un coup sur son épaule :

— S'il croit qu'il va pouvoir quitter cette maison comme ça, il se trompe !

Puis elle agrippa l'enfant par le col, le fit pivoter vers elle, pencha son visage contre le sien, et le regarda fixement en lui disant :

— Écoute, mon garçon; tu vas me dire ce que tu sais, sinon ça va être encore pire pour lui. Il t'a mis de son côté, il t'a monté contre moi, mais, avant longtemps, tu sauras où est ton intérêt. Où la rencontrait-il ? Dis-le-moi. Dis-le ! (Elle se mit à le secouer, et, quand les débris du pot à lait glissèrent des mains de l'enfant, elle lui flanqua une gifle retentissante sur l'oreille en lui criant :) Dis-lui que je t'ai encore frappé. Mais oui, allez, quand il descendra, dis-le-lui donc.

Il courut vers la porte, la main collée contre son oreille, tout en gémissant à voix haute à cause de la douleur qui le transperçait comme une aiguille du milieu de la tête jusqu'au fond du nez, l'empêchant même d'avaler sa salive.

Une fois dehors, il continua de courir au milieu des poules qui grattaient le sol de la cour, puis autour du petit étang où les deux familles de canards étaient occupées à se laver, et il descendit vers le taillis qui mène aux bois. Là, assis sur le sol, il se berça en se tenant la tête.

Lorsque la douleur diminua, il s'appuya contre le tronc d'un baliveau et murmura :

— Je suis heureux que papa ne l'ait pas vue faire ça. (Et dans sa pensée se glissait aussi un peu de pitié pour sa mère.)

Son papa l'avait avertie que si elle recommençait une seule fois à le frapper sur les oreilles, il lui en ferait autant, et c'est ce qu'il avait fait. C'était la première fois qu'il avait levé la main sur elle; et il l'avait envoyée voler dans le coin de la pièce où elle était restée étendue à se tenir la tête, exactement comme lui toutes les fois qu'elle le frappait; ce qui arrivait après chaque promenade.

Il se sentait triste. Sa tristesse était si profonde qu'il s'imagina qu'elle s'étendait sur le monde entier, son monde à lui, qui partait de Rye, longeait la côte, sur la gauche jusqu'au-delà de Winchelsea, sur la droite jusqu'à Fairlight, avec ses petites baies et ses vallons, en face de Hastings.

Il se mit alors à penser à ces vallons et à ces petites baies et il se demanda si son père l'emmènerait encore par là.

Quand donc l'avait-il conduit dans le Vallon de Fair-light pour la première fois ? Oh ! il y avait très, très longtemps. Avait-il quatre ou cinq ans ? Il n'en savait rien, sinon que cela ne datait pas d'hier. Par contre, il pouvait se rappeler distinctement la première fois qu'il avait rencontré Madame Alice au Vallon d'Ecclesbourne.

Pour lui, c'était toujours Madame Alice, et non Madame Lovina, parce que son père l'appelait Alice. Elle riait chaque fois qu'il disait « Madame Alice ». Elle avait un joli rire, qui d'abord vous entraînait à sourire, puis montait aux lèvres et vous faisait rire avec elle.

C'était un dimanche que son père lui avait parlé pour la première fois. Il y avait beaucoup de monde dans le vallon ce jour-là, parce qu'il faisait beau et que le soleil était chaud. Les gens pique-niquaient, se promenaient, et les enfants gambadaient entre les rochers qui vont s'enfoncer dans la mer. Son père lui avait dit de retirer ses chaussures et ses chaussettes et d'aller jouer avec les autres enfants. Et

13

il avait obéi. Mais à tout instant il s'était arrêté pour regarder son père, assis sur un rocher en train de parler à... la dame. Cependant, il avait su dès le début qu'elle n'était pas vraiment une dame, pas comme celles qui vivent à Winchelsea, surtout pas comme celle qui habitait loin de sa maison et pour qui son père travaillait depuis qu'il était revenu de la guerre... enfin, pas vraiment la guerre... L'un des tiroirs de sa mémoire recelait quelque chose de honteux à propos de son père et de la guerre.

Non, Madame Alice n'était pas une dame; en fait, elle parlait comme sa mère, sauf que sa voix n'était ni dure ni braillante. Quand donc avait-il commencé à souhaiter que Madame Alice soit sa mère ? Ça aussi, c'était il y avait bien bien longtemps, des semaines, des mois auparavant.

Le dimanche suivant, ils étaient retournés dans le vallon, bien que le temps eût changé car la bruine tombait. Madame Alice était là. Mais, ce jour-là, ils s'étaient assis tous les trois au pied de la falaise, son père avait cassé une barre de chocolat Fry, et ils en avaient tous eu un morceau; depuis il avait toujours associé le chocolat Fry au vallon.

Jusqu'à l'hiver il n'avait plus accompagné son père. Mais un jour sa mère avait voulu savoir où il allait, et, lorsqu'il avait répondu «en promenade », elle lui avait demandé pourquoi il ne l'emmenait pas *lui*. Alors, son père avait dit :

— Mets ton manteau; emmitoufle-toi bien.

Ils n'avaient pas quitté la maison depuis cinq minutes que son père murmurait :

— Ne te retourne pas, ta mère est derrière. Ne te retourne surtout pas.

Ils prirent une direction inhabituelle et débouchèrent sur la route qui mène à l'église de Fairlight. Là, après l'avoir hissé au sommet d'un grand mur et s'y être lui-même adossé, il avait allumé une cigarette, qu'il avait fumée lentement, sans regarder ni à droite, ni à gauche. On aurait dit qu'ils étaient là depuis une éternité, quand tout à coup son père l'avait soulevé du mur en disant

14

« viens », et il l'avait fait courir à travers des champs, sauter des échaliers et longer un certain temps le sommet de la falaise.

Lorsqu'ils étaient enfin arrivés dans le vallon, haletants, il tombait une pluie lourde et le vent soufflait. Madame Alice était là, qui attendait à l'abri des arbres, et avant qu'ils ne l'aient rejointe son père lui avait lâché la main, avait couru vers elle et l'avait prise dans ses bras. Ce jour-là, son père avait semblé complètement oublier la présence de son fils.

Au bout d'un moment, il lui avait repris la main, et ils avaient marché tous les trois, à travers les arbres, jusqu'à un rocher en surplomb; son père l'avait alors poussé d'un côté de cet abri et lui avait dit :

— Assieds-toi là une minute, Dickie, juste une minute. Je serai... je serai de l'autre côté.

Une minute, qu'est-ce que c'était ? Etait-ce court ou long ? Il s'était senti très seul, complètement perdu, assis là à attendre une minute. Il avait eu peur que son père ne soit parti et ne l'ait laissé, comme souvent il menaçait sa mère de le faire lorsqu'il y avait une dispute à la maison; aussi s'était-il précipité hors de l'abri pour courir dans le vent. Mais, après avoir contourné le rocher, il s'était arrêté subitement. Son père était à genoux sur le sol; et Madame Alice était à genoux elle aussi; son père tenait le visage de Madame Alice entre ses mains et il lui disait :

— Ne dis pas ça. Ne dis pas ça. Tu es la meilleure chose qui me soit arrivée dans la vie. Tu es la seule bonne chose que j'aie jamais connue. Ecoute; prends Florrie, et je prendrai Dickie, nous partirons de ce coin maudit, car, malgré toute sa beauté, pour moi cet endroit a toujours été maudit. Tu veux bien, dis ? Tu veux bien, Alice ?

Il avait vu Madame Alice scruter le visage de son père, et il devait toujours se rappeler le ton de sa voix lorsqu'elle avait dit :

— Oh, Abel, Abel ! Si seulement je le pouvais !...

— Mais tu le peux, avait insisté son père; il suffit que tu te décides. Juste partir.

— Tu ne connais pas Florrie. Elle a douze ans, et elle ne pense qu'à une chose, elle ne parle que d'une chose :

15

son père. Et lui, eh bien, comme il le dit, si jamais je le quitte ou le déshonore d'une façon ou d'une autre, il me tuera. Même si cela doit lui prendre toute sa vie, il me retrouvera et il me tuera.

— Ce ne sont que des mots, de grands mots. Les marins exagèrent tous. Nous pourrions avoir traversé le pays avant qu'il ne soit de retour. Et puis, j'y ai pensé, il y a le Canada. Le... le monde est à nous, Alice... Oh, Alice, dis-moi que tu le feras. Nous avons tous les deux assez vécu l'enfer pour mériter un petit coin de paradis. Dis-moi que tu le feras...

— Ton fils !

Elle avait tourné la tête. Son père, d'un geste de la main, lui avait fait signe d'avancer; sans changer de position, il avait passé son bras autour de ses épaules et avait dit :

— L'enfant est de notre côté. Il est mêlé à tout ça; il a vieilli avant son âge. Il mène une vie misérable. Il est déchiré entre nous deux, mais malgré tout il est pour moi, n'est-ce pas ? (Il l'avait serré fortement contre lui, Dick avait levé les yeux et avait approuvé d'un signe de tête.) Tu vois, tu vois, Alice ? avait alors dit son père.

Il avait observé le visage d'Alice. Elle avait la gorge serrée, la pluie retombait du bord de son chapeau sur ses mains jointes, et un temps qui lui avait paru infiniment long s'était écoulé avant qu'elle ne réponde :

— Oui, oui, Abel, je le ferai...

Quand cela était-il arrivé ? Là encore, il semblait qu'il y eut fort longtemps, et pourtant cela ne remontait guère à plus de deux ou trois semaines. Il n'avait pas la notion du temps, mais il se souvenait que son père avait dit :

— Nous le ferons dimanche prochain. Je partirai me promener avec lui, exactement comme si c'était notre balade habituelle; et toi, tu en feras autant...

Il sursauta et se décolla brusquement de l'arbre lorsqu'il entendit de nouveau les hurlements de sa mère. Au même moment il perçut des bruits sourds, comme si quelqu'un enfonçait une porte. Il se leva précipitamment et se faufila à travers les taillis jusqu'au cottage. Il vit alors sa mère, debout dans la cour qui donnait sur les champs; elle criait :

— Je t'ai dit que tu ne partiras pas, et tu ne partiras pas. Elle sera là où elle aurait toujours dû être, sous la terre, avant que je ne t'aie laissé sortir d'ici.

Lorsque les bruits sourds recommencèrent, il comprit que c'était son père qui donnait des coups de pied dans la serrure.

Les bruits cessèrent tout à coup, faisant place au silence. Il entendit des oiseaux chanter, un pigeon roucouler au-dessus de sa tête; un lapin effronté détala à travers la clairière entre les taillis et l'étang aux canards, puis il perçut au loin le sifflet clair d'un train (pour son père, c'était signe de mauvais temps). Il s'imaginait le train jouant sans cesse de son sifflet de Hastings jusqu'à Rye.

Un bruit de verre brisé le tira brusquement de sa rêverie. Il y eut d'abord un grand fracas, suivi de tintements semblables à des notes de piano.

Il vit son père traverser tête la première la fenêtre de la cuisine et retomber sur ses mains sur les dalles qui entouraient le cottage et Dick se demanda pourquoi il n'avait pas ouvert la fenêtre au lieu de casser la vitre. Il se souvint alors des tapotements qu'il avait entendus auparavant semblables à ceux du bec d'un pivert contre un tronc d'arbre. Sa mère avait dû clouer la fenêtre.

En retenant sa respiration, il surveilla son père qui s'époussetait et sa mère dressée comme un piquet, à moins de trois mètres de lui. Son père lui tourna le dos et attrapa quelque chose à travers la vitre cassée. Lorsqu'il retira sa main, il tenait son chapeau mou.

Il le vit frotter son chapeau à deux reprises contre la manche de son manteau, puis lui redonner forme et en rabattre le bord jusqu'aux sourcils avant de s'en aller à pas lents. Mais il n'avait pas atteint le chemin que sa mère se mettait de nouveau à hurler.

— T'es pas un homme, t'es une chiffe molle ! Un objecteur de conscience ! Rien qu'un objecteur de conscience ! Et ça, par principe ? Sacré menteur ! Objecteur de conscience par lâcheté. De braves gars se faisaient tuer pendant que t'arrachais les mauvaises herbes ! T'as pas de cran !

Dick pressa de toutes ses forces les mains sur ses oreilles sans quitter son père des yeux. Il vit sa silhouette diminuer sur le chemin pour ne devenir plus qu'un point minuscule qui sauta l'échalier et disparut.

Il se retrouva seul au monde, absolument seul. Et s'il ne revenait plus ? Et si après l'enterrement de Madame Alice il repartait dans l'autre sens, vers cet endroit lointain qu'on appelle le Nord ? Cet endroit dont il parlait toujours, où il était né, où les gens ont le cœur sur la main et ne se battent pas à longueur de temps. Pourtant sa mère aussi venait de là-bas, et elle se bagarrait toute la journée.

Il allait mourir si son papa ne revenait pas... Non, il ne mourrait pas; il partirait à sa recherche, et il marcherait, marcherait jusqu'à ce qu'il le trouve...

Il s'assit sur les feuilles sèches, et observa sa mère : elle balayait les débris de verre. Puis elle retira les bouts de vitre du châssis de la fenêtre, à coups de marteau, en frappant le cadre comme si elle avait voulu le démolir. A chaque instant, elle s'arrêtait, regardait autour d'elle et s'exclamait.

Lorsqu'il avait commencé à aller à l'école, il ronchonnait tout le temps contre le long chemin qu'il avait à faire à travers champs pour atteindre la route principale où il prenait le bus, mais, chaque fois que sa mère se mettait à hurler, il était heureux de vivre loin de tous, car il était sûr que les garçons à l'école se seraient moqués de lui, comme lui se moquait de Jackie Benton parce que son père était en prison pour vol.

Après ce qui lui sembla être une journée entière, il se releva et revint sur ses pas à travers le taillis et le bois de noisetiers. Son père l'appelait le « vilain bois », parce que les arbres y étaient malingres et enchevêtrés. Si ce coin-là lui avait appartenu, disait-il, il les aurait tous abattus pour en replanter de plus convenables. Mais, des convenables, il y en avait dans le grand bois, séparé du bosquet de noisetiers par une sorte de chemin venu de l'intérieur des terres et qui, après avoir traversé deux fermes, finissait sur le haut de la falaise.

Il s'arrêta et leva la tête. Le soleil était juste au-dessus de lui, ce qui voulait dire que son père était parti depuis deux heures. Il aurait cru que cela faisait beaucoup plus longtemps. Ce devait être l'heure du repas, mais il n'avait pas faim, bien qu'il n'eût pas pris de petit déjeuner. Par deux fois, il avait entendu sa mère l'appeler, mais il ne s'en était pas préoccupé. Il ne retournerait pas à la maison avant le retour de son père; et, si jamais il revenait, bien qu'il fût parti par la grand-route pour prendre le car à Hastings, il était sûr qu'il n'emprunterait pas le même chemin. Il traverserait plutôt le vallon et, dans ce cas, c'est par ce sentier qu'il descendrait du sommet de la falaise.

Il ignorait depuis combien de temps il était là, tantôt assis, tantôt allongé dans l'herbe, à plat ventre ou sur le dos; il savait seulement qu'il était fatigué d'attendre. Et puis, il avait peur, car, si son père était parti pour toujours, il ne voyait pas comment il pourrait retrouver sa trace. Il avait peur également parce qu'il lui fallait maintenant retourner à la maison où sa mère hurlerait après lui, avec son visage dur et sa bouche qui s'ouvrirait et se refermerait sur sa langue grise, et aussi sa main qui s'abattrait sur son oreille, et la douleur alors lui traverserait le nez et la gorge.

Il avait repris la direction du cottage quand il aperçut au loin, tout au bout du chemin, là où celui-ci contourne la cour de la ferme Wilkie, la silhouette d'un homme; mais elle était encore trop éloignée pour qu'il pût savoir s'il s'agissait ou non de son père. Ce n'était peut-être qu'un paysan ou un vagabond. Il y avait beaucoup de gens qui mendiaient sur les routes, mais rares étaient ceux qui venaient par ici; l'endroit était trop éloigné des voies fréquentées.

Son cœur bondit lorsqu'il le reconnut. Son père marchait la tête penchée. Il partit alors lentement à sa rencontre, mais s'arrêta net quand il le vit quitter brusquement le sentier et courir à travers le bois. Il resta là, hochant la tête, perplexe. Pourquoi était-il allé dans le bois comme ça ? Pour un petit besoin ? Mais il n'aurait pas couru ainsi, pas vrai ?

Il sauta un étroit fossé et s'enfonça dans le bois à son tour. Les chênes et les hêtres poussaient haut, et de nombreux arbustes rabougris formaient un taillis, surtout

19

de ronces, et de jeunes chênes cherchaient à percer, sans grande chance d'arriver à maturité.

Il se fraya un chemin dans la direction que son père avait prise, et il le retrouva presque aussitôt. Mais il l'entendit avant de le voir, et ce qu'il entendit lui fit écarquiller les yeux et ouvrir la bouche toute grande. Il se déplaça avec précaution, et c'est alors qu'il l'aperçut : il avait enlacé le tronc d'un chêne sur lequel il se frappait la tête en sanglotant.

Son père avait l'air si pitoyable qu'il eut envie de ne jamais être né; il aurait voulu repartir en courant, mais il laissa tomber la tête sur sa poitrine et resta planté là comme s'il avait pris racine.

A présent, son père gémissait, répétant sans cesse :

— Oh, Alice ! Alice !... Oh, Alice ! Alice !

A travers ses cils baissés, il vit son père s'accrocher sans force à l'arbre, comme s'il avait été ivre, puis se retourner lentement pour s'y adosser. L'écorce avait rouvert la petite coupure faite par la cruche au-dessus du sourcil, et un filet de sang glissait sur son œil et sa joue sans qu'il prît la peine de l'essuyer; les épaules contre l'arbre, la tête ballottant d'un côté à l'autre, il avait les traits si crispés et si ravagés que l'on aurait cru un très vieil homme.

Il s'approcha doucement, en levant bien les pieds — il ne voulait pas l'effrayer — mais, quand il arriva à sa hauteur, son père le regarda sans étonnement. On aurait dit qu'il s'attendait à le trouver là. Il gémit alors :

— Oh, Dickie ! Dickie !

Puis il se laissa tomber sur le sol, et tandis qu'il pressait son visage contre le sien, l'enfant sentit la brûlure des larmes et du sang de son père.

— Oh, papa ! Papa !

— Ça va, mon garçon. Ça va. Allez, essuie-toi.

Abel sortit un mouchoir et nettoya le visage de son fils avant d'essuyer le sien. Puis tout en tamponnant sa blessure pour arrêter le sang, il lui demanda :

— T'as attendu longtemps ?

— Oui, papa; tout le temps.

Abel secoua lentement la tête, puis il le prit par la

main, se remit debout et le regarda un moment avant de parler à nouveau; mais il s'adressait plus à lui-même qu'à son fils :

— C'est fini, terminé. Viens.

Sur le chemin du retour, Dick ne dit rien, ne posa pas une seule question. Il sentit que son père allait faire quelque chose, et son silence lui disait que ça serait quelque chose de grave.

La porte de la cuisine était ouverte. Poussant son fils devant lui, Abel pénétra dans la pièce où sa femme était assise, tout au bout de la table. On aurait pu croire qu'ils ne l'avaient quittée que depuis deux minutes, car elle recommença aussitôt :

— Alors te voilà ? J'espère que c'était bien ! Tu devrais avoir honte de toi. Si j'allais dire la vérité à Lady Parker, demain tu n'aurais plus de travail, elle te jetterait dehors par la peau du dos. (Elle s'arrêta, puis ses yeux s'étrécirent et elle éclata de rire.) Ma parole ! Mais t'as pleuré.

Dans un geste de frayeur, Dick tendit la main en arrière, s'agrippa à la cuisse de son père, et il sentit un tremblement gagner sa jambe lorsque sa mère ajouta :

— T'aurais pas versé une larme sur moi, mais sur cette putain...

— Ferme-la !

— Qu'est-ce que t'as dit ? (Elle s'était levée.)

— J'ai dit « ferme-la ». Si tu ne la fermes pas, c'est moi qui vais te la fermer.

— Toi, et puis quoi encore ? Je t'ai dit ce qui arriverait si jamais tu tentais de lever encore la main sur moi.

— Si je lève la main sur toi, Lena, cette fois ça sera la fin. Pendant la guerre, j'ai été objecteur de conscience, je suis allé en prison parce que je ne voulais tuer personne, mais maintenant mes idées ont changé; en fait, cela fait déjà quelque temps que mes idées ont changé.

Pendant le silence qui suivit, Dick lut pour la première fois la peur sur le visage de sa mère. Elle recula jusqu'au buffet contre lequel elle s'appuya; son père fit un pas vers elle, mais il enfonça ses ongles dans la paume de ses poings serrés, et cela sembla stopper son élan. Il continua cependant à parler, et son débit lent et froid était plus effrayant que des cris.

— Comment il l'a tuée, tu le sais, mais savais-tu qu'il l'avait tuée lentement ? Il avait sûrement tout prévu, car il lui a d'abord criblé les pieds de plomb, et quand son frère a voulu intervenir il a trouvé la porte bouclée. Même la police n'a pas pu rentrer, car de temps à autre il les mettait en joue et leur expliquait point par point ce qu'il allait lui faire. Ensuite il lui a tiré dans l'estomac... (La voix d'Abel se brisa et sa lèvre inférieure tremblait quand il poursuivit.) Je ne sais pas si elle était vivante ou déjà morte quand il a vidé le fusil dans son visage. Et tout ça à cause de toi, Lena. Est-ce que tu t'en rends compte ? A cause de toi.

Pendant le long silence qui suivit, on entendait jusqu'à leur respiration. Puis il ajouta :

— Tu as été très maligne, très minutieuse, tu n'as pas envoyé tes lettres chez eux, mais à la compagnie de navigation. Tu as bien fait ton travail. La seule chose que tu n'as pas faite, ç'a été de donner mon nom. Pourquoi ? Tout simplement parce que ces types de Hastings Old Town m'auraient achevé, comme tu dis, et ça, tu ne le voulais pas, n'est-ce pas ? Non, tu voulais me faire chanter pour le restant de mes jours. Mais ça ne va pas marcher, Lena. Ça ne va pas marcher. Et n'aie pas peur (il tendit ses mains paumes ouvertes vers elle), je n'ai pas l'intention de t'assassiner. Ce que je vais faire, tu vas le voir tout de suite.

Sur ces mots, il fit demi-tour et poussa Dick devant lui dans l'escalier, et, une fois en haut, il lui dit rapidement :

— Ramasse tes affaires, tes chaussures, tes vêtements et fais-en un paquet aussi serré que possible.

Puis il alla dans la chambre, décrocha ses vêtements de travail qui étaient suspendus à un cintre dans l'armoire de fortune; il prit ensuite dans un tiroir des sous-vêtements, des chaussettes et deux chemises, et il sortit de dessous le lit un sac à dos. Il bourra les vêtements dans le sac, le saisit par les courroies, et après avoir traversé le palier il entra dans le minuscule débarras qui servait de chambre à son fils. Sans un mot, il empoigna les sous-vêtements, les deux chandails, les chaussettes et les chemises bien proprement rangés sur le lit. Il les fourra sans plus de cérémonie sur le haut du sac à dos et dit d'une voix rude :

— Ne perdons pas de temps. On y va.

Dick ne bougea pas. Il regardait l'étroite tablette de la fenêtre sur laquelle étaient alignés des animaux en argile. Il tendit alors lentement la main et saisit deux canards. L'un se tenait sur une patte tandis qu'il se grattait une aile de son deuxième pied palmé, l'autre, d'un modèle plus petit, les pattes tendues en arrière, le cou allongé, était fixé à jamais dans une position de nage. Lorsqu'il glissa les figurines dans les poches de son pantalon, son père ne dit rien, mais d'un geste vif il décrocha un petit pardessus qui pendait derrière la porte. Puis ils redescendirent l'escalier.

— Qu'est-ce qui t'prend ? Qu'est-ce qu'tu mijotes ? Tu vas rester ici et tu l'prendras pas avec toi.

— Non ? Et qui peut m'en empêcher ?

— J'vais mettre les flics à tes trousses.

— Fais-le.

— Tu peux pas me laisser, j'peux pas rester seule. (Elle marcha alors en crabe vers la porte pour bloquer le passage.) Tu sais bien que j'peux pas travailler.

— Tu peux pas travailler parce que t'es une paresseuse.

— J'suis pas paresseuse. Regarde comment j'entretiens cette maison.

— Un enfant de cinq ans le ferait en une demi-heure. Cela fait des années que Lady Parker cherche quelqu'un. La place de l'aide-cuisinière est libre; elle te prendra. Quand tu iras te présenter, dis-lui que j'suis parti; elle me doit trois jours de paie.

— Non et non ! J'serai pas aide-cuisinière.

— Alors t'auras plus qu'à mourir de faim.

— J'mourrai pas de faim. Par Dieu ! J'mourrai pas de faim. T'es mon mari, tu dois me nourrir.

— C'est bien ce que j'ai fait. (Sa voix parvenait à présent de l'arrière-cuisine au milieu d'un fracas de casseroles.)

— J'te r'trouverai pour te l'enlever.

— Je peux me défendre en disant que, si tu le gardais, tes gifles finiraient par le rendre complètement sourd. Tu

23

n'l'as jamais voulu et tu l'as bien montré depuis le jour de sa naissance.

Il était revenu dans la cuisine et l'observait. Elle le regarda alors comme dix ans auparavant, lorsque à vingt-quatre ans, elle en paraissait vingt. Elle s'était toujours arrangée pour avoir l'air pathétique.

Quand il était jeune, il s'était efforcé de ne pas se laisser aller à trop de pitié. Il s'était promis de ne l'accorder qu'aux animaux; mais cette tortueuse Lena avait su déceler sa faiblesse, et elle s'en était servie. Par Dieu ! comme elle s'en était servie ! Elle s'était alignée sur ses principes de non-violence; grâce à elle, il s'était vu comme l'homme fort, l'homme sage. Mais sa désillusion était survenue si rapidement qu'il en avait été malade, au point qu'il avait perdu durant un certain temps tout respect de lui-même et qu'il s'était vu comme un grand jobard. Tout ce qu'elle demandait à la vie, c'était le confort, quelqu'un qui travaille pour elle, la respectabilité, bien sûr, la respectabilité; être appelée « madame »; c'était sa naissance illégitime qui l'avait rendue ainsi.

C'était aussi à cause de ses origines et de l'entourage de son enfance qu'au début il avait toléré ses excentricités. Mais aucune parole ni aucun raisonnement n'avaient pu lui faire entrer dans la tête que l'acte sexuel était tout sauf sale : parfois, elle envoyait même voler d'un coup de pied le coq de la basse-cour lorsqu'il couvrait les poules. Comment était-il parvenu à lui faire un enfant, il n'en savait trop rien.

— Laisse-moi passer !

— J'te suivrai, j'te retrouverai. Je sais où tu vas, tu vas vers le Nord, tu vas retourner là-haut vers le rebut.

— C'est bien le dernier endroit où j'irai. J'essaierai le Canada, l'Australie ou l'Amérique… Laisse-moi passer !

Comme elle ne bronchait pas, il brandit sa main tel un fouet, la saisit par le cou et l'envoya rouler à l'écart de la porte, où elle s'affaissa sur le sol.

Il la regarda un moment; puis, la voix tremblante, il dit sur un ton de profonde amertume :

— Quand tu seras seule, là-haut, la nuit, pense à ce que c'est que d'avoir le corps criblé de gros plomb; pense

24

à ça, et souviens-toi que ce n'est pas lui qui l'a tuée, mais toi; tu les as tués tous les deux...

Son père et lui avaient déjà franchi l'échalier lorsqu'ils l'entendirent de nouveau. Dick savait que s'ils allaient droit sur la route elle les rattraperait. Son père eut sûrement la même idée, car, prenant sa main, il le poussa vers la droite; ils traversèrent un champ de chaumes, puis le bois de noisetiers et ensuite le grand bois, en évitant de suivre une ligne droite. Après force détours, hors d'haleine, ils parvinrent à un chemin de traverse. Abel s'arrêta alors et s'assit dans l'herbe verte.

— Il faut que je répartisse le poids, dit-il.

Lorsqu'il ouvrit le sac à dos, l'enfant vit le poêlon, la bouilloire et les deux timbales qu'il avait pris sous l'évier de l'arrière-cuisine. Mais il cessa soudain son rangement, le regarda et lui demanda d'un ton tranquille :

— Tu voulais venir avec moi, pas vrai ?

— Oh oui ! papa. Je veux rester avec toi.

— Bien. (Il lui fit un signe de tête et continua :) Je te trouverai un sac à dos plus petit en chemin et on sera prêt pour la route, hein ?

— Oui, papa... Où on va ?

Abel se releva, remit le sac à dos sur ses épaules et glissa les bras dans les courroies avant de répondre :

— Pour l'heure, tu le sais aussi bien que moi; mais, quel que soit l'endroit où l'on arrive, on y arrivera sans dommage, tu verras.

CHAPITRE II

Quatre jours plus tard, ils prirent le bac de Gravesend à Tilbury. Ils avaient traversé le Sussex, le Kent et arrivaient presque en Essex. Dick fut si émerveillé par les docks, les navires et les grues qu'il en oublia momentanément ses pieds écorchés, ses orteils irrités et ses jambes fatiguées.

Depuis trois nuits, ils dormaient dehors. On était en juin et il faisait chaud. La nuit précédente, son père lui avait dit qu'ils allaient malgré tout vers le Nord, car *elle* ne croirait jamais qu'ils iraient par là. Mais ils n'iraient pas trop au nord, pas jusqu'à la Tyne, la rivière près de laquelle son grand-père était né. Ça lui plairait, n'est-ce pas ? Il avait répondu que oui, ça lui plairait.

Mais il espérait que le chemin ne serait pas trop long, car ses pieds lui faisaient vraiment mal. Il n'avait rien dit à son père à propos de ses ampoules, du moins pas le premier jour, car il avait craint qu'ils ne retournent chez eux s'il en parlait. Mais finalement il s'était rendu compte que c'était idiot; jamais son père ne reviendrait en arrière.

Une fois qu'ils furent descendus du bac, Tilbury parut décevant, fade et sale. Il y avait peu de boutiques.

Ils entrèrent dans un pub et prirent une tasse de thé. Abel acheta de quoi manger : des saucisses, du bacon, du lard, des pommes de terre, du sucre, du thé et un grand morceau de pain. Lorsqu'ils furent hors de la ville, il choisit un endroit où il pourrait allumer un feu pour faire du thé et frire les saucisses et le bacon. Ils mangèrent à satiété. Une fois leur repas terminé, les ustensiles nettoyés avec du papier journal et rangés dans le sac à dos, Abel s'assit dans l'herbe et prit les mains de son fils dans les siennes.

— Nous avons traversé la rivière, nous ne reviendrons jamais sur nos pas. Toi et moi, Dickie, nous allons avoir une vie nouvelle. Tu comprends ce que cela veut dire ?

L'enfant acquiesça, puis lui posa une question qui lui trottait dans l'esprit depuis un jour ou deux :

— Est-ce que je vais retourner à l'école ?

— Euh... bien sûr. Dès que nous serons installés, tu retourneras à l'école; et tu vas étudier. Tu vas même étudier rapidement; tu vas rattraper le temps perdu, parce que tu en as beaucoup perdu. Il ne faut pas que tu fasses comme moi qui n'ai que mes mains en guise de cerveau. (Il desserra son étreinte et regarda ses mains, les tournant d'un côté et de l'autre. Puis il ajouta comme s'il se parlait à lui-même :) J'aurais pu m'en servir autrement avec un peu d'éducation; j'aurais pu sculpter des objets, arriver à quelque chose.

— Tu fais de jolis animaux, papa. Regarde mes canards.

L'enfant fouilla dans son sac à dos, déplia un gilet de corps en coton et lui montra les deux canards allongés comme dans un nid. Son père prit l'une des minuscules figurines, la déposa dans le creux de sa main et dit en hochant la tête :

— On dirait qu'il est vivant, mais ce n'est que de l'argile, la vulgaire argile de la rivière, qui n'a jamais été cuite. C'est un miracle qu'il soit resté entier dans ton sac pendant tout ce temps. (Il sourit à son fils et lui tendit l'animal. Puis il ajouta en se levant :) Voyons voir si ce feu est bien éteint, après on repart. Est-ce que tes pieds vont un peu mieux ?

— Oui, papa, un petit peu.

— Ne t'inquiète pas, ils vont devenir durs; plus tu marcheras, plus ça deviendra facile. Et on ne va pas marcher tout le temps, je travaillerai en route et tu pourras te reposer.

— Combien de temps nous faudra-t-il pour arriver là-bas, au Nord, papa ?

— Oh ! ça dépend des travaux que je trouverai, ne t'en fais pas, allez, viens.

Quand ils entrèrent dans Brentwood, il commença de crachiner et ils s'abritèrent sous le porche d'une église. Abel tira de sa poche une carte en lambeaux et, après l'avoir étudiée, il regarda Dick et lui dit :

— Nous irons à Cambridge.

— C'est à quelle distance, ça, papa ? Combien de jours ?

C'était important pour lui de connaître le nombre de jours qu'il fallait pour aller d'un endroit à un autre, car il savait ainsi combien de temps ses pieds allaient le faire souffrir.

— Oh ! entre soixante-dix et quatre-vingts kilomètres. Si le temps se maintient, nous en avons pour deux ou trois jours. Mais t'en fais pas (il caressa la tête de son fils), tout ira très bien. Je vais acheter de la gaze et des bandes, et quand nous nous installerons pour la nuit, je soignerai tes pieds.

— Est-ce qu'on pourra dormir dans une pension, comme les gens qui viennent en vacances à Hastings, papa ?

Abel répondit en grimaçant :

— Non, pas maintenant. Une fois que j'aurai un travail, nous verrons. Mais nous avons eu de la chance jusqu'à maintenant, pas vrai ?

— Oui, papa.

— Eh bien, allons-y, bravons les éléments et nous verrons si la chance nous sourit encore.

Ils eurent de la chance, en effet. A deux kilomètres de Brentwood, Abel aperçut dans un pâturage une bâtisse qui avait l'air d'une grange. Elle était située à une extrémité du champ et à quelque distance de la route; Abel se dirigea vers elle. En entrant, il se rendit compte qu'elle n'était pas aussi délabrée qu'elle le paraissait; la moitié du local était sèche et il y avait des traces de feu dans un coin de la pièce.

— Bien... bien. On n'a pas de chance ? On cherche quelques brindilles alentour, on se fait du feu et je regarde tes pieds.

Alors que le feu crépitait sous une gamelle en étain pleine d'eau — il prenait garde à toujours avoir une bouteille d'eau avec lui — et qu'il s'apprêtait à déballer le bacon qui restait de leur petit déjeuner, une ombre se profila dans l'encadrement de la porte et une voix éclata :

— Ne savez-vous pas que vous êtes dans une propriété privée ?

Abel se redressa et se trouva face à un homme vêtu d'un épais manteau de laine et d'un pantalon marron.

— Non, monsieur. Je me doutais bien que cela appartenait à quelqu'un, mais nous n'abîmons rien, répondit-il d'une voix polie.

— Vous n'abîmez rien ? Vous piétinez mes champs, volez mes bêtes ou tout ce qui vous tombe sous la main !

Le visage d'Abel se durcit et c'est d'une voix menaçante qu'il rétorqua :

— Il n'est pas dans mes habitudes de voler, monsieur.

— Oh ! vous êtes donc une exception. (L'homme s'avança un peu plus dans la grange et, tout en regardant Dick, il demanda :) Vous êtes sur les routes avec cet enfant ?

Après un silence, Abel répondit :

— Nous allons vers le Nord.

— Bien sûr, vous allez quelque part, mais je pensais...

— C'est mon fils et c'est mon affaire.

— D'accord, d'accord, c'est votre affaire; et la mienne, c'est de vous empêcher de faire des dégâts. Aussi, sortez !

Avant que son père ne se retourne vers le feu, Dick était déjà en train d'empaqueter leurs effets.

Quelques instants plus tard, ils sortaient de la grange. L'homme attendait, une main dans la poche de son pantalon, l'autre frappant à toute volée les aigrettes des pissenlits avec un bâton.

— Je souhaite que vous ne soyez jamais dans le besoin, monsieur, dit Abel en passant devant le fermier. (Et, jetant un regard sur les poils des pissenlits qui s'éparpillaient au vent, il ajouta :) Et que vos mauvaises herbes poussent à merveille.

Le bâton s'immobilisa, et, le visage empourpré, l'homme menaça :

— Vous feriez mieux d'avancer avant que je n'utilise ce bâton d'une autre façon.

— Oui... eh bien, j'y avais pensé aussi, monsieur.

Ils s'affrontèrent du regard quelques instants avant qu'Abel ne reprenne son sac à dos. Puis il tourna les talons et s'éloigna en poussant son fils devant lui.

Ils avaient presque contourné le champ lorsqu'une voix qui provenait du fossé les fit sursauter :

— Il s'est attaqué à vous ?

Abel découvrit un véritable tas de guenilles d'où émergeait un visage.

— J'veux pas avoir de ses nouvelles; j'attends qu'il fasse noir. Un sacré parvenu, celui-là. T'es nouveau dans la partie, hein ? Je t'ai jamais vu avant. Vers où tu navigues ?

— Le Nord, répondit brièvement Abel à la dernière question.

— Oh, oh ! Drôle d'idée d'aller par là. Faut pas t'attendre à y trouver du boulot. Tout le coin est en train de se vider de ce côté, les Écossais, les Geordies, les Gallois, un paquet. T'as une clope sur toi ?

— Non ! (Abel secoua la tête.)

— Tu m'en donnerais pas une si t'en avais, s'pas ? J'ai ben peur que la même chose puisse t'arriver un jour.

— Je n'ai jamais de clopes sur moi.

— Ça va, je te crois. T'es à sec ?

Abel grimaça un sourire. Le vieux bonhomme était amusant. Mais était-il vieux ? Emballé dans ce fatras de vêtements en loques, il était difficile de lui donner un âge.

— Tu sais quelque chose ?

— Quoi ?

— T'auras perdu ton attirail avant d'y être, au Nord.

Abel remonta le sac un peu plus haut sur ses épaules.

— Il faudra qu'ils me prennent avec alors.

— Ouais, y a toujours moyen. Va bien falloir que vous dormiez. Il a l'air trop neuf et trop plein; t'as l'air en pleine santé, vieux. Tu veux mon avis ? Mets un manteau râpé, cache tes affaires dessous et gratte-toi un peu... comme ça... (Il fit une démonstration.) Ainsi ils s'approcheront pas de toi. (Il riait à présent, d'un rire profond et haché.) Ils sont tous marrants, les nouveaux. Moi, ça fait trente ans que je suis là-dedans. Je fais mon circuit une fois par an. Je demande pour un boulot; on me file un peu de fric pour se débarrasser de moi. Toi, t'as l'air un peu léger, t'es un vrai pigeon. T'as encore des semelles à tes bottes, et le mioche avec toi... Tu veux monter un coup avec lui ?

— Qu'est-ce que tu veux dire ?

— Ben, excuse, à cause du mioche. Tu feras rien, surtout à cause de la police qui te filerait après si tu le faisais tremper dans une affaire.

— Il vient avec moi, c'est tout.

Tandis qu'il parlait, Abel se demanda ce qu'il faisait là; pourquoi ne continuait-il pas ? Et il se méprisait parce qu'il savait qu'il aurait dû s'asseoir dans le fossé et écouter ce que ce type avait à lui dire, et ne pas en perdre une miette, car il était sûr que cela pourrait lui servir.

Comme si l'homme avait lu dans ses pensées, il lui dit :

— Installe-toi près de moi si tu veux... J'te filerai des tuyaux.

Après une seconde d'hésitation, Abel répondit :

— Merci, c'est égal; je les apprendrai en route. Je te remercie quand même pour tes conseils.

— Attends ! Prends une clope.

Il le vit fouiller dans sa poche et lui tendre un paquet de Woodbines de sa main sale.

— Allez, prends-en une. Elles sont propres; je les ai achetées y a pas longtemps; un paquet tout frais; regarde, y en a encore cinq dedans.

Abel en saisit une.

— Merci beaucoup... Au revoir.

Il avait déjà fait demi-tour lorsque le vagabond dans le fossé répondit :

— Salut ! Surveille bien tes petits trésors.

Il tourna légèrement la tête :

— Je le ferai, je le ferai.

— Drôle de type, hein, papa ? (Dick se retourna à moitié et, quand l'homme lui fit un signe d'adieu de la main, il lui rendit son salut avec un peu d'hésitation;

puis il ajouta en riant :) Il m'a fait adieu de la main, papa. Il est drôle. Il donne envie de rire.

— Oui, il est sans doute drôle. C'est un vieux routier, et il connaît les trucs de la route. On dirait qu'on a pas mal de choses à apprendre, non ?

Ils échangèrent un regard, puis marchèrent en silence, jusqu'à ce que Dick pose une question qui les concernait directement :

— Combien d'argent il te reste, papa ?

— Aux derniers comptes, douze et trois : quinze pence.

— On dirait que c'est beaucoup.

— Ça ira jusqu'à ce qu'on n'en ait plus.

Mais où allait-il en trouver ? Il ne voulait pas s'avouer qu'il était inquiet. Désormais, il devait chercher n'importe quel travail, ne serait-ce que pour assurer leur subsistance.

C'était étrange, cette nécessité de trouver de la nourriture avait quelque peu oblitéré la douleur et la peine qui le consumaient les jours précédents. Il éprouvait de plus en plus rarement l'envie de se jeter sur le sol pour le frapper de ses poings en pleurant. Il avait honte de sa faiblesse et il parvenait à l'étouffer pendant le jour, mais la nuit, quand il se réveillait en appelant Alice, son visage était toujours baigné de larmes.

CHAPITRE III

Au cours des trois jours qu'il leur fallut pour atteindre Cambridge, les prédictions du trimardeur s'avérèrent exactes à plus d'une occasion. Premièrement, il n'y avait pas le moindre travail, aussi petit soit-il; deuxièmement, son sac, et peut-être encore plus ses vêtements, avaient été une source de tentation permanente pour les autres.

Une fois, des années auparavant, il avait visité Cambridge, si bien qu'il se souvenait du plan de la ville : de l'emplacement des collèges, des *Backs**, de la rivière et... de la gare. Quand il accéléra le pas, Dick lui demanda :

— Où on va, papa ?

— A la gare.

— Pour prendre le train, papa ?

— Non, non. (Il eut un petit rire.) Non, pour voir les gens qui descendent des trains. Beaucoup de monde vient en vacances ici pour faire un voyage sur la rivière; et ils ont des bagages à porter. Quand on y sera, je veux que tu t'assoies bien sur le sac et que tu ne le quittes pas, sous aucun prétexte. Compris ?

— Oui, papa.

— Bon.

A la gare, Abel comprit vite que Dick n'aurait pas à s'asseoir sur le sac, car pour chaque voyageur qui descendait d'un train il y avait une demi-douzaine d'hommes qui proposaient leurs services.

— Viens.

Plus lentement à présent, ils marchèrent le long des rues parallèles qui mènent à la rivière, et là ils s'installèrent sur un banc peint en vert pour regarder les cygnes. Plus loin, sur la droite, mouillait une flottille de bateaux de location. C'était le chantier pour bateaux de plaisance;

---

* Pelouses de Cambridge, derrière les collèges. (N.d.T.)

il se souvint même de son nom : Banham's. Habituellement, les mariniers sortaient les bateaux le samedi. Cela vaudrait-il la peine d'aller faire un tour par là ? Il se dit que non.

— Allez, viens.

Ils avaient traversé la rivière et allaient prendre la route qui, éventuellement, les conduirait à Huntingdon lorsque Abel ralentit le pas, tira Dick un peu en arrière pour le ramener à sa hauteur, le regarda en secouant la tête et dit :

— Mais je me demande... je me demande.

Dick regarda autour d'eux. Deux jeunes femmes transportaient deux valises chacune, et elles n'avaient pas l'air de trouver ça bien léger. Il adressa un grand sourire à son père et lui souffla :

— Tu pourrais essayer, papa, mais tu as déjà ton sac.

— Mes mains sont libres, pas vrai ? Viens là... Puis-je vous aider à porter vos valises, mesdemoiselles ?

Les deux jeunes femmes s'arrêtèrent en même temps et l'une d'elles sursauta :

— Oh ! Si vous le faisiez, je vous en serais toujours reconnaissante. N'est-ce pas, Mary ?

— Oh oui ! toujours. J'ai les bras rompus, nous n'aurions jamais cru que c'était si loin de la gare.

— Où allez-vous ?

— Au chantier pour bateaux; au chantier Banham's. C'est quelque part par là. Un homme nous a dit qu'il fallait suivre cette route et prendre à droite après le second virage.

— Vous avez drôlement tourné en rond, vous savez. Bon, je peux en prendre deux. Donnez-les-moi.

Il saisit les deux plus grosses valises, et tandis qu'il marchait en avant à grands pas, avec Dick qui devait presque courir, les jeunes filles suivaient en causant et en poussant de petits rires.

— C'est la première fois que nous allons louer un bateau et nous n'avons pas voulu dépenser de l'argent pour prendre un taxi, on nous a dit que c'était tout près de la gare.

— Vous êtes d'où ?

— De Manchester.

— Manchester !

— Oui, ça faisait des mois que nous attendions cela. Vous pensez que ça va être bien ?

— Oh oui ! c'est sûr.

— Il pleuvait à verse quand nous sommes parties... Quel mois de juin flamboyant !

Elles pouffèrent et Dick se retourna pour les regarder. Puis elles demandèrent :

— Vous êtes en excursion ?

— En quelque sorte.

Quand, dix minutes plus tard, ils pénétrèrent dans le chantier, il y régnait une activité assez gaie. Des vacanciers étaient en train d'embarquer leurs affaires, d'autres amenaient des cartons de nourriture du hangar voisin, des ouvriers nettoyaient des bateaux, d'autres expliquaient aux marins amateurs les mécanismes simples de la manœuvre. Ça riait, ça jacassait et partout ce n'était que remue-ménage.

— Pouvez-vous attendre ici pendant que nous cherchons quel est notre bateau ?

La plus grande des deux jeunes filles détourna l'attention que sa compagne portait à Abel en lui disant :

— Ne fais pas la sotte ! Nous savons quel est notre bateau. C'est le *Firefly*. Nous devons juste aller payer notre note.

Elles partirent vers le bureau en pouffant de nouveau. Abel regarda autour de lui, et quand l'un des marins passa à sa hauteur il lui effleura le bras :

— Excusez-moi, mais y a-t-il une petite chance d'être employé, je veux dire temporairement, quelque chose comme une heure ou deux ? demanda-t-il.

Avec un peu de tristesse dans les yeux, l'homme lui répondit :

— Désolé, mon vieux, pas une.

— Merci.

A leur retour, les jeunes filles étaient accompagnées d'un ouvrier qui leur montrait le chemin du quai. Au passage, elles attrapèrent leurs petites valises, et tout en le suivant elles signifièrent à Abel avec des cris et des mouvements de tête de venir avec eux.

Le *Firefly* était un bateau à deux couchettes; à côté était amarré un bateau de croisière plus grand. Sur le toit de la cabine une femme vêtue d'une jupe courte et d'une veste blanche était assise; Abel lui jeta un regard et nota le dédain avec lequel elle observait les singeries des nouvelles arrivantes.

L'ouvrier prit les valises des mains d'Abel et disparut dans la cabine. Et les jeunes filles le regardèrent et dirent presque en chœur :

— Merci beaucoup.

Il les toisa d'une façon telle que leurs sourires s'évanouirent. L'une d'elles donna un coup de coude à l'autre, puis descendit dans la cabine et souffla à sa compagne qui restait bouche bée dans le cockpit :

— Il veut un pourboire.

— Oh !

Elle fouilla fiévreusement dans son sac à main et lui tendit une pièce. Abel la laissa posée dans la paume de sa main et la regarda. C'était un penny. Il l'attrapa lentement entre le pouce et l'index, et la retendit à la jeune fille.

— Vous en aurez sûrement besoin avant moi, mademoiselle.

Comme il s'éloignait, la main sur l'épaule de Dick, il entendit dans son dos :

— Mais, j'ai jamais... ! Tu as vu ça ? Qu'est-ce qu'il voulait ? C'est lui qui a demandé de les porter, non ? Quel culot !

Tandis qu'ils suivaient le chemin de halage, le long de la rivière, l'humiliation de son père gagna Dick. Un penny, ce n'était rien du tout, et son père avait transporté ces deux valises un bon bout de chemin. Enfin ! il ne lui donnait jamais moins de trois pence pour son argent de poche de la semaine ! Les choses n'allaient pas droit. Il était tracassé...

Peu après, ils arrivèrent près d'une écluse, et il incita son père à s'arrêter en lui disant :

— Ils sont jolis ces bateaux, hein, papa, tous en rang : qu'est-ce qu'ils attendent ?

— De pouvoir passer l'écluse.

— Oh !

Il ne savait pas ce que c'était une écluse, mais, au ton de sa voix, il se dit que ça n'était pas le moment de le demander. Son père n'avait pratiquement pas dit un mot depuis qu'ils avaient quitté le chantier.

— On peut rester un peu là pour regarder, papa ?

— Pourquoi pas ?

Son père ôta son sac à dos et il retira le sien; puis ils s'assirent côte à côte sur la berge au-dessus du chemin de halage. Un bateau descendait la rivière et se rapprochait de la rive. Une jeune fille se tenait à l'avant, un cordage dans les mains, et une dame était à la barre. Le vent qui soufflait fort et le courant qui traversait la retenue lui donnaient du mal. Elle dut retourner deux fois au milieu de la rivière avant de pouvoir finalement orienter la proue du bateau droit sur le rivage. Lorsque la jeune fille sauta à terre et tira sur la corde, le vent le prit par l'arrière et le fit pivoter.

Dick sentit que son père hésitait avant de se lever. Il s'approcha de la jeune fille, lui prit la corde des mains, tira l'avant du bateau contre la rive, et le retint. Puis quand la femme lui tendit rapidement une gaffe, il la glissa dans un taquet et amena petit à petit le bateau le long du bord.

Il le maintenait ainsi fermement lorsque la femme se pencha hors du cockpit et lui dit :

— Merci, merci beaucoup.

— Vous êtes les bienvenues.

— C'est... c'est bien vous que j'ai aperçu en bas, au chantier Banham's, n'est-ce pas ?

Il détourna les yeux un instant avant de répondre :

— Oui, en effet, j'étais là-bas.

Elle dit alors après un silence :

— Nous en avons pour un moment avant de passer. Pensez-vous que nous devrions nous amarrer ?

— Je ne sais pas, comme vous voudrez.

— Je crois que nous devrions le faire. Voudriez-vous attacher les cordes pour moi ? Hé, Daphné, passe les cordes au gentleman.

Dick sentit sa tension se relâcher. Elle avait appelé son père un gentleman. C'était donc une dame gentille.

Il regarda son père prendre un piquet de fer et l'enfoncer dans le sol à l'aide d'un maillet. Une fois fait, la jeune femme attacha la corde à l'anneau en fer.

Quand la même opération fut répétée à l'autre extrémité du bateau, celui-ci resta immobile contre la rive; la dame descendit alors et s'approcha de son père. Elle l'observa un temps apparemment assez long avant de lui dire tranquillement :

— Puis-je vous demander de nous faire passer l'écluse ? Je ne me sens pas vraiment capable de manier un bateau toute seule. La dernière fois que je me suis trouvée sur une rivière, c'était il y a quelques années avec... avec mon mari.

Un temps assez long s'écoula avant que son père ne réponde :

— Que voulez-vous que je fasse ?

— Oh ! seulement que vous teniez les cordes pour maintenir solidement le bateau pendant que l'écluse se vide.

— Très bien.

— Peut-être que votre fils aimerait monter à bord ?

Le visage de Dick s'éclaira lorsqu'elle se tourna vers lui; son regard alla de la femme à son père, et il demanda :

— Oh ! est-ce que je peux, papa ?

Il y eut un autre silence.

— Comment va-t-il en redescendre ? demanda Abel.

— Oh ! nous pouvons le laisser sur la rive de l'autre côté de l'écluse, et vous aussi. Vous pourriez monter à bord en haut de l'écluse et redescendre où vous voudrez.

A la façon dont son père le regardait, Dick se rendit compte qu'il était touché et qu'il hésitait à prendre une décision; puis il répondit :

— Je n'y vois aucun inconvénient.

C'était agréable et excitant de se tenir dans le cockpit du bateau, quoiqu'un peu effrayant en même temps. La jeune fille se trouvait à côté de la barre, mais elle ne parlait pas; son père et la femme étaient sur la rive, et ils ne se parlaient pas non plus; puis, tout à coup, la femme s'anima et cria :

— Regardez ! (Elle montrait l'écluse.) L'eau a beaucoup baissé et on va pouvoir passer avec ces deux petits bateaux, là, devant; on ferait mieux de retirer les piquets pour être prêts. Mettez vos paquetages... bagages à bord.

Au moment où son père, le visage sévère, retira les piquets de l'herbe, il se sentit mal à l'aise; mais lorsque, les deux cordes dans les mains, il lui fit un signe de tête et un sourire, une bouffée de bonheur l'envahit. C'était la première fois depuis des semaines qu'il voyait son père sourire ainsi.

La jeune fille et la dame étaient déjà à bord, et cette dernière cria en regardant son père :

— Je ne mettrai pas le moteur, je vous laisserai faire; dès que les portes s'ouvriront, tirez le bateau.

Son père ne répondit point, il surveillait l'écluse.

La jeune fille lui parla alors pour la première fois.

— Viens à l'avant, dit-elle. On peut s'y tenir et regarder à travers le toit.

Il descendit quelques marches raides à sa suite et entra dans une cabine, flanquée de deux banquettes capitonnées, puis monta sur le toit à travers une ouverture, et il se retrouva à l'avant du bateau.

— Tu veux t'asseoir sur le toit de la cabine ?

Il secoua la tête et se cramponna à la barre de pont.

— Quel âge as-tu ?

— Sept ans.

— Comment tu t'appelles ?

— Dickie.

— Sept ans ! (Elle détourna la tête et regarda de l'autre côté de la rivière; puis elle ajouta dans un soupir :) Que tu dis. (Et, le regardant de nouveau, elle déclara :) J'ai presque quinze ans.

Il ne savait quoi dire à cela, mais il sentit qu'elle lui reprochait d'une façon un peu étrange de n'avoir que sept ans.

Lorsque le bateau commença de s'écarter doucement de la rive, il cria d'excitation et lui sourit.

— C'est ton premier voyage en bateau ? lui demanda-t-elle ?

— Oui... non; j'ai fait un voyage en mer une fois, à Hastings, et j'ai été malade... on n'était pas parti longtemps, pourtant. Mais... mais celui-là, c'est différent, cela ne secoue pas. Ça me déplairait pas de faire un grand voyage sur ce bateau.

Elle releva brusquement le menton, regarda son père qui tirait le bateau vers l'écluse et lui assura :

— Ne t'en fais pas; tu le feras.

Sur ce, elle descendit à reculons par l'ouverture et disparut.

Il fut si intrigué par sa remarque qu'il ne prêta qu'un vague intérêt aux manœuvres de l'homme qui poussait un grand levier en bois noir; et c'est seulement après que les portes de l'écluse eurent résonné qu'il reporta toute son attention sur le bateau, et il crut qu'il sombrait. Effrayé, il sauta à travers l'ouverture et traversa la cabine à quatre pattes; il remonta les marches sur les mains et les genoux pour atterrir dans le cockpit où il fut surpris de trouver la dame et sa fille regardant fort tranquillement vers l'endroit où son père disparaissait.

— Tout va bien; n'aie pas l'air si effrayé, dit la dame en lui caressant la tête.

— Comment... comment va-t-il monter ?

— Il va sauter sur le toit.

— Il va tomber à l'eau.

— Mais non, mais non, il ne tombera pas. (Elle lui caressa de nouveau les cheveux.)

Il regarda avec horreur la vase verte qui ruisselait le long des murs sombres, et il eut envie de crier au secours lorsqu'il vit son père jeter les cordes, puis descendre à son tour le long du mur et tomber sur le toit de la cabine en faisant juste un léger bruit sourd.

— Voilà ! Il n'a même pas eu besoin de sauter, tellement il est grand.

Alors, la dame prit la barre et ne dit plus un mot jusqu'à ce que le bateau eût franchi les portes de l'écluse. Lorsqu'il revit l'étendue calme de l'eau avec ses berges bordées d'arbres, il se retourna, un large sourire éclairant son visage, vers son père qui se tenait de l'autre côté du cockpit :

— C'est magnifique, hein, papa ?

— Oui, magnifique.

— C'est une très belle partie de la rivière, ici. Etiez-vous déjà venu à Cambridge ?

Sans la regarder, son père lui répondit :

— Oui, il y a de nombreuses années, mais je ne suis jamais venu sur la rivière.

— Aimez-vous les bateaux ?

— Je ne sais pas encore. (Il maintint son regard fixé vers l'avant.)

— Mets la bouilloire sur le feu, Daphné.

— Vous pouvez faire du thé, ici ?

La dame rit.

— Oui, mon chéri, nous pouvons faire du thé, faire griller quelque chose pour le dîner ou tout ce que tu voudras. Va voir la cuisine.

Elle lui indiqua du menton les quelques autres marches qui conduisaient à la cabine arrière du bateau, et après avoir interrogé son père du regard il descendit. Il resta bouche bée et écarquilla les yeux à la vue de la cuisinière bien tenue et de l'évier.

— Hé ! c'est beau comme une vraie cuisine.

Lorsque la bouilloire se mit à siffler, il rentra la tête dans les épaules et éclata de rire, et, pour la première fois, la jeune fille lui sourit :

— T'es un drôle de gamin. Tiens, monte cette boîte de biscuits.

Ce fut toute une affaire pour lui d'escalader les marches en tenant la boîte de biscuits dans le creux de son bras. Lorsqu'il émergea à quatre pattes, la dame était en train de dire :

— Si vous alliez en direction d'Huntingdon, suivre la rivière vous ferait faire un long détour.

— Je ne voulais pas suivre la rivière, j'ai perdu le nord ici, et en plus un peu de mon calme.

La dame rit avant d'ajouter :

— A cause de la générosité de ces filles ?

— Ah, ça oui ! Vous pouvez le dire.

— Êtes-vous pressé ?

— Dans un certain sens, oui; je suis pressé de trouver du travail.

— J'ai loué ce bateau pour une quinzaine de jours, je... je pourrais vous employer pour ce temps-là.

Le regard de Dick, qui s'était relevé et tenait la boîte de

biscuits à deux mains, allait de son père à la dame et de la dame à son père. Elle lui offrait un travail et il ne sautait pas sur l'occasion ! Il regardait droit devant lui. Et lorsqu'il parla, sa voix était tendue.

— Vous n'avez pas besoin d'un homme d'équipage pour un bateau comme celui-ci.

— Mais si, j'en ai besoin. (Elle s'était retournée vers lui.) Il y a beaucoup d'écluses d'ici à Huntingdon, et certaines sont terribles à traverser, c'est le travail d'un homme. Je... je m'inquiétais un peu à l'idée de manœuvrer tant soit peu ce bateau, mais Daphné a tellement insisté. (Sa voix devint presque un murmure lorsqu'elle poursuivit :) Je peux vous donner trois livres par semaine, plus la nourriture et... et je suis sûre que votre fils aimerait ça. Cela... cela fait-il longtemps que sa mère est morte ? (Elle jeta rapidement un regard autour d'elle avant d'ajouter :) C'est idiot de ma part; je suppose qu'elle...

— Tenez; prenez ce plateau, voulez-vous ?

Dick vit son père se pencher et prendre le plateau à thé des mains de la jeune fille, mais alors qu'elle allait grimper sur le pont sa mère lui ordonna :

— Monte aussi le gâteau aux fruits, Daphné, je me sens le ventre creux.

Dès que sa fille eut disparu, la mère se tourna vers son père et demanda :

— Eh bien, qu'en dites-vous ?

— J'irai jusqu'à Huntingdon; vous me paierez alors ce que vous estimez que ça vaut.

— C'est assez honnête. (Elle pinça légèrement les lèvres, puis lui sourit.) Quel est votre nom ?

— Abel Mason.

— Abel. C'est un prénom de l'ancien temps, n'est-ce pas ?

— Je suis un homme de l'ancien temps.

— Oh !

Sous l'œil intéressé de Dick, la dame manœuvra la barre pour franchir un coude de la rivière, puis elle répéta :

— Oh !

Et lorsque sa fille apparut sur le pont, où elle déposa sans trop de douceur une assiette contenant un gâteau de pain aux fruits, elle lui annonça sans la regarder :

— M. Mason sera notre homme d'équipage jusqu'à Huntingdon.

La jeune fille resta un moment à regarder par-dessus bord; puis elle traversa le cockpit, et, bousculant Dick au passage, elle descendit dans la cabine où il l'entendit marmonner :

— Cela ne m'étonne pas du tout.

CHAPITRE IV

Cela faisait trois jours qu'ils étaient partis. Ils progressaient très lentement. Dick pressentait que la dame n'avait aucune hâte d'arriver. Il sentait qu'elle prenait plaisir à rester allongée à peine vêtue sur le toit de la cabine. Il sentait également un malaise chez son père. La nuit précédente, ils avaient accosté dans une petite baie près d'une guinguette, et la dame avait fait de son mieux pour le persuader d'aller prendre un verre avec elle, mais il avait refusé; et, les laissant avec Daphné, elle y était allée toute seule.

Il aimait bien Daphné; elle était différente lorsque sa mère n'était pas là. Il pensait qu'elle n'aimait pas sa mère, et il la comprenait bien, car il savait ce que c'était de ne pas aimer sa mère.

Ils étaient tous couchés; dans leur cabine, il faisait très sombre, et l'on étouffait. Les deux couchettes sur lesquelles son père et lui dormaient formaient un V à la proue du bateau; son père devait dormir les genoux relevés, car sa couchette était trop courte. Et il grommelait de nouveau dans son sommeil. Les deux dernières nuits, il avait crié le nom de Madame Alice, puis il s'était assis en sursaut et s'était cogné la tête. Il s'était ensuite levé et était resté assis sur le bord de sa couchette, et, bien qu'il ne pût voir son père, sa petite toux étouffée lui avait révélé qu'il était penché en avant, la tête dans les mains.

Il faisait très chaud. Il aurait voulu dormir, mais il était trop préoccupé pour trouver le sommeil. Il n'arrivait pas vraiment à mettre le doigt sur ce qui l'ennuyait, mais il savait que cela concernait son père et la dame.

Il était sur le point de s'endormir lorsqu'il se rendit très précisément compte de deux choses. La première le fit tressaillir : c'était la voix de son père qui criait plus fort que d'habitude : « Alice ! Oh ! Alice ! Ton pauvre visage, Alice. » La deuxième fut que la porte s'était ouverte et que la dame était entrée dans la cabine. S'il ne l'avait pas entendue, il aurait senti sa présence, car elle s'enveloppait toujours dans un véritable nuage de parfum.

— Réveillez-vous ! Réveillez-vous.

— Quoi ! Quoi ! Qu'est-ce que vous voulez ? Qu'est-ce qui se passe ?

— Rien, rien. Je... je vous ai entendu crier dans votre sommeil.

Durant le bref silence qui suivit, Dick resta immobile et tendu. Comment avait-elle pu entendre son père ? Elle dormait à l'autre extrémité du bateau et elle était arrivée juste une seconde après qu'il eut crié.

— Je suis désolé de vous déranger. Il ne faut pas vous inquiéter. (Sa voix était basse et rauque.)

— Mais je suis inquiète pour vous. Vous êtes très tourmenté, n'est-ce pas ? Je vous ai entendu toutes les nuits depuis que vous êtes à bord. Vous avez dû beaucoup aimer votre femme.

Il y eut un silence. Puis elle recommença à parler d'une voix très basse, à peine audible :

— Je sais ce que vous ressentez; j'ai vécu la même chose après avoir perdu mon mari, mais... mais la vie doit continuer.

— Ne-vous-asseyez-pas-ici.

Son père avait parlé d'une voix sourde et menaçante.

— Ne soyez pas idiot !

— Partez... sortez !

— Vous étouffiez.

— Vous vous rendez bien compte qu'il y a un enfant dans cette cabine, n'est-ce pas ?

La voix de son père n'était plus qu'un chuintement et la sienne également lorsqu'elle répondit :

— Les enfants dorment quoi qu'il arrive, surtout sur cette rivière.

— Écoutez, laissez-moi quelques instants, je vais sortir. J'ai quelque chose à vous dire, et il vaut mieux que je vous le dise tout de suite.

Il y eut un autre moment de silence avant qu'elle ne

sorte de la cabine, puis il entendit son père enfiler ses vêtements.

Quand il fut seul depuis quelques secondes, il s'assit sur sa couchette. Il entendait si distinctement leurs paroles qu'il lui sembla d'abord qu'ils étaient encore dans la cabine; mais il réalisa que c'était parce qu'ils ne parlaient plus à voix basse. La dame disait d'une voix rapide :

— On dirait que vous avez le mors aux dents, vous savez ? Nous pourrions être très bien ensemble, je suis... je suis tombée amoureuse de vous. Oui, oui, en très peu de temps. J'imagine que vous êtes le genre d'homme dont toute femme tomberait amoureuse.

— Arrêtez, voulez-vous ? Je vous en prie.

— Non, non, je n'arrêterai pas. Vous voulez parler, moi aussi, et je parlerai la première. C'est comme ça. Je ne suis pas riche, mais j'ai reçu un héritage suffisant pour être sans souci d'argent — il m'a laissée dans le confort. Je pourrais vous monter une affaire. Vous devriez réfléchir à cela. Et à l'enfant qui est là. Quelle vie est-ce donc pour un enfant de cet âge de vagabonder sur les routes ? Et seul un sot peut aller vers le Nord pour chercher du travail. Vous avez dit vous-même que vous n'alliez pas chez des parents ou chez quelqu'un qui pourrait vous aider; alors, Abel, vous voyez bien. Non, non, ne dites rien, pas encore; réfléchissez d'abord. Vous êtes seul, moi aussi; nous pouvons nous soutenir. Je pourrai vous faire oublier votre femme ou qui ce soit d'autre. Il est rare de rester attaché à une femme, comme vous l'êtes à Alice, vous savez. Et le garçon. Et votre fils. Eh bien, je lui ai demandé si sa mère était morte, il n'a pas pu me répondre. Mais cela ne me préoccupe pas. Cela ne me préoccupe même pas du tout; votre passé ne veut rien dire pour moi, mais votre futur, oui... Oh, Abel !

— Retirez vos mains !

— Ne me parlez pas comme ça. Je vous offre...

— Je sais ce que vous m'offrez, et je vous remercie beaucoup, mais c'est non !

— Vous n'êtes qu'un imbécile !

— Peut-être; vous pouvez le prendre comme ça. Je vais retourner me coucher et je partirai dès demain matin.

— Non ! Non ! Vous avez dit que vous iriez avec moi jusqu'à Huntingdon.

— Oui, lorsque vous vouliez un homme d'équipage, pas un guignol.

Lorsque la porte s'ouvrit, la femme, dont la voix s'enfla, cracha des paroles qui semblèrent rebondir dans la petite cabine :

— Vous n'êtes qu'un rustre ingrat. Voilà ce que vous êtes. Vous avez les manières d'un vagabond, je m'en suis aperçue dès le début. Pour qui vous prenez-vous ? Et n'imaginez pas que je vais vous payer. On s'est mis d'accord pour Huntingdon; si vous voulez vos gages, vous devez rester jusque-là, sinon vous n'aurez rien. Vous comprenez ? rien du tout...

— Maman ! Maman ! Écoute... écoute-moi. Viens.

La porte de la cabine se referma. Son père alluma la lampe et il s'assit au bord de la couchette; ils se dévisageaient lorsque la voix de la femme les fit sursauter :

— Lâche-moi, criait-elle.

— Pas tant que tu continueras à faire l'imbécile.

Puis ils perçurent le bruit d'une claque retentissante; Dick remarqua que son père tenait les yeux fermés avec force.

Le silence revint. Au cours du quart d'heure suivant, il observa les ombres qui dansaient sur les parois de la petite cabine, pendant que son père préparait le sac à dos. Il ne semblait pas pressé, mais tous ses gestes étaient empreints de lassitude. Lorsqu'il eut fini d'empaqueter les affaires, il se tourna vers lui, le repoussa contre son oreiller et dit :

— Essaie de dormir un peu. Nous partirons aux premières lueurs.

Il ne répondit pas, mais, la lumière éteinte, il s'étendit dans l'obscurité.

Mais qu'est-ce que les femmes attendaient donc de son père ? Sa mère, Madame Alice et maintenant la dame.

En s'endormant il cherchait encore l'explication.

Il lui sembla qu'il ne dormait que depuis une minute ou deux, lorsque la voix de son père lui parvint de très loin :

— Allez, Dickie. Allez, lève-toi.

Il cligna des yeux, renifla et allait demander « est-ce

que je vais me laver dans l'évier, papa ? », quand son père, comme s'il avait lu dans sa pensée, lui dit :

— Laisse ta toilette; on prendra un bain quelque part dans la rivière.

Son père était déjà habillé et prêt à partir; à peine avait-il fini d'enfiler ses vêtements qu'il éteignit la lumière.

— Il fait encore nuit, papa, lui dit-il.

— Non, le jour pointe. Dehors, il fera tout à fait clair. Viens. Avance doucement.

Il suivit son père sur la pointe des pieds dans la cabine, à travers la cuisine et le long de l'escalier qui menait au petit pont. La clarté de l'aube l'étonna; mais la rivière et les champs étaient recouverts de brume, et il frissonna.

Lorsque son père les hissa, lui et son sac à dos, sur la berge, le bateau se balança légèrement. Tout était très calme, très paisible. Il ne pouvait distinguer l'eau à cause de la brume qui noyait tout.

Ils n'avaient pas parcouru cent mètres le long de la berge que son père s'arrêtait brusquement et se retournait. Trop préoccupé à choisir où il posait les pieds, il n'avait rien entendu.

Lorsque Daphné s'approcha, on aurait dit qu'elle avait perdu ses jambes. Elle portait un tricot en laine trop grand et, tout en parlant, elle en remonta les manches jusqu'aux coudes :

— Je viens juste vous dire au revoir. Je suis triste que vous partiez. Vous étiez le meilleur de la bande. Elle est folle des hommes; c'est plus fort qu'elle; c'est depuis que mon père est mort. Ça fait à peine six mois; elle dit toujours que cela fait un an.

Elle tendit sa main vers Abel, mais ce n'était pas pour lui dire au revoir.

Il regarda le billet pendant un instant, puis le visage de la jeune fille, et ajouta doucement :

— Merci, ma chérie; mais je ne veux rien. J'ai eu le lit et le couvert pour nous deux.

— Prenez-le, vous l'avez gagné, et elle en a plein, nous en avons plein toutes les deux. Ce n'est rien, juste une livre. Je serai... je serai fâchée si vous ne l'acceptez pas.

Abel hésita un peu, puis finalement prit le billet et lui dit :

— Merci. (Et, après un bref silence, il ajouta :) J'aurais préféré pour vous que les choses se terminent différemment.

— Moi aussi. Savez-vous ce que j'ai pensé, lorsque je vous ai vu pour la première fois ? Je savais qu'elle allait courir derrière vous, et je me suis dit que, si seulement Dick avait été un petit peu plus âgé, nous aurions pu faire deux paires d'amis. Je... J'aurais aimé cela.

Elle eut un petit rire étouffé, et Dick regarda son père. Il penchait la tête, la grisaille de la brume faisait ressortir la rougeur de son visage, et il dit d'une voix douce :

— Vous êtes une gentille fille, Daphné. Occupez-vous d'elle, elle a besoin de quelqu'un. Je regrette que cela ne puisse être moi.

— Moi aussi... J'espère que vous trouverez du travail.

— J'en trouverai. Merci encore pour cela. (Il agita doucement le billet.) *Au revoir.*

Ils s'étaient éloignés de quelques mètres, lorsque ses paroles leur parvinrent. On eût dit qu'elle les avait déposées sur la brume et les avait soufflées vers eux. « Je me souviendrai toujours de vous, disaient-elles, comme de l'homme qui parlait peu, mais qui regardait beaucoup. »

Abel se retourna, mais elle avait déjà disparu.

— Ne pleure pas, petit.

— Non, je ne pleure pas.

Il ne savait pas pourquoi il disait ne pas pleurer, alors qu'il pleurait bel et bien. Mais il était vraiment trop triste. Il faisait froid, il aurait voulu retourner dans la cabine, il aurait aimé que son père puisse aimer la dame. Lui, il avait aimé Daphné. Ils avaient ri ensemble.

Lorsque le ciel s'éclaircit, il sentit que la journée serait interminable, qu'il allait avoir faim, qu'il allait avoir mal aux jambes, que ses pieds allaient se couvrir d'ampoules. Quel dommage que son père n'ait pas aimé la dame !

Il leur fallut douze jours pour atteindre les faubourgs

de Leeds. La plupart du temps, ils étaient restés sur la grand-route du Nord, ne s'en écartant que la nuit pour trouver des abris.

Désormais, Dick ne bavardait plus en route. Il ne se sentait plus aussi fatigué à la fin de la journée et ses jambes ne le faisaient plus souffrir, mais il avait encore une ampoule qui refusait obstinément de se cicatriser. Et il ne souhaitait qu'une chose : ne plus avoir à marcher. Et puis, il aurait voulu que les hommes, qu'ils rencontraient en chemin, surtout les plus jeunes, arrêtent de leur crier :

— Ohé, camarades, vous vous trompez de route !

Il ne voulait pas retourner chez sa mère, mais il aurait voulu rentrer à la maison et dormir dans son lit...

Abel se rendait bien compte de ce qui se passait dans la tête de son fils, et le désespoir l'envahissait peu à peu. Il en était à son ultime pièce de six pence. Les trois derniers jours, ils n'avaient mangé que chichement, même cette fois où ils avaient fait la queue à une boulangerie dès cinq heures du matin pour récolter un morceau de pain rassis et des gâteaux vendus à bas prix; après s'être rempli le ventre de petits pains secs et de miettes de pâtisserie, ils avaient eu encore faim.

La veille, il avait imploré un fermier, pour qu'il lui donne du travail, pendant si longtemps que l'homme s'était irrité et l'avait injurié. Une chose devenait certaine, ce soir il devrait se rendre à l'asile des pauvres le plus proche pour que son fils puisse avoir au moins un lit et un semblant de repas.

Le matin de bonne heure, il avait décidé de s'éloigner de la grand-route dans l'espoir que les choses change-raient dans les villages éloignés de la circulation. Cette phrase, on la retrouvait sur les lèvres de tous ceux à qui ils avaient parlé au cours de leur périple. Ils espéraient tous que quelque chose changerait.

Il avait dessiné un plan grossier de l'itinéraire qu'il devait emprunter, mais, lorsqu'il s'assit pour le regarder, il réalisa qu'il s'était quelque peu égaré, car, à une dizaine de mètres de là, un panneau indiquait : Leeds, 8 kilomè-tres. Il avait pourtant cru apercevoir la ville depuis la dernière colline. Ma foi, il l'avait peut-être bien vue, les distances sont si trompeuses. Seulement, ils étaient aussi fatigués l'un que l'autre de traîner la jambe et il lui fallait vérifier où ils se trouvaient.

— Assieds-toi là un moment, dit-il d'un ton tranquille; je grimpe juste sur cette hauteur pour jeter un coup d'œil.

Auparavant, le garçon se serait écrié :

— Je t'accompagne, papa. Mais plus à présent; chaque fois que se présentait une occasion de s'asseoir, il s'asseyait.

Du haut de la colline, Abel aperçut à l'horizon des maisons éparpillées que voilaient des lambeaux de brume; beaucoup plus près, il distingua un enchevêtrement de toits, qui indiquaient un gros village, et plus près encore, à moins d'un kilomètre, de l'autre côté de deux champs de chaume, une grande maison, flanquée d'une rangée de constructions.

Il était déjà convaincu que cela ne pouvait être une ferme lorsqu'il remarqua des animaux qui se déplaçaient dans un champ autour de la maison. Il plissa ses yeux que la lumière blessait et murmura :

— Des cochons.

Il n'avait jamais aimé les cochons. Les moutons, les vaches, les chevaux, tous les autres animaux l'avaient toujours attiré, à la différence des cochons. Mais qui sait ? C'était peut-être l'endroit où la chance leur sourirait. Il redescendit, reprit son sac et dit :

— Viens; il y a un coin qu'a l'air valable. Ils ont des cochons.

Quand Abel atteignit la grille qui donnait sur la cour et la maison, Dick traînait quelques mètres en arrière. Il s'y appuya et l'attendit en observant ce qu'il y avait devant lui. Il était évident que cette maison, une grande bâtisse trapue en pierre, n'avait pas été repeinte depuis des années. La partie de la cour qu'il pouvait voir indiquait clairement que ce n'était pas une cour de ferme; elle ressemblait plutôt à celle de Lady Parker. Il y avait une demi-douzaine de boxes à chevaux d'un côté et, de l'autre, des portes qui devaient donner sur des selleries et des entrepôts, ainsi qu'une grange aux portes grandes ouvertes.

51

Il pourrait offrir son travail au propriétaire en échange d'une nuit au sec dans cette grange; et, vu l'état des lieux au premier coup d'œil, l'endroit manquait de bras. De toute façon, s'ils allaient à l'asile, le lendemain il devrait travailler toute la journée pour payer leur nuit; on ne vous donne jamais rien pour rien.

Au moment où il ouvrait la grille, il entendit un concert de cris aigus et perçants qui provenaient de derrière la maison, et il présuma que les cochons venaient de recevoir leur nourriture.

L'endroit semblait désert, mais, s'il ne s'était pas trompé, le propriétaire devait s'occuper des bêtes, et il décida de faire le tour de l'habitation. Auparavant, il déposa son sac sur le sol et ordonna à Dick de s'asseoir dessus :

— Je vais voir si je peux trouver quelqu'un.

Comme son fils, de nouveau, ne répondait rien, Abel le regarda un instant avec tristesse et sa gorge se serra. Puis il s'éloigna lentement le long de ce qui avait été un chemin; à présent les grandes herbes qui le recouvraient le rendaient presque invisible.

En passant devant la porte principale, il remarqua que, de toute évidence, elle était faite d'un chêne solide, mais que les intempéries l'avaient dégradée et qu'elle était devenue d'un gris blanchâtre.

Avant de tourner à l'angle de la maison, il jeta un regard vers la grange. Il aperçut deux étables séparées par de forts piliers et, dans l'une d'elles, un vague tas de paille.

Au moment même où il tournait à l'angle de la maison, il sursauta, car il faillit entrer en collision avec l'apparition, du moins c'est ainsi qu'elle lui apparut au premier abord. Il ne pouvait déterminer son âge. C'était une grande femme; les mèches folles qui s'échappaient de son chapeau mou cabossé laissaient deviner qu'elle était blonde, mais peut-être avait-elle les cheveux blancs ? Elle avait un visage allongé, décharné, marqué par le temps, bien qu'il semblât délicatement éthéré. Malgré le volumineux pardessus râpé de l'armée qu'elle portait, on pouvait pressentir sa maigreur; la longue robe fleurie et tachée de boue qui tombait sur ses bottes, des bottes d'homme, qui elles aussi recelaient un parfum militaire et dans lesquelles, vu leur grande taille, il devinait que ses pieds flottaient, révélait son caractère étrange.

Il fut le premier à parler :

— Excusez-moi, m'dame; je cherche le propriétaire.

Lorsqu'elle tendit la main et que ses doigts lui touchèrent doucement le bras, il faillit bondir en arrière, mais il se retint. Il était impossible qu'elle fût le propriétaire, encore que son allure correspondît assez bien avec l'endroit, pensa-t-il en l'observant. C'est presque en bégayant qu'il lui demanda :

— Je... Je voudrais bien savoir si vous nous permettriez, à mon fils et à moi, de passer la nuit dans votre grange ? En guise de paiement, je ferai n'importe quel travail.

Elle inspira alors profondément, ce qui sembla la grandir encore, et, lorsqu'elle parla, le ton de sa voix le stupéfia, car son accent était fort cultivé. Il rappelait celui de son ancien employeur : elle aussi parlait de cette manière, mais d'une voix moins perchée.

— Qui vous a envoyé ?

— Personne, madame... c'est-à-dire que nous faisons route vers le Nord, nous allons vers Leeds, mais il s'est mis à bruiner et mon fils est très fatigué.

— Qui vous envoie ?

Il secoua la tête.

— Je vous l'ai dit, m'dame, personne.

— Ah oui ! c'est eux. Dieu vous envoie. Je savais qu'Il le ferait.

Il détourna la tête, et la voix et l'attitude de la femme changèrent complètement, à tel point qu'il tressaillit à nouveau. A présent animée, très affairée, elle s'écria d'une voix toujours aiguë :

— Oui, oui, bien sûr, vous pouvez rester cette nuit ici, et... et je serai heureuse de recevoir votre aide. Oh oui ! je serai heureuse; quoique je n'embauche pas n'importe qui. Venez. Venez, je vais vous montrer. Vous pouvez dormir dans la grange. Avez-vous faim ?

Elle marchait devant lui, puis, attendant sa réponse, elle s'arrêta et regarda par-dessus son épaule. Une nouvelle fois il fut frappé par son allure étrangement irréelle, qui le fit clignoter des yeux à deux reprises, tandis qu'il se demandait s'il était ou non en train de rêver. Il lui répondit alors d'une voix hésitante :

— Eh bien, oui; j'avoue que nous avons un peu faim, m'dame.

— C'est bien ce que je pensais; ils ont tous faim, ce qui fait qu'ils ne peuvent pas travailler. Les vieux veulent juste de la nourriture, et les jeunes juste de l'argent. Voilà la grange, vous pouvez dormir là. Il n'y a pas de rats, les chats s'en occupent. J'ai quatorze chats. Je n'aime pas les chiens; des créatures serviles, les chiens; les chats sont indépendants, comme moi. (Elle se tourna soudainement vers lui en ajoutant :) Vous ne devez rentrer dans la maison sous aucun prétexte; je vous apporterai à manger ici. Comprenez-vous ?

— Oui, oui, je comprends.

Elle se dirigea vers la grange, s'arrêta, regarda en direction de la grille, puis demanda d'une voix lente :

— Est-ce votre fils ?

— Oui.

— Je n'aime pas les enfants; mais je m'en accommoderai si vous travaillez bien. Vous feriez mieux de vous coucher tout de suite, parce que, demain, je vous attendrai dès cinq heures, vous entendez, pas plus tard.

Elle le menaçait du doigt à présent, elle tourna les talons pour se diriger vers l'arrière de la maison et il la suivit quelques instants du regard avant de rejoindre Dick.

— Viens, lui dit-il tranquillement. Viens.

Ils avaient à peine déballé leurs sacs à dos et leurs affaires pour dormir que la voix perchée leur parvint de la porte restée ouverte.

— Voilà ! A cinq heures précises, pas plus tard.

Il n'eut pas le temps de répondre qu'elle avait disparu, et il allait s'avancer lorsque Dick parla pour la première fois depuis des heures, demandant d'une voix toute craintive :

— Qui c'est ça, papa ?

— C'est la fem... la dame, la propriétaire d'ici.

— Elle a l'air drôle.

— Drôle ou pas, elle nous permet de prendre une bonne nuit de repos.

Il regarda le plateau qu'elle venait de déposer. Il y avait une tasse de cacao fumante, une petite miche de pain apparemment cuite à la maison, un gros morceau de fromage, une tranche de panse de porc et une plaquette de beurre.

— Eh bien, dit-il en hochant la tête, elle a un bon garde-manger, et elle sait aussi cuire le pain, à moins qu'il y ait quelqu'un d'autre dans la maison qui le fasse pour elle.

Tout en posant le plateau sur la paille, il regarda son fils et demanda :

— Qu'est-ce que tu penses de ça ?

— Oh, papa ! Ç'a l'air bon !

— Et tu verras quand tu le mangeras ! Allez, attaque-moi ça. Tiens, bois un peu de ce chocolat chaud pour commencer.

Pour la première fois depuis des jours et des jours, il vit l'enfant sourire, tandis qu'il essuyait le chocolat sur ses lèvres, et il s'efforça de sourire lui aussi, mais en vain; il se sentait mal à l'aise : elle était étrange, bizarre, cette femme. Ce n'étaient pas seulement la façon dont elle était vêtue ni l'état des lieux, ce n'étaient pas simplement les choses qu'elle disait, c'était surtout sa manière de les dire. Il y avait en elle quelque chose d'inquiétant.

Il dormit bien, et se leva sans bruit aux premières lueurs pour ne pas gêner l'enfant. Il fut dans la cour à cinq heures moins cinq. Mais elle était déjà là, et elle lui donna aussitôt ses ordres. Il devait nettoyer la porcherie, donner les eaux sales aux cochons, puis désherber la cour.

Elle ne donne aucun travail au petit, remarqua Abel. Elle semblait disposée à l'ignorer totalement; pour elle, il n'était tout bonnement pas là. L'unique tasse de chocolat de la veille le démontrait.

Il était huit heures bien passées lorsque Dick fit son apparition. Il courut vers lui, s'appuya tout essoufflé contre le mur de la porcherie et dit :

— J'te trouvais pas, p'pa, et y'a personne. (Puis,

reprenant sa respiration, il ajouta :) Va-t-on avoir un petit déjeuner ?

— Rien ne permet encore de le dire, mais je vais avoir fini ici dans un instant, et on ira voir.

— Ça sent mauvais ici.

— Oui, ça sent mauvais.

— On dirait que ça n'a pas été nettoyé depuis long-temps. As-tu retiré tout ce tas ce matin, papa ?

Dick désignait le grand monticule de fumier qui se trouvait non loin de la porcherie.

— Oui, répondit Abel; et mon dos qui me fait mal le sait bien. (Il esquissa un sourire :) C'est c'qui arrive à force d'être paresseux.

— Tes bottes sont toutes sales.

— On les nettoiera.

— Heureusement que t'as relevé ton pantalon...

— Vous là-bas ! (La voix provenait de la cour. Ils se retournèrent d'un seul coup tous les deux et regardèrent vers la femme. Elle montrait la grange du doigt.) Votre petit déjeuner est là.

— Merci. (Abel fit un signe de tête, puis jeta la pioche, s'avança vers elle et lui demanda :) Où pouvons-nous nous nettoyer ?

— Vous trouverez une pompe de l'autre côté de la cour. Quel est votre nom ?

— Abel Mason.

Elle hocha la tête à trois reprises et ajouta :

— Abel, Abel. Ah ! Je pensais bien que vous étiez envoyé par Dieu; votre nom le prouve. Bon, après avoir mangé, vous commencerez la cour. Enlevez toute l'herbe qui pousse entre les dalles. Je pense que vous en aurez bien jusqu'à ce soir; demain, vous pourrez continuer jusqu'à la route. J'ai ici cinq arpents de terre, juste cinq arpents. (Elle secoua la tête.) Est-ce que vous vous rendez compte ? Juste cinq. Autrefois, il y en avait cinq cents, et encore avant mille. Mais nous désherberons ces cinq arpents, vous et moi. Oui, c'est ce que nous allons faire.

Elle fit alors deux pas vers lui, un sourire éclaira son visage, mais encore une fois il recula devant elle. Il serra un instant les mâchoires, puis posa une question :

— Quel salaire m'offrez-vous, m'dame ?

Elle parut surprise et répéta :

— Quel salaire ? Oh ! le salaire. Eh bien, vous serez nourri, logé et... et vous aurez une livre par semaine. Une livre... (elle hocha la tête) cela suffira à vos besoins. L'argent n'est pas tout. L'argent n'est qu'un fléau, savez-vous cela ? Si vous en avez, tout le monde veut vous le prendre. Le seul véritable ami que l'on possède, c'est Dieu et... (elle sourit à nouveau) Il a répondu à mes prières; Il a enfin répondu à mes prières.

Elle hocha trois fois la tête, fit demi-tour et fila — c'est le seul mot qui puisse décrire sa façon de marcher — vers la maison.

Dans la grange, Abel regarda le grand plateau sur lequel étaient posés une théière, un pot à lait, une assiette, un couteau et une fourchette, une autre petite miche de pain et un plat avec couvercle. Lorsqu'il souleva le couvercle et vit deux œufs frits flanqués de deux tranches de jambon, il eut un profond soupir; puis il dit à Dick en se tournant vers lui :

— Apporte ton assiette et ta timbale.

Lorsque l'enfant revint avec son assiette, il demanda tranquillement :

— Elle ne veut rien me donner, hein, papa ? Jamais elle ne me regarde ni ne me parle.

Abel ne répondit pas, mais se mit à partager la nourriture; puis ils s'assirent tous les deux sur une planche posée le long de l'étable et se mirent à manger en silence.

Abel était sur le point de dire « On s'en va d'ici, mon fils », lorsqu'une averse qui s'abattit brusquement sur le toit de la grange lui fit lever les yeux. Depuis l'aube, le ciel promettait la pluie, et, maintenant que l'orage se déclenchait, il n'était plus question de reprendre la route.

Ils avaient à peine terminé leur repas que la femme réapparut à la porte de la grange en disant, et cette fois sans aucun préambule :

— Ça n'est pas parce qu'il pleut que vous devez cesser de travailler, vous avez des sacs dans ce coin, là, pour vous abriter.

Il ne répondit rien, mais ils se dévisagèrent un instant avant qu'elle ne disparaisse.

Il avait déjà rencontré dans sa vie des créatures bizarres, mais celle-là, se dit-il, battait tous les records.

— Est-ce que je peux venir t'aider, papa ?

— Non, non ! (Sa voix était dure.) Reste là, à l'abri.

— Toute la journée ?

— Oui, toute la journée s'il se trouve que...

Et il resta là toute la journée. La plupart du temps, Dick se tint à la porte de la grange. Il observait son père : il ressemblait à un bossu géant sous le sac posé en pointe qui recouvrait sa tête, ses épaules et une partie de son dos, tandis qu'il arrachait les hautes herbes qui poussaient entre les dalles de la cour. De temps à autre, il rentrait dans la grange et échangeait le sac trempé contre un sec, mais il ne lui adressait pas la parole et quelque chose sur son visage avertissait l'enfant qu'il devait se tenir tranquille.

Au déjeuner, il y eut encore du porc. Vers quatre heures, Abel rentra à pas lourds dans la grange et, après s'être débarrassé du sac et de son manteau trempé, il s'effondra sur la planche; après avoir essuyé son visage avec la serviette que Dick avait sortie du sac à dos, il regarda son fils et annonça :

— Qu'il pleuve, qu'il vente ou qu'il neige, nous partons demain matin.

Il avait prononcé ces mots comme si l'enfant allait protester à la perspective de partir.

— Va-t-elle te payer cette journée de travail, papa ?

— C'est ce qu'on ne va pas tarder à savoir...

Et il le sut, en effet, une heure plus tard, lorsqu'elle entra précipitamment dans la grange, un nouveau plateau dans les mains. En d'autres circonstances, il aurait proposé d'aller chercher le plateau, mais pas dans un cas comme celui-là.

D'emblée, elle lui déclara :

— Vous avez fini bien tôt.

— Je n'irai pas jusqu'à croire que vous ne vous êtes pas rendu compte qu'il continue de pleuvoir à verse, madame, que cela a duré toute la journée et que je suis trempé jusqu'aux os.

— La pluie ne peut vous faire aucun mal et vous n'avez pas l'air d'être une petite nature. Non, non, vous n'avez vraiment pas l'air d'être une petite nature. C'est la pluie de Dieu, de l'eau pure... Vous n'avez pas terminé la cour. Eh bien, demain il fera jour; vous pouvez commencer par cela et ...

— Demain matin, je partirai, m'dame.

Il vit son corps s'affaisser légèrement sur le côté et ses oreilles se dresser comme si elle eût fait un grand effort pour comprendre ce qu'elle venait d'entendre.

— Qu'est-ce que vous avez dit ? demanda-t-elle.

— Je pars demain matin. Mon fils et moi (il insista sur le mot fils) nous reprenons notre route.

— Vous avez dit que vous resteriez pour une livre par semaine.

— Je n'ai rien dit de la sorte, m'dame. J'ai demandé ce que vous offriez comme salaire. C'est vous qui avez parlé d'une livre par semaine, mais j'estime que l'ouvrage que j'ai abattu aujourd'hui vaut cinq shillings.

Elle plissa son visage au point que ses yeux disparurent presque dans leurs profondes orbites, et elle l'observa une bonne minute, une minute embarrassante, avant de déclarer :

— Vous ne pouvez pas partir, pas vous. Je vous ai déjà dit que vous m'étiez envoyé par Dieu.

— Je regrette, m'dame.

— Je vous donnerai un repas supplémentaire — le souper — et deux livres par semaine. (Elle agitait de nouveau la tête.)

— C'est gentil de votre part, m'dame, mais on... on m'a promis un travail dans le Nord.

Elle l'observa fixement, puis dit d'un ton calme :

— Buvez votre thé. Elle fit demi-tour et s'éloigna lentement.

Il eut un peu de peine pour elle; c'était une créature pitoyable. Mais elle était étrange, légèrement folle, et il ne se sentirait tranquille que lorsqu'ils seraient loin de ces lieux.

Vers sept heures, elle lui apporta un pot de cacao, comme s'il avait accepté sa proposition, mais elle ne fit aucun commentaire. Elle n'amena pas de plateau cette fois, rien qu'un pot et une grosse tasse de porcelaine. Elle les déposa sur la planche, en l'ignorant complètement, et ressortit.

— Ce cacao est amer, papa.

— Oui, il est très fort; mais bois-le, cela te réchauffera.

Dick essaya de boire le restant de cacao, mais après une autre gorgée il insista :

— Ça va me rendre malade, papa.

— Très bien, très bien; laisse-le et va dormir.

Ils étaient tous deux couchés sur la paille lorsque Dick demanda :

— A quelle heure on part, demain matin, papa ?

— A l'aube, sinon avant.

— Mais sera-t-elle levée pour te payer ?

Il attendit un moment avant de répondre :

— Eh bien, si elle ne l'est pas, on partira comme ça.

L'enfant comprit que son père devait avoir grande envie de prendre la fuite s'il envisageait de partir sans sa paie alors qu'ils n'avaient plus d'argent. Il se sentait lourd, engourdi.

— Bonne nuit, papa.

Mais il n'y eut point de réponse, Abel dormait déjà.

Quand le rêve avait-il débuté, il l'ignorait; il savait seulement à quel moment il s'était terminé. Au début, il y avait Alice; elle était venue vers lui, mais pas comme la plupart des autres nuits où elle courait à travers le vallon pour se jeter dans ses bras grands ouverts. Cette fois, elle n'était arrivée de nulle part. Il ne pouvait distinguer son visage, il savait cependant qu'elle était derrière lui, et elle le portait dans ses bras. Son esprit lui disait qu'il n'était pas juste qu'une femme le portât et il lutta; mais elle le tenait fermement; ses bras n'étaient plus les mêmes, on aurait dit de minces câbles; sa voix également était changée et elle lui parlait sans cesse. Il essaya en vain de se retourner et de la regarder. Puis il eut la nausée; il sentit qu'il allait vomir, mais il se dit qu'il ne le fallait pas, car, s'il salissait sa couverture, il ne pourrait plus la laver.

Lorsqu'il s'entendit gémir, presque crier, il sut qu'il

était réveillé, bien qu'il eût du mal à le croire. Il voulut refermer les yeux et se dit qu'il était en proie à un cauchemar, mais son regard restait rivé à sa main et à sa cheville gauche qu'entouraient deux anneaux en fer d'un pouce de large, reliés à des chaînes. Il les suivit du regard jusqu'au sommet du pilier qui soutenait l'étable, auquel elles étaient accrochées.

Il baissa ensuite les yeux sur la lanterne, posée sur le sol près des pieds de la femme qui était assise sur une caisse retournée.

Il ouvrit la bouche pour crier, mais une panique aveugle, terrifiante, étouffa son cri dans sa gorge. Il était enchaîné. Elle l'avait enchaîné ! Elle était folle, cinglée ! Personne ne savait qu'ils se trouvaient ici... Dick. Où était Dick ? Dick ! Son nom monta à ses lèvres comme une plainte; il se releva péniblement, fit volte-face en s'agrippant à l'étai pour ne pas tomber, et, lorsqu'il vit l'enfant encore profondément endormi sur la paille, il s'adossa contre l'épaisse cloison en bois, ferma les yeux et poussa un profond soupir. Elle ne l'avait pas touché, ce qui prouvait bien sa démence; elle ne l'avait sans doute jamais vu, tant elle l'ignorait.

Il se tourna alors vers elle et, la bouche sèche, il lui dit :

— Vous ne pouvez pas faire ça. Détachez-moi, vous entendez ! Détachez-moi !

Ses paroles lui parurent faibles et stupides, et il savait qu'elles auraient autant d'effet sur elle que s'il s'était adressé à un sourd.

— C'est vous qui vous êtes mis dans cette situation.

— Vous ne pouvez pas me garder ici.

— Mais si. Dieu m'a parlé avec cela. (Elle se pencha, ramassa un livre sur le sol, et lorsqu'elle le brandit dans sa direction il reconnut la Bible.) Jurez sur la Bible que vous ne me quitterez pas. Prêtez serment en disant à Dieu que le mal s'abattra sur vous si vous ne tenez pas votre parole. Alors, je vous détacherai, et je vous promets que je vous soignerai bien, je vous laisserai même entrer dans la maison. Et ça, c'est quelque chose, c'est vraiment quelque chose quand je vous dis que je vous laisserai entrer dans la maison, parce que tout y a été préparé pour Arthur.

Elle se tut comme si elle attendait qu'il lui posât une question, mais il resta simplement appuyé à la cloison, silencieux et immobile, et elle poursuivit :

— Voyez-vous, Arthur est allé à la guerre. C'était un héros. Ils se sont opposés à notre mariage. Ils ont dit qu'il n'était pas de mon milieu; mais cela n'avait pas d'importance, nous nous aimions et nous devions nous marier. Tout était prêt, c'est encore prêt, tout est rangé dans les tiroirs. Ils ont dit qu'il était porté disparu. Porté disparu ! Mais moi, je sais bien (et elle se frappa la poitrine à deux reprises avec le poing) qu'il reviendra. Il est devenu amnésique, voilà ce qui lui est arrivé. Alors, vous comprenez (elle lui fit un signe de tête), jusqu'à ce qu'il revienne, j'ai besoin d'aide. Il faut s'occuper des terres. L'intérieur est prêt, mais je ne peux pas faire l'extérieur toute seule. C'est pourquoi j'ai prié Dieu. J'ai prié pendant si longtemps; et lorsque vous êtes arrivé à la porte et que vous avez dit que vous vous appeliez Abel, j'ai su qu'il avait exaucé mes prières... Comprenez-vous maintenant ?... Regardez. (Elle lui tendit la Bible, ouverte cette fois.) Saint Luc, chapitre onze, verset neuf : « Et je vous le dis, demandez et vous recevrez, cherchez et vous trouverez, frappez et l'on vous ouvrira. » Vous voyez, j'ai frappé à la porte de Dieu et Il m'a ouvert et Il a exaucé ma prière. Je vais vous donner le temps de réfléchir. Je vais vous préparer un petit déjeuner et lorsque je reviendrai, vous ferez ce que je vous demande, n'est-ce pas ?

Faire ce qu'elle demandait ? Il aurait juré n'importe quoi pour sortir de là, n'importe quoi.

Comme elle le fixait intensément, il fit un geste d'assentiment de la tête, et elle ajouta :

— Très bien; puis elle ramassa la lanterne et sortit.

Il attendit que le bruit de ses pas eût décru dans la cour pour se retourner et crier à voix basse :

— Dick ! Dick ! Tu m'entends ? Lève-toi ! Tu m'entends ?

Comme rien ne bougeait dans le foin, il essaya d'atteindre le pied de l'enfant, mais même en tendant le bras au maximum il n'y parvint pas.

Il se baissa, ramassa un peu de paille dont il fit une vague boule et la lui lança en pleine figure.

— Oh, oh ! Papa ! Papa ! Quelque chose... quelque chose m'a frappé.

— Réveille-toi ! Tu m'entends ? Réveille-toi. Lève-toi vite !

— Où tu es, papa ? Il fait noir !

— Je suis là.

— Qu'est-ce qui se passe ? Tu as mal ?

— Écoute, mon fils. Attends, je vais te secouer pour bien te réveiller. (Il le prit par les épaules, le secoua vigoureusement.) Tu entends ce bruit métallique ?

— Bien sûr, papa. Qu'est-ce que c'est ?

— Elle m'a enchaîné.

— Qu... Qu... quoi ?

— Elle est carrément folle, elle est cinglée. Maintenant, tu vas faire ce que je te dis. Sors d'ici. Cours aussi vite que tes jambes te porteront jusqu'à la grand-route, arrête la première personne que tu rencontreras et raconte-lui tout. Encore mieux, si tu trouves quelqu'un avec une automobile ou une charrette, va avec lui jusqu'au prochain village et ramène la police. Tu comprends ?

— Oui, papa.

— Allez, vas-y. Le jour va se lever; une fois dehors, tu verras le chemin.

Il le poussa en avant, et cela provoqua un nouveau bruit de chaînes qui lui arracha une grimace.

Il se réadossa alors à la cloison. Comment s'était-il fourré dans ce pétrin ? Par Dieu, mais qu'est-ce qui lui arrivait ? Ce qu'il avait toujours souhaité, c'était une vie calme, honnête. Il ne se souciait même pas d'être heureux. Il n'avait jamais été heureux d'ailleurs — du moins pas avant de connaître Alice. Cependant, c'était depuis qu'il l'avait rencontrée que tous ses malheurs avaient commencé. Et cette dernière histoire, c'était vraiment la pire.

Un bruit de pas pressés le tira brusquement de ses pensées. La lumière jaillit dans la grange, elle s'approchait : elle tenait la lanterne d'une main et maintenait fermement Dick par son col de l'autre. S'arrêtant à quelques mètres de lui, elle poussa le garçon qui tomba à genoux sur les dalles du sol, et elle le regarda un moment avant de reporter son attention sur Abel.

— Vous êtes stupide, vous savez. J'étais sûre que c'était ce que vous alliez faire. Je me doute de tout ce que vous pouvez manigancer. Souvenez-vous bien de ça. Si vous lui demandez encore de sortir de cette grange, je l'enfermerai dans la maison.

A ce moment-là, tandis qu'elle le regardait à la lueur de la lanterne, elle lui parut parfaitement saine d'esprit. Sa voix était pleine d'autorité, ses gestes étaient vifs, aussi s'adressa-t-il à elle comme si elle eût été normale :

— Écoutez. Soyons sérieux. Détachez-moi et nous parlerons. Je vous parlerai. Je ferai ce que vous me demandez. Je vous promets de rester ici une semaine ou même plus, jusqu'à ce que j'aie remis cet endroit en ordre. Je vous le promets.

Elle pencha alors la tête de côté et l'observa longuement avant de lui répondre :

— Bien, c'est déjà mieux. Vous avez retrouvé votre bon sens. Nous rediscuterons après le déjeuner ou après le dîner. Mais peut-être serait-il bon que vous tâtiez à quelques jours de restrictions. On verra ça. Je vais vous donner tout votre temps pour réfléchir avant que vous prêtiez serment, parce que ce qui est juré... est... *juré*.

La sueur coulait dans son dos tandis qu'il regardait intensément son visage long et pâle, et la panique qui l'habitait déjà se mit à croître si rapidement qu'il faillit suffoquer. Elle pouvait le garder là pendant des jours... des semaines ! Elle ne laisserait personne franchir la grille. Oh, mon dieu ! Il tourna la tête, comme s'il cherchait un outil sur lequel mettre la main; mais il n'y avait rien sur le sol, sinon de la paille, les sacs qu'il avait mis de côté la veille et leurs sacs à dos appuyés contre le mur.

Il reporta son regard sur elle, et, ses lèvres remuant sans laisser échapper un son, il la vit faire demi-tour et repasser en toute hâte la porte de la grange.

Il sursauta quand Dick, qui s'était approché par-derrière, lui toucha la hanche.

Il lui saisit la main, l'étreignit et le rassura d'une voix tremblante :

— N'aie pas peur; ça ne va pas durer. Il va se passer quelque chose, quelqu'un va venir. Quelqu'un viendra bien.

— Papa ?

— Oui ?

— Si... si j'avais un bâton, je pourrais la frapper par-derrière.

Abel examina son fils qu'il pouvait à présent vaguement distinguer dans l'aube naissante, et il lui dit, les mots se bousculant dans sa bouche :

— Re... regarde partout, jusqu'au fin fond de la grange. Re... regarde si tu peux trouver un bâton ou un morceau de bois. Va. Va, cherche bien. (Avant de lui lâcher l'épaule, il ajouta :) Je sais qu'il n'y a pas assez de lumière pour vraiment bien voir, mais cherche à tâtons. Cherche avec tes mains.

Et il le poussa si rudement que l'enfant faillit tomber la tête la première.

Pendant quelques minutes, il l'écouta se déplacer à travers la grange, puis il siffla avec impatience :

— T'as encore rien trouvé ?

— Non, papa.

— Oh, mon dieu ! Si seulement... (Il tira avec rage sur les chaînes, mais s'arrêta, car Dick venait de crier :) J'ai trouvé ça, papa.

— Qu'est-ce que c'est ?

Dick revint auprès de lui; il tenait à la main une barre de fer rouillée longue d'un mètre, avec trois crochets à une extrémité.

— C'est un racloir. Brave petit !

— Qu'est-ce que tu vas faire avec ça, papa ?

— Je ne sais pas... enfin, si, je sais. Je vais m'en servir. Je vais la frapper aux jambes. Maintenant, écoute-moi bien. Lorsque... lorsqu'elle apportera le repas, je tiendrai la barre vers elle et la balancerai de cette façon (il fit la démonstration), mais si je la manque je te la lancerai. Tu auras certainement le temps de la ramasser, car elle aura un instant de stupeur, et alors, c'est toi qui la frapperas aux jambes. Mais aux jambes seulement, n'oublie pas. Fais-la tomber. Tout dépendra de l'endroit où elle tombera et dans quelle mesure elle aura été touchée. Mais tu dois la traîner vers moi pour que je puisse attraper ses clefs. Mets-toi près de cette cloison. Reste sur le qui-vive. Crois-tu que tu peux le faire ?

L'enfant avala sa salive, cligna les yeux, ravala sa salive puis répondit :

— Mais oui, papa. Si tu n'arrives pas à l'atteindre, c'est moi qui dois la frapper aux jambes.

— C'est ça; juste les jambes.

Le jour s'était levé et ils pouvaient voir autour d'eux, mais la plupart du temps ils gardaient les yeux rivés sur la porte ouverte de la grange. Au cours de cette attente, les minutes leur semblèrent des heures.

Lorsque enfin Abel perçut le bruit de ses pas sur le gravier, ses genoux s'affaiblirent et ses mains se mirent à trembler. Il savait que s'il la frappait avec cet outil il la blesserait gravement; mais c'était eux ou elle et, comme il ne cessait pas de se le répéter, il avait affaire à une démente.

A son habitude, elle n'apportait qu'un seul petit déjeuner, mais il remarqua tout de suite autre chose : elle avait un air différent, suspicieux; on aurait dit qu'elle avait deviné la présence de la barre qu'il tenait agrippée dans sa main, car elle posa le plateau sur le sol à quelque distance de lui et, sans le regarder, elle fit un signe à Dick en lui disant :

— Viens prendre le plateau.

Comme l'enfant ne bougea ni ne répondit, elle insista :

— Tu entends ce que je te dis, petit ? Viens chercher ce plateau et dépose-le près de ton père.

— Non !

— Qu'est-ce que tu as dit ? (Elle le regardait en face, à présent.)

— N... on ! (La peur lui fit scinder la syllabe en deux.)

— Très bien ! Il restera là où il est. Mais, tout en parlant, du pied elle poussa le plateau vers Abel, et lui, feignant de se pencher pour l'attraper, découvrit soudain la barre de fer qu'il fit tournoyer dans sa direction. Elle fut touchée de plein fouet.

Elle poussa un cri sinistre et, au moment où son corps flotta dans les airs, Dick joignit son cri au sien. Ce ne fut que lorsqu'elle se trouva étendue sur le sol, le corps tordu et silencieux, qu'Abel retrouva sa voix et cria à son fils :

— Tais-toi ! Tais-toi ! Veux-tu ?

Quand tout redevint silencieux, il se sentit épuisé; c'était comme si le bout de fer l'avait assommé lui aussi. Mais il fut ramené à la réalité par Dick qui pleurnichait :

— Elle est... elle est morte, papa ?

Il tourna les yeux vers elle. Bonté divine, elle en avait l'air. Mais il ne l'avait frappée qu'au bras; sa tête avait sûrement heurté le sol quand elle était tombée. Lui aussi bégayait à présent :

— Va... a.... auprès d'elle et cher... cherche les clefs dans ses poches.

Comme Dick hésitait, il explosa. La voix perchée, presque aiguë, il cria :

— Allez, fais ce que je te dis !

En s'approchant de la forme qui était recroquevillée sur le sol, Dick s'attendait à tout instant à ce qu'elle lui bondisse soudain à la gorge, et il toucha plusieurs fois son manteau d'un doigt hésitant avant de se résoudre à fouiller ses poches.

Il ne trouva rien dans la première et retira sa main aussi vivement que si un animal l'avait mordu; puis, se tournant vers son père, il murmura :

— Il n'y a rien dedans, papa.

— Essaie l'autre.

— Elle est... elle est couchée dessus.

— Alors retourne-la ! (Il criait de nouveau.) Etends ses jambes et elle roulera sur le dos.

Complètement paniqué, l'enfant tira successivement sur chacune des jambes lourdements bottées et les allongea; quand le corps sembla reprendre vie à l'instant où il roulait sur le dos, il bondit de côté en criant :

— Oh ! papa ! Papa !

— Mon garçon, écoute-moi. (Abel s'était ressaisi, et

sa voix était très basse mais beaucoup plus impérative que lorsqu'il avait hurlé.) Si tu ne trouves pas les clefs qui ouvrent ces serrures, elle va peut-être mourir, et moi aussi. Tu comprends ?

Mais Dick ne comprenait rien à ce qui se passait, il ne sentait que sa peur, et il pleurnicha :

— Qu'est-ce que je dois faire maintenant, papa ?

— Ouvre son manteau et cherche dans la poche de sa jupe.

Une minute entière s'écoula avant que le garçon ne s'écrie, comme s'il avait trouvé un trésor :

— Je les ai, papa ! Je les ai, les clefs !

— Apporte-les ici, vite.

Abel examina les clefs dans la paume de sa main. Il y en avait quatre enfilées sur un anneau, et une toute seule. Il essaya celle-ci en premier. En tâtonnant, il la glissa dans la serrure du bracelet de fer, mais hésita un bref instant avant de la tourner. Lorsqu'elle fonctionna sans difficulté, comme si elle avait été récemment huilée, et que les deux demi-cercles du bracelet s'ouvrirent, il se laissa lentement glisser à terre et resta un long moment immobile, comme s'il allait s'endormir, tandis que l'enfant le regardait bouche bée.

Quand il bougea, ce fut pour bondir sur ses pieds et arracher à deux mains le fer qui lui enserrait la cheville.

Puis, tandis que, debout au-dessus d'elle, il l'observait, la peur l'envahit de nouveau. Elle semblait morte; du sang coulait de ses cheveux sur son visage. Oh, mon dieu ! Il mordit le dessus de son index et tourna lentement la tête vers Dick quand ce dernier lui dit :

— Elle saigne, papa. Elle saigne.

Il s'agenouilla avec répugnance à côté d'elle sur le sol en pierre, et il dut faire un effort pour lui prendre le pouls. Lorsqu'il sentit une pulsation, il ferma les yeux et poussa un long soupir. Alors, avec plus de courage, il la prit par les épaules et l'appela comme si elle avait été très loin.

— Réveillez-vous ! Allons, réveillez-vous !

Mais la seule réaction qu'il obtint fut une réaction involontaire; sa tête roula sur le côté et un flot de sang s'écoula de ses cheveux.

Il se remit sur pied et resta à la regarder tout en frottant son poignet écorché. Ce n'était peut-être qu'une éraflure superficielle... Mais si c'était une blessure profonde, elle allait perdre son sang jusqu'à ce que mort s'ensuive. Il recula d'un pas. Eh bien, quoi qu'il arrive, il ne serait pas là pour le voir. Titubant comme s'il avait été légèrement ivre, il dit :

— Allons, prends tes affaires, nous partons.

Dick lui obéit sur-le-champ : il empoigna son sac à dos, y fourra sa couverture, courut vers la porte de la grange et l'attendit là, le corps un peu penché en avant, prêt à courir.

Lorsque Abel atteignit la porte à son tour, le sac à dos perché sur les épaules, il jeta un dernier regard au corps étendu comme celui d'un animal mort que l'on n'a plus qu'à charrier; puis il se retourna lentement, et, tirant l'enfant par l'épaule, il le fit courir jusqu'à la grille. Mais une fois qu'il l'eut franchie il s'arrêta. Il ne regarda pas en arrière cette fois, mais droit devant lui. Que se passerait-il si elle ne revenait pas à elle et restait étendue là toute la journée, peut-être même toute la nuit ? Elle mourrait de froid, et on pourrait le poursuivre en justice.

Ne sois pas idiot, se raisonna-t-il. Personne ne sait que tu es venu ici, il peut se passer des jours et des jours avant que quelqu'un ne vienne... C'est vrai et à ce moment-là elle sera certainement morte.

Comme si ces mots avaient été prononcés par un autre, il inclina la tête sur sa poitrine. L'enfant lui prit la main en lui disant d'une petite voix :

— Qu'est-ce qui se passe, papa ?

Il ne prêta pas attention à ces paroles. Puis, tout à coup, il rehaussa son sac à dos et se remit en route.

Cinq minutes plus tard, ils atteignaient le sommet de la colline. Il regarda vers le bas le groupe de maisons qu'il avait déjà remarqué le soir où ils étaient arrivés et, vers la gauche, l'étroit ruban de route qui menait jusqu'à elles. Alors, il dévala la pente de la colline si rapidement que l'enfant dut courir pour rester à ses côtés.

Le premier cottage se trouvait à environ trois cents mètres du village même. Au moment où ils franchissaient la grille, la porte s'ouvrit et un homme sortit, un fermier de toute évidence. Il les observa un instant depuis le seuil avant de dire :

— B'jour.

— Bonjour.

Abel s'arrêta et attendit que l'homme s'avançât vers eux. Le fermier fut abasourdi lorsqu'il s'entendit demander à brûle-pourpoint :

— Y a-t-il un médecin dans ce village ou... ou un poste de police ?

— Oui, y'a l'un, mais point l'autre. Le poste de police se trouve à deux bons kilomètres d'ici, mais le Dr Armstrong habite dans la première maison. (L'homme montra la route d'un signe de tête.)

— Merci, merci.

Abel allait repartir lorsque l'homme ajouta :

— Mais vous l'trouverez point c'matin, l'est chez le jeune Phil Gallespie; c'est pour le premier d'sa femme; ç'a pas dû être du facile pour elle. L'est passé ici devant la grille avec son cabriolet vers dix heures c'te nuit, l'est point revenu, sinon la femme l'aurait entendu. Un sommeil léger qu'elle a, moitié réveillée la nuit, moitié endormie l'jour. Mais ça va mal ou quoi ?

— Non, non. (Abel secoua la tête.) C'est ... c'est pour la dame de la ferme aux cochons; elle a eu un accident.

— Ah ! mam'zelle Tilda. (L'homme souriait largement à présent.) Qu'est-ce qu'est don' arrivé à Tilly-la-toquée ?

Abel ne répondit pas immédiatement. Il l'a appelée Tilly-la-toquée ! Tout le monde doit donc savoir qu'elle est folle.

— Elle... elle a fait une chute.

— Eh bien, j' m'en ferais pas pour elle, le docteur la verra quand il reviendra. Il est d'sa famille, demi-cousin; le seul qui s'occupe d'elle, pas'que 'y a que d'lui qu'elle accepte de l'aide. Toquée, toquée depuis des années. On devrait l'enfermer, c'est c'que tout le monde dit... Des histoires de diable. Tenez, regardez ! le cabriolet. C'est le docteur qui rentre. Là-bas au bout de la route. C'est mieux d'y aller et d'lui dire, même qu'il sera pas content pas'qu'il doit languir son lit.

Abel acquiesça et, suivi par Dick, il se précipita à la rencontre du cabriolet. Arrivé à hauteur du cheval, il héla le conducteur, puis, les yeux levés vers lui, il dit :

— Excusez-moi, monsieur.

Le médecin, assis sur le siège en cuir, fit stopper le cabriolet et, regardant Abel d'un air las, demanda :

— Oui, qu'est-ce que c'est ?

— C'est... c'est pour la dame de la ferme aux cochons. (Il ne dit pas « votre parente ».) Il faut que je vous dise quelque chose.

Le médecin ôta son chapeau mou et se passa la main dans les cheveux, puis il redemanda en soupirant :

— Qu'est-ce qui se passe donc ?

— Eh bien, monsieur, je me suis arrêté chez elle il y a deux jours et je lui ai demandé si nous pouvions dormir dans sa grange, mon fils et moi (d'un geste, il désigna Dick) et elle m'a répondu oui, à condition... à condition que je travaille en échange de la nuit de repos et des repas. C'est ce que j'ai fait hier toute la journée. Puis elle s'est mis dans la tête que je reste. Elle... elle a essayé de me le faire promettre et j'ai dit que je ne pouvais pas, que nous... nous partirions le matin. Vous comprenez, je fais route vers le Nord. Alors... alors (il secoua la tête comme s'il mesurait l'invraisemblance de ce qu'il allait raconter, puis il poursuivit son récit avec précipitation), que vous le croyez ou non, monsieur, elle m'a enchaîné. Lorsque je me suis réveillé, j'étais attaché par un poignet et une cheville. (Il leva sa main pour montrer son poignet écorché.) Elle avait sans doute mis quelque chose dans le chocolat qu'elle m'a apporté la nuit dernière, car je ne me suis rendu compte de rien. Puis elle a insisté pour que je jure sur la Bible. J'aurais juré sur n'importe quoi pour être détaché, mais une fois que j'ai eu prêté serment elle est repartie sans me libérer. Eh bien (il secoua de nouveau la tête), pour être bref, monsieur, j'ai ordonné à mon garçon de chercher un morceau de bois pour pouvoir la frapper. Il a trouvé une barre de fer et... et je m'en suis servi; je ne l'ai frappée qu'au bras. Elle a dû se cogner la

71

tête contre une dalle en tombant, car elle est blessée derrière la tête. J'ai essayé de la ranimer, mais je n'ai pas pu. En tout cas, tout ce que je voulais, c'était sortir de cet endroit, mais... mais j'ai pensé... eh bien, qu'elle pourrait passer si elle restait allongée là. Je suis désolé. Je... je ne voulais pas la blesser, mais le fait de me retrouver enchaîné, eh bien, cela m'a presque rendu fou; je...

— Ça va, ça va, ne vous tracassez pas. (Le médecin soupira.) Mais je pense que vous feriez mieux d'y retourner avec moi.

— Retourner là-bas ? (Abel piétina l'herbe du talus en signe de protestation et ajouta :) Oh ! non, monsieur. Je ne retournerai jamais là-bas, je ne veux pas revoir cet endroit.

— Eh bien, vu ce que vous m'avez raconté, je crains qu'il me faille insister. Et si elle était morte ? Venez, ne vous inquiétez pas, prenez l'enfant, plus vite nous y serons, plus tôt nous connaîtrons l'ampleur des dégâts.

Abel hésita un instant avant de hisser Dick à l'arrière du cabriolet; puis il monta à son tour, s'assit à l'extrémité du siège, le corps penché en avant, les mains pendantes entre les genoux, le sac toujours sur le dos...

Il lui sembla qu'il ne s'était écoulé que quelques secondes lorsqu'il se retrouva dans cette horrible grange, à regarder la femme que le médecin examinait.

— Eh bien, elle n'est pas morte. Je crains qu'une simple chute ne soit pas suffisante pour tuer Mathilde, mais elle a une mauvaise entaille derrière la tête et vous avez peut-être bien trouvé le moyen de lui casser le bras. Il nous faut la ramener à la maison. Donnez-moi un coup de main. Il n'en reste pas grand-chose, elle est légère comme une plume.

Abel s'aperçut que c'était vrai; il aurait pu la porter tout seul; tout son poids semblait être dans ses vêtements.

— Nous ne pouvons pas passer par la porte principale, nous entrerons par-derrière.

Après avoir franchi la porte de service, ils traversèrent un vestibule et ils entrèrent dans une salle de séjour où Abel resta bouche bée de surprise, tant était étonnant le contraste entre l'intérieur et l'extérieur de la maison. Ici tout reluisait; les meubles et les parquets étaient on ne peut plus cirés, les rideaux immaculés; il y avait même des fleurs dans un vase sur la table.

— Allongeons-la sur ce divan.

— Je ne peux y croire.

— A quoi ? (Le médecin suivit le regard d'Abel et dit :) Oh ! l'aspect pimpant. C'est Tilda tout craché... Ah ! elle revient à elle. Écoutez, aidez-moi à retirer son manteau avant qu'elle ne reprenne complètement conscience, sinon je n'y arriverai jamais. Il vaudrait mieux que je lui fasse une piqûre et que je mette une attelle à son bras, car on n'en voudra pas à l'hôpital, on l'enverra à l'asile, et, si elle y entre, elle n'en sortira plus. Pauvre Tilda.

Abel s'écarta du divan. La femme avait ouvert les yeux et, bien qu'ils fussent levés sur lui, ils restaient inexpressifs. Puis elle aperçut le médecin; son regard s'éclaira alors et elle se souleva en disant :

— Oh ! John ! John !

— Tout va bien, Mathilde, tout va bien. Ce n'est qu'une chute.

— John, il faut qu'il reste. (Elle s'accrocha au médecin et bredouilla :) Il a été envoyé par Dieu pour veiller à ce que tout soit prêt pour le retour d'Arthur, mais... mais il n'a pas voulu. Il n'a pas voulu. John... dis-lui de rester.

— Très bien, ma chérie, très bien. Rallonge-toi, là; tu t'es blessée au bras et à la tête. Je vais juste te faire une petite piqûre. Tu vas dormir et, quand tu te réveilleras, Molly sera là pour s'occuper de toi. Tu aimes bien Molly, n'est-ce pas ?

— Je veux qu'il reste, John. Je veux qu'il reste.

— Ça y est ! Ça y est !

Lorsqu'elle referma les yeux et que son corps devint flasque, le médecin se tourna vers Abel et remarqua :

— Vous l'avez impressionnée, c'est évident. Maintenant réparons ça. Tenez son bras, comme ça...

Moins d'une demi-heure plus tard, ils étaient assis dans la cuisine autour d'une tasse de thé, et le médecin leur demanda :

— D'où êtes-vous ?

— Du Sussex.

— Oh ! du Sussex ! Un beau comté, le Sussex. Je le connais bien. De quelle partie ?

Abel hésita un instant avant de répondre.

— Hastings.

— Ah ! Hastings ! Je connais Hastings et ses environs. Comment vous appelez-vous ? Avec toute cette agitation, j'ai oublié de vous le demander.

Abel hésita encore. Il avait dit qu'il venait d'Hastings, et voilà que le docteur connaissait bien la ville et ses environs. C'est peut-être la raison pour laquelle, la seconde d'après, il décida de donner un faux nom. « Et puis, ça n'est pas vraiment un faux nom, se dit-il, puisque c'est le nom de jeune fille de ma mère. »

— Gray, répondit-il. Abel Gray.

Profitant du fait que le médecin se retournait vers la théière et hochait la tête en répétant : « Gray ! Oh ! Gray », Abel jeta un rapide coup d'œil à Dick, accompagné d'un imperceptible mouvement de tête pour lui intimer de ne pas ouvrir la bouche.

— J'ai connu des Gray. Ils habitaient à Rye. Avez-vous des parents dans ce coin ?

— Non, monsieur.

— Bon, et maintenant, monsieur Gray, après tous les ennuis que vous a causés Mathilde, je ne sais que vous dire. Je comprends que ç'a a dû être une expérience effrayante.

— Ça oui, alors. C'en était une.

— Vous n'allez pas faire quelque chose à ce propos, le répéter ou que sais-je ?

— Oh ! non, non, monsieur. Tout ce que je désire, c'est reprendre ma route.

— C'est très bon de votre part. Elle est à plaindre, vous savez; elle a mené une bien triste vie. Nous sommes parents éloignés. Sa mère et mon père étaient petits-cousins. Mais dans la famille de sa mère il y a toujours eu des insuffisances mentales. La pauvre femme a fini dans un asile, et Mathilde s'est élevée toute seule. Toute cette histoire de maison parfaitement tenue, cet homme qu'elle attend, ça vient de là. Elle est tombée amoureuse de lui et ce petit porc l'aurait épousée juste pour avoir la propriété

74

et l'argent; seulement il a mis l'une des filles du village dans l'embarras et ç'a a mis fin à la romance. Ensuite, il est parti en France et depuis elle attend son retour.

— Oui, elle me l'a dit. Elle m'a expliqué qu'il était amnésique.

— Amnésique ! (Le médecin rit.) Il vaudrait mieux pour sa femme qu'il le soit; elle vient de donner naissance à son onzième enfant.

— Il est sûrement revenu alors, dit Abel avec un petit tremblement de rire dans la voix.

— Oh oui ! il est certainement revenu, ajouta le médecin en éclatant de rire.

Puis son rire s'évanouit et il ajouta tristement :

— Pauvre Mathilde, elle tient toujours cette maison impeccablement soignée. Jour et nuit, elle fait le ménage; tout est prêt pour son retour. Et cela continuera comme ça jusqu'à la fin... Bon, à présent vous allez reprendre votre route, et, si vous voulez bien me rendre un dernier service, vous irez frapper à la porte du cottage où vous avez rencontré le vieux Harry ce matin, et vous demanderez à sa femme de venir ici aussi vite que possible. Voulez-vous bien faire ça pour moi ?

— Oui, avec plaisir.

— Eh bien, l'argent maintenant. Combien vous doit-elle ?

— Elle m'a offert une livre par semaine, mais même pour dix je ne serais pas resté. J'ai travaillé toute la journée d'hier et j'ai eu mes repas.

— Et un bon choc en plus.

— Ça, c'est vrai. Oui, ça c'est bien vrai, monsieur.

— Très bien. (Le médecin alla jusqu'au buffet de l'autre côté de la cuisine, ouvrit un tiroir, prit une cassette de laquelle il sortit deux billets d'une livre qu'il tendit à Abel.) Ça ira ?

— Oh ! c'est plus qu'assez. Mais je ne les refuserai pas. Merci beaucoup.

— Et maintenant (le médecin fouilla dans la cassette et en tira une pièce d'une demi-couronne qu'il donna à Dick), je suis sûr que tu en feras bon usage.

— Oh ! merci, merci beaucoup, monsieur.

Le médecin lui caressa la tête; puis, indiquant la porte de la cuisine du menton, il lui dit :

— Va prendre ton paquet.

Et, tandis que Dick lui obéissait, le médecin retint gentiment Abel par le bras. Lorsque l'enfant fut hors de portée de sa voix, il lui demanda :

— Avez-vous l'intention de vous installer quelque part avant l'hiver ?

— Oui, bien sûr, monsieur.

— Bon, bon. Votre fils n'a pas l'air très robuste, et il est petit pour son âge. Vous m'avez dit qu'il avait combien, sept ans ?

— Oui, bientôt huit. Mais il n'a jamais été malade, il est vif.

— C'est vrai; dans les longues courses ce sont les nerveux les plus résistants; mais, si j'étais vous, je chercherais un toit avant que le mauvais temps ne s'installe.

— C'est ce que j'ai formellement l'intention de faire, monsieur.

— Eh bien, alors, au revoir, et bonne chance. Et merci d'être revenu ici pour m'aider.

— C'est moi qui vous remercie, monsieur. Je n'aurais jamais cru que cela se terminerait de façon aussi... paisible.

Ils repassèrent la grille une nouvelle fois, et, tandis qu'ils réempruntaient le chemin sur lequel ils avaient détalé, en proie à la frayeur, à peine une heure plus tôt, il pensait : « Ma foi ! c'est un drôle de monde. On peut dire que la route vous fait connaître la vie. » Mais il ne s'attarda pas trop sur le genre de vie que la route lui avait fait connaître jusque-là.

Dick le tira de ses pensées en déclarant :

— Pourquoi tu as dit qu'on s'appelait Gray, papa ?

Abel baissa les yeux sur son fils et ne répondit pas tout de suite.

— Tu vois, j'ai dit que j'étais d'Hastings, et il a répondu qu'il connaissait bien la ville. Aussi qu'est-ce qui l'empêcherait de se renseigner sur moi si jamais il retournait là-bas ? Le monde est petit, tu sais. Et la nouvelle pourrait bien lui parvenir... à ta mère. C'est fort improbable, mais c'est le genre de choses qui arrivent... Tu ne veux pas retourner là-bas, n'est-ce pas ?

— Oh non ! papa, et c'est un joli nom, Gray.

— C'est le nom de jeune fille de ta grand-mère.

— Vraiment ?

— Oui ?

— Oh !

Il semblait heureux d'apprendre ça, et, levant les yeux vers Abel, il ajouta :

— Il m'a donné une vraie demi-couronne, papa. Mais je ne la dépenserai pas. Je la garderai.

Abel jeta un long regard à son fils en pensant qu'il aurait pu ajouter « pour un jour de pluie »; et les paroles du médecin lui revinrent à l'esprit : « Il n'a pas l'air très robuste, et il est petit pour son âge. Trouvez un toit pour l'hiver... » Trouver un toit avant l'hiver ? Mais s'il n'en trouvait pas ? L'asile ?

Il frémit à cette idée et accéléra le pas.

Que faire dans de telles circonstances ? Prier ? Prier pour qu'il arrive quelque chose ? Sur la route, tout le monde priait pour qu'il arrivât quelque chose; il lui faudrait viser plus haut et demander un miracle.

DEUXIÈME PARTIE

LE MIRACLE

CHAPITRE I

Une douzaine de jours s'étaient écoulés depuis qu'ils avaient quitté Leeds, et cela faisait cinq jours qu'il pleuvait sans arrêt. Ils étaient trempés jusqu'aux os, et depuis trois nuits ils dormaient dans l'humidité. Abel éprouvait une nouvelle détresse qui confinait au désespoir. Deux solutions s'offraient à lui, la première, aller à l'asile des pauvres et y passer l'hiver. S'il choisissait celle-là, il savait qu'il serait séparé de son fils, mais ce dernier serait à l'abri et recevrait une certaine forme d'éducation. La seconde était d'aller à North Shields où vivait John Pratt, son cousin par alliance. Mais il y avait un problème : Lena aussi avait des parents qui demeuraient dans cette région, et dès qu'elle apprendrait qu'il était là elle accourrait pour clamer ses droits d'épouse — c'étaient ses propres mots —, c'est-à-dire se faire tout simplement nourrir.

S'il adoptait la seconde solution, ce n'était pas la peine d'avoir quitté le Sud; donc ce serait Hexham et l'asile. Il estimait que cette ville était assez éloignée de North Shields pour qu'il n'ait pas à craindre d'y être reconnu.

Il savait que la région qu'il traversait aurait paru très belle si le temps avait été différent. L'effet de la pluie sur les gens était bizarre : ils étaient moins enclins à la gentillesse quand tout était trempé. Il avait dû frapper à quatre portes de Piercebridge avant qu'on ne lui donne une bouilloire d'eau chaude pour faire du thé. Mais, dans cette maison, la femme leur avait également donné deux sandwichs avec de la viande, la moitié d'une miche de pain et une plaquette de beurre. Au village de West Auckland, on leur avait offert un bol de soupe à chacun et deux pence. Les deux pence étaient une aubaine, et, tout en remerciant chaleureusement la femme qui les leur avait donnés, il s'était souvenu de la façon méprisante avec laquelle il avait rendu son penny à la jeune fille du bateau.

A présent, ils étaient en rase campagne. Ils parcouraient de grands espaces déserts, au sol détrempé, entre des collines aux sommets noyés dans d'épais nuages, et des champs bas entièrement recouverts d'eau.

Ils venaient à peine de dépasser Scales Cross et se dirigeaient vers Riding Mil. Il ne savait pas exactement à combien de kilomètres ils se trouvaient d'Hexham, neuf, douze ? De toute façon, quelle que soit la distance, ils n'y arriveraient pas ce jour-là, car dans moins de deux heures il ferait nuit et, surtout, l'enfant n'avait plus de jambes; il leur fallait trouver un hangar, un garage, ou n'importe quoi pour dormir. Depuis qu'ils avaient quitté Leeds, le jeune garçon s'était considérablement requinqué, beaucoup par soulagement d'avoir été délivré de la folle, mais depuis des jours il n'avait parlé qu'en de rares occasions, et ce silence était bien plus éloquent que de perpétuelles jérémiades.

A chaque pas, ses pieds gargouillaient plus bruyamment dans ses bottes, et quand il repéra un bois à quelque distance sur la droite il se retourna vers l'enfant qui suivait un peu en arrière :

— On va aller se reposer là-bas, d'dans, d'accord ? lui dit-il.

Dick ne répondit pas : « Oui, papa » avec assurance comme il le faisait aux premiers jours de leur aventure; il se contenta d'incliner très légèrement la tête, si légèrement que l'on n'aurait pu dire s'il s'agissait d'un signe d'assentiment.

Comme ils s'approchaient de la ceinture d'arbres, Abel entrevit, à travers les filets de la pluie, une masse sombre au bord de la route. Il essuya l'eau qui lui coulait sur les yeux et reconnut une automobile. Quand ils arrivèrent à sa hauteur, il tourna la tête et vit un homme assis à la place du conducteur. Il était renversé sur le dossier, et l'on aurait dit qu'il se reposait. Quand il leva la main comme pour faire un salut, Abel, après un moment d'hésitation, lui rendit un salut identique.

Ils avaient déjà dépassé l'automobile lorsqu'une voix

les arrêta. Abel se retourna. L'homme, penché à la fenêtre, luttait pour respirer et répétait sans cesse :

— Au secours ! Aidez-moi ! Au secours ! Aidez-moi !

Abel s'approcha de lui, s'inclina et lui demanda :

— Ça ne va pas, monsieur ?

— Je vais mal... (L'homme ferma les yeux et haleta, puis répéta :) Je vais mal... (et il pressa ses deux poings sur le devant de sa veste).

D'un air impuissant, Abel regarda sur la route dans les deux sens, puis lui dit :

— Je peux... je peux vous aider ? Qu'est-ce qu'il y a ?

— Conduire ! Vous conduisez ?

— Non... non, pas une voiture, monsieur, pas comme celle-là. J'ai conduit un tracteur, et un camion, mais... mais il y a très longtemps.

— S'il vous plaît. S'il vous plaît, conduisez.

— Mais... monsieur.

— Emmenez-moi... Emmenez-moi chez moi, s'il vous plaît.

— Où habitez-vous, monsieur ?

— Fell... Fellburn.

— Fellburn ? (Son visage se crispa. Fellburn était à des kilomètres, près de Gateshead.) Je pourrais chercher une ferme et trouver du secours, monsieur.

L'homme secoua la tête.

Abel baissa les yeux sur Dick, l'air affolé. Puis, comme s'il s'était brusquement décidé, il tendit la main, ouvrit la portière arrière et fit entrer l'enfant. Il retira ensuite son sac à dos qui ruisselait d'eau, le jeta sur le plancher et claqua la portière, puis ouvrit celle du conducteur. Il tira doucement l'homme de son siège, l'aida à faire le tour de l'auto — en le portant presque — et l'installa sur le siège du passager avant. Enfin il prit place au volant.

L'homme était affalé, les yeux clos, le poing de nouveau serré sur sa poitrine. Il semblait lutter pour respirer.

Abel se mordit les lèvres. Bon sang, comment ce truc démarrait-il ? Avec la manivelle, bien sûr. Elle se trouvait entre les deux sièges. Il sauta de l'automobile, alla jusqu'au capot, enfonça la manivelle et la tourna à plusieurs reprises mais sans aucun résultat. Il avait l'impression de n'avoir aucune force dans les bras, alors que, deux mois auparavant, il aurait pu abattre un jeune arbre en deux coups de hache. Alors, comme s'il attaquait un ennemi, il raffermit sa prise sur la manivelle, et tendant ses muscles il la fit tourner avec force; lorsque le moteur se mit à toussoter, il suffoquait lui aussi.

L'homme le regarda se rasseoir, et en montrant la boîte de vitesses il lui dit :

— Démarrez; démarrez.

Il y eut un grincement, et la voiture fit un bond jusqu'au milieu de la route, puis elle prit de la vitesse.

Il leur fallut dix minutes pour atteindre Riding Mill, et lorsqu'ils entrèrent dans le village Abel cria à l'homme sans quitter la route des yeux :

— Ne vaudrait-il pas mieux que je m'arrête, monsieur, et que vous voyiez un docteur ?

— Non... continuez.

— Mais... mais dans quelle direction ? Je ne connais pas la route.

— Tournez à droite au prochain croisement... et prenez la direction de Newcastle. Je... je vous dirai quand... quand changer de route. Traversez Whickham et contournez Gateshead.

Il y avait très peu de circulation. Ils dépassèrent quelques véhicules, ou plutôt quelques véhicules les dépassèrent. On aurait dit que la pluie avait également arrêté tout trafic, ce dont il se réjouissait. Pendant qu'il conduisait, les mains agrippées au volant, le corps tendu, il ne pouvait s'empêcher de trouver tout cela fantastique; il avait cherché une place d'homme à tout faire et il se retrouvait en train de conduire une automobile. Une touche d'humour noir teinta même ses pensées. Il serait comique qu'après avoir déposé le propriétaire chez lui on les reconduisît en auto à l'asile des pauvres de Gateshead.

Ils dépassèrent Gateshead et Low Fell sans incident, puis quittèrent la campagne et entrèrent dans les faubourgs de Fellburn; il demanda alors :

— Votre maison est-elle... au centre de la ville, monsieur ?

— Non, tout près. Après... après la prochaine maison, une cour sans grille.

Abel entrevit d'un bref coup d'œil une grande maison située au centre d'un vaste jardin, puis une rangée étroite d'enclos qu'ils dépassèrent lentement, et ils arrivèrent à hauteur d'une cour : comme l'homme l'avait indiqué, une cour sans grille. Il y avait un portique en fer de dix pieds de haut et de quinze de large; sous la barre supérieure flottait un écriteau sur lequel on pouvait lire : « Location, Achat, Vente et Réparation de Bicyclettes. Propriétaire, Peter Maxwell. »

N'ayant pas eu encore à s'arrêter, il manipula maladroitement les vitesses, et la voiture s'arrêta de justesse à un mètre du mur de la maison. Au moment où il se renversa en arrière en poussant un profond soupir, une porte s'ouvrit et une jeune femme vint jusqu'à eux en courant; elle regarda à l'intérieur de l'auto et s'exclama quelque peu stupéfaite :

— Oh, mon dieu !

— Il... il a eu un malaise. Il... il m'a demandé de le ramener ici.

— Très bien, très bien.

L'homme se pencha alors en avant pour essayer de sortir de la voiture, et la jeune femme demanda :

— Voulez-vous m'aider ?

Abel descendit précipitamment de son siège, fit le tour de l'automobile et lui dit :

— Laissez-moi faire, je vais le ramener.

Il était petit, mince, léger. S'il avait été en possession de ses moyens, Abel aurait pu le porter; ce qu'il fut presque obligé de faire tant l'homme était faible.

— Amenez-le là; étendez-le sur le divan.

Une fois qu'il fut allongé, la jeune femme sortit de la pièce pour revenir aussitôt un verre d'eau dans une main et deux pilules dans l'autre.

— Tiens, prends-les. (Elle se retourna vers Abel :) Soulevez-lui la tête, voulez-vous ?

Tandis qu'Abel lui soutenait la tête, elle dit :

— Allez, prends ça. Je t'avais bien dit de ne pas faire

tout ce chemin. S'ils tenaient tant que ça à la vendre, ils n'avaient qu'à la transporter eux-mêmes.

— Tchut ! Tchut !

L'homme ferma les yeux de fatigue; mais il les rouvrit aussitôt et tourna lentement la tête vers Abel pour lui dire :

— Vous avez fait ce qu'il... fallait; comme le bon Samaritain... oui, le bon Samaritain.

— Ne parle pas; repose-toi un peu et ensuite nous t'installerons en haut. (Elle se retourna vers Abel et lui demanda :)

— Pouvez-vous rester encore un moment me donner un coup de main ?

— Oui, bien sûr. Mais est-ce que je peux d'abord faire sortir mon fils de la voiture ? Il est trempé.

— Oh ! (Elle battit des paupières d'un air surpris et répondit :) Mais oui, bien entendu; amenez-le.

Abel sortit du salon, traversa rapidement le vestibule et la cuisine, remarqua la propreté des lieux, mais surtout leur chaleur; une odeur de cuisson lui monta aux narines.

Quelques instants plus tard, il. poussait Dick sur une chaise près du feu, et il s'aperçut que lui aussi était sensible à l'odeur de cuisine.

— Assieds-toi là et fais-toi sécher. On te donnera sûrement quelque chose à boire dans un instant. Ça va ?

L'enfant eut un signe de tête assez enjoué et fit le tour de la pièce du regard comme s'il se fût tout à coup retrouvé dans un palais.

Lorsque Abel retourna dans le salon, l'homme était en train de dire :

— Ne t'en fais pas; surtout ne t'en fais pas. Ça n'est pas parfait, mais je me sens déjà mieux. Est-ce que je ne t'ai pas toujours dit que Dieu veillait sur nous ? Ne m'a-t-il pas envoyé de l'aide lorsque j'en ai eu besoin ?

« Mon dieu ! faillit s'exclamer Abel. Encore un maniaque religieux !» Pourtant cet homme paraissait normal... et ce qu'il dit ensuite semblait le confirmer.

— Je vais très bien, Hilda. Laisse-moi me reposer un moment avant de monter. Ce que... ce que tu peux faire... c'est donner une boisson chaude à ce brave homme et à son fils, et... et leur faire sécher leurs vêtements.

La jeune femme jeta un coup d'œil pénétrant à Abel, puis regarda l'homme de nouveau et répondit :

— Je m'occuperai de ça une fois que tu seras installé, pas avant.

— Hilda ! Hilda ! Ne fais pas l'enfant ! Eh bien... allons-y.

Abel passa son bras sous ses épaules et le porta presque jusque sur le palier de l'étage.

— Par ici.

La jeune femme les avait précédés dans une chambre et avait rapidement rabattu la couverture piquée d'un grand lit aux montants en acajou. Lorsque Abel y déposa l'homme, elle le congédia presque sèchement en lui disant :

— Je peux m'en occuper maintenant. Attendez en bas, s'il vous plaît.

Abel ne répondit rien; il fit demi-tour et sortit de la pièce dont il ferma la porte derrière lui. Une fois sur le palier, il observa l'état des lieux et se dit que c'était une belle demeure, d'un genre ancien. Sur trois côtés, on trouvait des portes fermées, une balustrade en acajou bordait le quatrième, du côté de l'escalier qui conduisait au vestibule.

En longeant ce vestibule, il se dit qu'on ne construisait plus de maisons comme celle-là. Il s'en dégageait une véritable chaleur et même une ambiance familiale.

Lorsqu'il entra dans la cuisine, il trouva Dick assis à la même place. De l'eau s'évaporait de ses vêtements comme s'il avait cuit à petit feu; ses yeux paraissaient trop grands dans son visage maigre, pâle et fatigué.

— Belle cuisine, hein ?

— Oui, papa.

Sa gorge se serra et c'est d'une voix légèrement altérée qu'il lui murmura :

— Ne t'en fais pas, mon fils. Nous... nous aurons une cuisine comme celle-là un jour. Je te le promets.

L'enfant ne répondit point, mais pencha la tête et frotta ses mains humides l'une contre l'autre.

Se ressaisissant, Abel avança vers la table qui se trouvait sous l'une des fenêtres. Elle était recouverte d'une nappe verte ornée d'un galon auquel pendaient des glands, et, comme s'il eût été chez lui, il en saisit quelques-uns et les entortilla entre ses deux mains. Mais, réalisant soudain ce qu'il faisait, il redéfit les nœuds qu'il avait formés.

Il se dirigea vers la fenêtre et regarda au-dehors. L'averse s'était transformée en bruine. Il remarqua que le pavage de la cour était si parfait qu'aucune flaque ne s'y était formée. Selon toute apparence, les bâtiments de droite étaient des ateliers. La double porte de l'un d'entre eux était ouverte 'et il aperçut des bicyclettes démontées, suspendues à des clous et une partie d'un établi. Ceux situés de l'autre côté de la cour ressemblaient à des garages. Il en compta quatre, à deux étages, surmontés de greniers ou d'entrepôts. Le commerce des bicyclettes avait l'air florissant.

— Il est installé; il va dormir maintenant.

Il sursauta et se retourna; il ne l'avait pas entendue entrer dans la cuisine. Et pour la première fois il la regarda vraiment. Elle était de taille moyenne et bien en chair; son teint frais et son regard clair, son abondante chevelure brune et sa petite bouche aux lèvres charnues la rendaient avenante. Elle ressemblait tout à fait à sa maison : elle dégageait la même assurance; on aurait dit Dieu dans son paradis, en accord avec le monde. Seigneur Dieu ! C'est lui qui dégoisait à présent. Ce devait être contagieux.

— De quoi... souffre votre père ?

La question voulait être polie. Mais il l'entendit répondre :

— Ce n'est pas mon père, mais mon mari.

Le rouge lui monta si fort aux joues qu'il bégaya :

— Excusez-moi, made... madame.

Elle le regarda un instant en hochant légèrement la tête, puis elle lui dit en souriant :

— Oh ! c'est compréhensible; c'est une erreur que font beaucoup de gens. (Elle se tourna vers l'enfant et s'écria sur un ton plus aigu :) Oh ! mon dieu ! Mon

petit, tu fumes comme un pudding. Enlève ce manteau !
Tu vas attraper la mort. Quelle idée de rester assis
devant le feu avec ça sur le dos !

Tandis qu'elle écartait la chaise de Dick un peu brusquement et lui ôtait son manteau, Abel dit :

— C'est de ma faute; je pensais qu'il serait complètement sec avant que nous repartions.

— Repartir ?

Elle tourna la tête vers lui. Elle tenait le petit manteau
entre le pouce et l'index comme s'il eût été plein de
poux; puis elle le suspendit à la barre en laiton qui
entourait le fourneau.

— Oui, nous sommes... nous sommes sur la route,
malheureusement. J'ai cherché du travail, mais je n'ai
absolument rien trouvé.

— Avec le petit ?

— Oui. (Il prit un air gêné.) J'ai... j'ai dû l'emmener.
Les circonstances ont fait... que j'ai dû l'emmener.

— Oh ! Je suis désolée. (Elle baissa la voix et parla un
peu de côté comme si l'enfant ne devait pas entendre.) Sa
mère est... ?

Abel détourna la tête. Que répondre ? Qu'il avait
quitté sa femme et emmené l'enfant avec lui ? Qu'ils
étaient sur les routes depuis des semaines et qu'ils n'en
supporteraient pas davantage ni l'un ni l'autre ?

— Oh ! je suis désolée, je comprends.

Elle se tourna vers Dick et, haussant le ton, elle lui
demanda avec un sourire :

— Est-ce que tu aimes le hachis aux pommes de
terre ?

— Oui, m'dame.

— Bien. Monsieur Maxwell ne mangera rien ce soir,
aussi tu pourras avoir sa part.

Elle souriait encore quand elle se retourna pour regarder Abel qui la remerciait.

Cela ne lui fut pas facile de manger normalement, tant
était grande son envie d'engloutir à toute vitesse ces
aliments chauds et appétissants, et il se rendit compte
que Dick éprouvait les mêmes difficultés. Le hachis fut
suivi par une pleine assiette de gâteau de riz à la crème,

puis par un bol de thé et par un *tea-cake** entier pour chacun. Ce fut le meilleur repas de leur vie.

Dès qu'il eut fini, Abel se leva en disant :

— Je vais laver la vaisselle, m'dame.

— Oh, mais non ! (Elle secoua la tête.) Je m'en occuperai. Merci beaucoup.

Il resta debout à la regarder s'affairer autour de la table et quand elle enleva l'assiette de Dick il le souleva pour le mettre sur ses pieds, mais elle dit :

— Ça va, ça va. Laissez-le.

— Madame ?

— Oui ? (Elle s'arrêta et le regarda.)

— Est-ce que je peux vous demander une faveur ?

— Eh bien (son visage se fit sévère), cela dépend de ce dont il s'agit.

— Est-ce que pourriez nous permettre de dormir dans l'un de vos hangars cette nuit ?

— Dormir dans l'un des hangars ? (Elle baissa les yeux sur Dick, puis les ramena sur Abel d'un air étonné :) Je... j'imaginais que vous alliez quelque part. Vous voulez dire que vous n'avez rien pour dormir ?

— C'est ça, m'dame.

— Mais alors, où est-ce que vous comptiez dormir cette nuit... et avec lui ? (Elle regardait l'enfant.)

— Nous... normalement nous aurions dû arriver à Hexham et... et dormir à l'asile. Je sais qu'il faut que je trouve un endroit pour lui; il en a plus qu'assez de la route.

— Oui, j'en ai l'impression. (Elle hochait la tête.) Bien sûr, vous pouvez passer la nuit là. Il y a des chambres au-dessus du garage. Elles sont un peu en désordre; je ne suis pas montée là-bas depuis que Jimmy nous a quittés. Je n'en ai pas eu le temps. Jimmy était notre aide. Il travaillait avec Monsieur Maxwell. Il est mort il y a une quinzaine de jours. Il... il a été gazé pendant la guerre et cela l'handicapait; mais c'était un bon ouvrier. Il nous manque.

Tout en parlant, elle avait nettoyé la table, mis la

---

* *Tea-cake* : brioche plate qui se mange grillée et beurrée. (N.d.T.)

vaisselle dans l'évier, rincé les bouteilles de lait et mis les plats à tremper. Puis elle se dirigea vers la porte et ajouta :

— Venez, je vais vous montrer la chambre.

Ils grimpèrent un escalier sombre entre deux garages et entrèrent à sa suite dans ce qui avait l'air d'une salle de séjour. Il y avait un vieux divan, deux fauteuils, une bibliothèque et deux tables : l'une au milieu de la pièce et l'autre sous la fenêtre en mansarde, sur laquelle étaient posés un réchaud à gaz et quelques ustensiles de cuisine.

— C'est en désordre. Il n'a jamais été très ordonné. Et il ne pouvait pas se faire la cuisine. Il prenait ses repas à midi avec nous, mais il se préparait son thé et se réchauffait des restes là-dessus. Elle montrait la table du doigt. (Puis désignant un coin de la pièce :) En guise de chauffage, il n'y a que ce poêle à mazout. Ça ne le dérangeait pas; quand il ne travaillait pas, il passait la plupart de ses soirées dehors. Mais c'était un bon ouvrier, comme on n'en fait plus. Voici la chambre. Ça me fait peur de regarder là-dedans. Ça doit être dans un état ! (Elle ouvrit la porte d'une poussée, qui dévoila le lit chiffonné, un lavabo encombré de toutes sortes d'objets et une commode.) Dans l'autre pièce, il y a seulement ses vieilleries (elle désignait une autre porte), il est mort à l'hôpital. Il n'avait personne... Bon, si vous pouvez vous contenter de ça.

Elle se retourna et lui fit face.

— M'dame, pour moi, c'est comme un palais, dit-il avec un sourire ravi.

— Quelle bêtise ! (Elle fit claquer sa langue à plusieurs reprises.) Eh bien, montez vos affaires ici, mais laissez ce qui est mouillé dans la cuisine. Demain, tout sera sec.

— Merci, m'dame. Vraiment, merci beaucoup.

Il la regarda marcher vers la porte. Tous ses mouvements étaient, comme sa façon de parler, rapides, vifs. Elle semblait si jeune, si pleine de vie, et pourtant elle était mariée avec cet homme ! Il avait au moins cinquante ans, sinon plus. En tout cas, c'était grâce à elle qu'ils allaient pouvoir passer une nuit à l'abri et, pour le moment, c'était tout ce qui comptait. Il regarda Dick et lui dit en souriant :

— On va être bien là, non ?

— Oui, papa. (Dick hocha la tête et ajouta l'air pensif :) Elle est belle leur maison, hein, papa ?

Abel détourna son regard du petit visage au teint pâle et aux yeux si las et répondit platement :

— Oui, très belle.

— La cuisine est chaude et jolie, hein ? J'ai jamais vu une cuisine aussi grande. Et la jeune dame, elle est bien et tout, hein ?

Abel se mordit la lèvre, puis tourna le dos et entra dans la chambre. Il retira le dessus-de-lit et regarda les draps. Ils étaient propres, enfin relativement propres. Il les toucha : au moins étaient-ils secs.

— Ça ferait une jolie maison ça, hein, papa ?

Il ne l'avait pas entendu entrer, et il resta penché sur le lit, la main à plat sur les draps, pour lui répondre :

— Nous sommes ici pour la nuit seulement. Profites-en, mais ne commence pas à rêver.

Puis il se redressa lentement sans le lâcher du regard, et la peine qu'il lut dans ses grands yeux marron le fit souffrir. Il tourna brusquement la tête et dit :

— Viens, on va monter nos affaires.

CHAPITRE II

Le lit avait été étonnamment confortable. Bien qu'il eût les os rompus, il avait cherché le sommeil pendant des heures et lorsque, tout engourdi, il avait entendu frapper à la porte, il lui avait semblé qu'il venait de s'endormir.

Il s'assit, se tint un instant la tête à deux mains, puis se frotta les yeux avant de sauter du lit. Après avoir enfilé son pantalon, il alla ouvrir; elle était en train de poser un plateau sur la table.

— Oh... excusez-moi. J'ai dû faire la grasse matinée, murmura-t-il.

— Ça n'est pas grave. Voilà du thé. Descendez lorsque vous serez prêt pour vous restaurer un peu.

— Merci, m'dame.

Il retourna vers le lit et secoua doucement Dick par les épaules en disant :

— Allez, allez, il est temps de se lever.

L'enfant broncha à peine, et il dut le secouer à nouveau et le faire rouler sur le dos pour qu'il se réveillât.

— Oui, papa. Mais oui, papa.

— Il y a un bon thé chaud. Viens. Mets juste ta veste sur les épaules.

— Quelle heure est-il ?

— Presque huit heures. Nous avons dormi comme des marmottes.

A huit heures et quart, Abel frappait à la porte de la cuisine. Elle leur répondit aussitôt :

— Entrez. Entrez donc.

Ils s'avancèrent et s'arrêtèrent en même temps : tout était étincelant, ensoleillé; le soleil brillait au-dehors, mais l'éclat de la lumière semblait amplifié dans cette pièce. Un petit déjeuner était préparé sur la table recouverte d'une nappe bleue brodée; la porcelaine de Chine, bleue également, à motif de saule pleureur, donnait une impression de rondeur et d'intimité. Abel remarqua que les murs de la cuisine étaient peints en jaune. Il trouva légers et gracieux les rideaux bleus qu'agitait la brise qui s'engouffrait par la porte ouverte. Le sol, recouvert de grandes dalles gris ardoise, était égayé par des carpettes de couleur. Ce n'étaient pas des paillassons comme ceux que l'on trouvait autrefois dans les cuisines du Nord, mais de véritables tapis.

— Asseyez-vous. J'espère que vous aimez le porridge.

— J'aime tout, m'dame. (Sa voix était rauque.)

— Et comment va-t-on ce matin ? demanda-t-elle en souriant à Dick.

— Très bien, m'dame.

Elle éclata d'un rire franc et, lorsqu'il répondit par un sourire, elle ajouta :

— Voilà qui est mieux.

— Maintenant que vous êtes là, profitez-en ! Et je suis sûre que vous ne direz pas non à un peu de bacon avec des œufs.

Abel ne put proférer un mot. Il commença de manger lentement le porridge, mais avant de pouvoir avaler chaque bouchée, il lui fallait lutter pour desserrer sa gorge. Il crut un moment qu'il allait perdre son contrôle, et il se cria à lui-même : « Mon dieu ! Ne fais pas ça. » Il était sur le point de pleurer. Pour quelle raison, il n'aurait su le dire précisément. Il ne s'était jamais retrouvé dans cet état depuis le jour où il s'était enfui dans les bois.

Lorsqu'il détourna la tête pour se moucher, elle lui demanda :

— Qu'avez-vous ? Vous n'aimez pas le porridge ?

— Oh si, m'dame, bien sûr. (Il gardait la tête baissée.) J'ai attrapé un rhume, c'est tout.

— Rien d'étonnant ! Trempés comme vous l'étiez tous les deux, c'est un miracle que vous n'ayez pas attrapé une pneumonie. Au fait, une fois que vous aurez achevé votre petit déjeuner, M. Maxwell souhaiterait vous dire deux mots. Il va beaucoup mieux ce matin.

— Oh ! je suis bien heureux de l'apprendre, m'dame.

— Il a eu une très forte crise. Il m'a raconté qu'il a été pris d'un malaise sur une route déserte et qu'il aurait pu rester là-bas toute la nuit si vous n'étiez apparu, et... que cela lui aurait sûrement été fatal. J'ai appelé le médecin. Je ne le fais pas à chaque fois, car j'ai l'habitude de ses crises, mais hier il était vraiment mal, et il ne se repose jamais lorsque je le lui demande; il n'y a que le médecin qui arrive à lui faire garder la chambre pendant quelques jours.

— De quoi... de quoi souffre-t-il, m'dame ?

— D'asthme, principalement, mais... eh bien, depuis quelques années, il a en plus le cœur fragile. C'est pourquoi, hier, j'ai craint une attaque cardiaque. Mais, au fait, quel est votre nom ?

— Euh... Gray. Gray, m'dame. Abel Gray. Et mon fils s'appelle Dick.

— Oh ! (Elle fit un signe de tête de l'un à l'autre. Puis, tout en désignant le plateau du four, elle dit :) La suite de votre petit déjeuner est là; je serai en haut. Lorsque vous aurez fini, montez également.

— Oui, m'dame.

Une fois seuls, ils se regardèrent par-dessus la table, et Dick dit d'une petite voix :

— C'est un sacré petit déjeuner, hein, papa ?

— Oui, c'est vrai. Aussi profites-en, mange à ta faim.

— Tu n'as pas terminé ton porridge, papa.

— Non, mais je vais le faire, j'en viendrai bien à bout. Continue, toi.

Le bacon, les œufs et les toasts étaient délicieux, mais il dut également se forcer pour les manger. Affolé, il se demanda s'il n'était pas malade.

Après le repas, il alla à l'évier se laver les mains, mouilla son peigne au robinet, remit de l'ordre dans ses cheveux, arrangea sa veste, puis dit à l'enfant :

— Reste assis là jusqu'à ce que je revienne.

Il sortit de la cuisine et monta lentement au premier étage. Une fois arrivé à la porte de la chambre, il attendit un instant avant de frapper.

— Entrez, entrez.

Lorsqu'il s'avança dans la pièce, M. Maxwell était assis dans son lit, adossé à ses oreillers. Il semblait plus âgé que la veille, peut-être par contraste avec la jeunesse de sa femme.

— Bonjour, monsieur. J'espère que vous vous portez mieux.

— Mais oui, je me sens bien, grâce à Dieu... et à vous. (Il esquissa un sourire, puis en hochant la tête il ajouta :) Pour un homme qui prétend ne rien connaître aux voitures, vous vous êtes parfaitement débrouillé.

— Merci, monsieur.

— Ma femme m'a dit que vous vous appeliez Gray, monsieur Abel Gray.

— Oui, monsieur.

— Eh bien, Abel, je vais vous poser quelques questions et je veux que vous me répondiez sincèrement. Vos réponses peuvent être lourdes de conséquences, comprenez-vous ?

— Oui, monsieur.

— Vous vagabondez, c'est évident, mais de nos jours ce n'est pas une disgrâce, si ce n'est que vous traînez cet enfant avec vous. Pouvez-vous m'expliquer pourquoi ?

Abel affronta le regard de l'homme sans sourciller. Il lui demandait la vérité, mais que se passerait-il s'il la lui disait ? Dans les cinq minutes qui suivraient, il serait reconduit à la porte d'entrée, tandis que s'il répondait par un mensonge il y avait une chance pour qu'ils pussent dormir cette nuit encore au-dessus du garage. Il n'avait toujours pas cillé lorsqu'il répondit :

— J'ai eu un choc émotionnel.

Cela sonna bien à ses propres oreilles, et de plus c'était vrai. La mort d'Alice n'avait-elle pas été un choc émotionnel ?

— Eh bien, c'est... ce que nous supposions. (L'homme regarda sa femme.) Bon, maintenant, avez-vous eu des ennuis... la prison ?

— Non, monsieur, non, jamais.

C'était le deuxième mensonge, mais son démenti fut énergique, car il ne considérait pas que son séjour dans la prison militaire fût dû à un délit.

— Buvez-vous ?

— Je... je prends un verre de bière à l'occasion, mais je n'en ai pas bu une goutte depuis plus de deux mois.

— Bien, bien. Depuis combien de temps êtes-vous sur la route, seulement deux mois ?

— Oui, monsieur, à peu près.

— Eh bien, à présent, je voudrais savoir si vous pensez pouvoir rester sans rien boire du tout ?

— J'en suis sûr, monsieur; je n'accorde aucun intérêt à l'alcool.

— Bien, bien. Encore une autre question : quelle est votre religion ?

Abel fronça les sourcils; il n'avait aucune religion, il ne croyait même pas en Dieu. Il avait eu des doutes avant d'être embarqué dans la guerre, mais ce massacre, auquel il avait refusé de prendre part et qui l'avait stigmatisé, avait éliminé une fois pour toutes de son esprit l'idée qu'il pût exister une divinité bienveillante. On lui avait déjà posé cette question lorsqu'il avait été appelé, et quand il avait répondu « aucune » on l'avait inscrit comme appartenant à l'Église anglicane.

Sa pensée revint aux chambres au-dessus du garage, à Dick sortant d'un sommeil profond quand il l'avait réveillé (un vrai sommeil, dans un vrai lit), et c'est d'une voix plus basse, plus hésitante qu'il répondit :

— On peut dire que j'appartiens à l'Église anglicane.

— On peut dire... cela signifie-t-il que vous n'observez jamais les rites ?

— C'est exact. Je n'assiste jamais aux services religieux.

— Eh bien, vous êtes honnête à ce sujet; aussi vous reste-t-il encore un espoir. (L'homme sourit, puis reprit :) D'autres questions à présent, mais cette fois, d'ordre pratique. Vous avez dit que vous ne saviez pas conduire une voiture, mais que vous aviez conduit des tracteurs, si je me rappelle bien ?

— Oui monsieur; et un camion pendant la guerre.

— Avez-vous l'esprit pratique ?

— Eh bien, je me suis occupé de l'entretien de camions et de tracteurs, mais il y a quinze ans de ça, monsieur; les véhicules d'aujourd'hui doivent être différents.

97

— Aimeriez-vous vous occuper d'automobiles, je veux dire, les tenir en état de marche ?

Abel avala sa salive; puis posément et avec beaucoup de chaleur il répondit :

— Monsieur, je suis prêt à faire n'importe quoi qui puisse nous procurer un abri, à mon fils et à moi-même.

— Eh bien, c'est ce que je vous offre. Mais pas seulement un abri, je vous propose un bon emploi si vous êtes capable. Nous allons faire un essai pendant un mois et nous verrons comment vous vous débrouillez.

— Oh merci ! monsieur. Je vous remercie de tout mon cœur. Et je vous promets...

— ...Ah ! Ne faites jamais de promesse que vous n'êtes pas sûr de pouvoir tenir.

— Monsieur, celle-ci, je la tiendrai : je vous donnerai le meilleur de moi-même n'importe où et n'importe quand.

L'homme se tourna alors vers sa femme et lui fit remarquer :

— Je ne pense pas m'être trompé, Hilda. Je me trompe rarement, n'est-ce pas ?

— C'est vrai, très rarement, Peter.

— Monsieur ?

— Oui ?

— J'ai remarqué que vous vous occupiez de bicyclettes également; eh bien, je m'y connais pas mal en bicyclettes, je sais les démonter et les remonter et...

— ...et Benny Laton aussi. (L'homme inspira profondément, puis ajouta :) Il faut que je vous avertisse à propos de Benny, c'est un garçon que j'ai ici depuis qu'il a quatorze ans. C'est un génie pour les bicyclettes, mais (il se frappa la tête), Dieu n'a pas voulu que ce pauvre enfant puisse utiliser toute son intelligence; il est attardé de ce côté. Cependant, ni vous ni personne ne peut battre Benny pour les réparations de bicyclettes. Dieu retire mais donne aussi, et Il a donné à Benny cette unique aptitude. Non, je vous réserve le rayon automobile, et dès que je serai sur pied, c'est-à-dire demain ou après-demain, nous nous mettrons au travail. En attendant, je vous accorde ces deux journées pour nettoyer vos chambres, car ma femme m'a dit qu'elles étaient dans un triste état; profitez-en pour vous installer, parce qu'une fois que je serai debout vous n'aurez sûrement plus le temps de vous livrer à des occupations ménagères. (Il lui sourit sévèrement, puis se retourna vers sa femme à laquelle il demanda :) N'est-ce pas exact, Hilda ?

— Oh si, Peter.

Abel resta là encore quelques instants; puis, après les avoir salués, il fit demi-tour et sortit rapidement de la chambre. Une fois en haut des marches, il eut envie de les franchir d'un seul bond. N'avait-il pas dit que c'était un miracle qu'il lui faudrait et voilà qu'il avait eu lieu.

Il s'arrêta au pied des escaliers et regarda vers le palier. Il était comique que ce miracle fût de nature divine. Mais, s'il avait été l'œuvre du diable, cela aurait tout aussi bien fait son affaire. Il ne lui restait plus qu'à mettre Dick au courant, ou plus précisément à lui apprendre la leçon.

Dans la cuisine, il saisit la main de l'enfant étonné et l'entraîna dans la cour. Ils gravirent l'escalier entre les garages et pénétrèrent dans la salle de séjour en désordre, et, là, Abel se laissa tomber sur le divan et l'attira entre ses genoux en lui demandant :

— Si je te disais que tu peux rester ici... que nous pouvons rester ici, qu'en penserais-tu ?

Dick ouvrit la bouche et la referma à deux reprises avant de répondre :

— Oh ! Je hurlerais de joie, je hurlerais de joie. Et après je... (Mais sa voix s'enroua et il murmura simplement :) Oh ! Papa, papa !

— Ne pleure pas, mon fils. Là, là !

Il le prit dans ses bras et le serra de toutes ses forces, mais l'émotion le gagnait lui aussi.

Il s'essuya hâtivement les joues du revers de la main et, écartant l'enfant, il lui dit :

— Seulement, il y a un écueil. Tu sais ce que ça veut dire un écueil ? (Il attendit, mais, comme Dick ne lui donnait aucune réponse, il poursuivit :) Dans notre cas, c'est quelque chose qui peut nous empêcher de rester ici, quelque chose qui risque de nous renvoyer sur les routes, sous la pluie, sans rien pour dormir. Voilà ce que ça veut dire un écueil. Est-ce que tu as compris ? Écoute-moi bien. Tu te souviens que je t'ai dit que tu ne t'appelais plus Mason mais Gray, n'est-ce pas ? (Dick acquiesça lentement d'un signe de tête.) Eh bien, si ces gens apprenaient que... que je t'ai retiré à ta mère pour te faire courir sur les routes par ce temps épouvantable, ils ne voudraient plus rien savoir de moi; ils nous... ils nous mettraient à la porte. C'est pourquoi ta mère est morte, tu comprends ? Est-ce que tu comprends ? (Il secoua doucement Dick.) Si quelqu'un te parle de ta mère, tu dis qu'elle est morte et que c'est à cause de ça que nous avons quitté Hastings et que nous sommes montés vers le Nord. Tu as compris, Dick ? Dis-moi que tu as compris.

L'enfant regarda longuement son père avant de répondre :

— Je dois me dire que ma maman est morte.

— Oui, n'oublie jamais ça. Elle n'est plus au cottage, elle est morte. C'est notre seule chance de rester ici. Si jamais tu dis que ta mère est vivante, alors... Bon, je n'ai pas besoin de le répéter encore une fois, n'est-ce pas ?

— Non, papa.

— Tu as envie de rester ici, pas vrai ?

— Oh oui, papa, bien sûr. Et la dame est gentille.

Abel détourna la tête. Toutes les dames étaient gentilles pour l'enfant et Dick trouvait que celle-ci était la plus gentille. Lui aussi, d'ailleurs. Et la moins dangereuse, car elle était mariée. Et comme ils étaient pratiquants tous les deux, il n'y aurait pas d'histoire comme avec celle du bateau ou avec l'autre enragée. S'il travaillait bien, il aurait un toit pour des années. L'enfant recevrait une éducation, et son esprit à lui trouverait peut-être quelque repos lorsque le souvenir d'Alice s'estomperait.

— As-tu compris ? Réponds-moi.

— Oui, papa, j'ai compris.

CHAPITRE III

Cela faisait six mois qu'Abel travaillait pour Peter Maxwell; il lui semblait que six années s'étaient écoulées, six années agréables. Il travaillait six jours par semaine et souvent jusqu'à douze heures par jour. Il se reposait le dimanche comme tous les autres. Personne ne travaillait ce jour-là dans l'établissement de M. Maxwell; même les repas étaient préparés la veille et mangés froid le « Jour du Seigneur », selon le terme que M. Maxwell avait l'habitude d'employer.

Abel savait que son travail et sa manière de vivre lui avaient fait gagner l'estime de son patron. Il n'y avait qu'un seul obstacle, aussi bien pour M. que pour Mme Maxwell : il ne pratiquait pas, et ils se rendaient bien compte qu'ils ne parviendraient pas à le changer.

Il avait essayé de leur expliquer avec aplomb que, selon lui, il se trouvait aussi près de Dieu en se promenant sur une colline qu'entre quatre murs, car Dieu n'est-il pas partout ? Ils l'admettaient, mais soutenaient que dans l'enceinte de quatre murs sanctifiés Il s'adressait personnellement à chacun.

Quant à Dick, il ne ressemblait plus à l'enfant pâle, trempé, au teint terreux qui était entré dans cette maison quelques mois auparavant. Ses joues étaient vermeilles, il avait grossi, grandi un peu, mais surtout il était heureux : heureux à l'école, heureux de vivre au-dessus du garage. Abel avait remarqué que ce qu'il aimait par-dessus tout, c'était être dans la cuisine.

Ils déjeunaient à midi avec M. et Mme Maxwell, et ils étaient parfois invités à prendre le thé le jour de la cuisson du pain. Sinon, ils prenaient leur petit déjeuner et le souper chez eux.

Abel se réjouissait de ce que l'enfant se fût fait deux amis aux mentalités très différentes et qui se ressemblaient pourtant, dans un sens. Le premier, c'était Benny Laton, le retardé. Il n'était plus un enfant, du moins n'en avait plus l'allure, mais il parlait et agissait comme un garçon d'une dizaine d'années. Dès le premier jour, il avait adopté Dick et Dick l'avait adopté, et, chaque fois qu'il le pouvait, Dick allait le voir, lui tendait les outils et faisait exprès de se tromper pour l'entendre rire : « Voyons, t'as pas de tête, ce n'est pas une clef plate ! » ou bien : « C'est un marteau que je veux, pas un clou. »

L'autre amie, une fillette âgée de douze ans, à l'inverse de Benny, était devenue femme avant l'heure. C'était la fille de la voisine Mme Esther Quinton Burrows, qui demeurait dans la grande maison séparée de celle des Maxwell par les enclos à chevaux et le jardin.

Molly était la fille unique d'Esther Burrows; depuis quatre ans, époque à laquelle sa mère avait décidé, a la mort de son mari, de se transformer en invalide, elle lui servait de garde-malade, de dame de compagnie et de domestique. Mais elle était avant tout sa domestique, sa mère l'appelait pour un oui pour un non, et Molly ne supportait plus ses caprices et ses revendications.

Aussi, lorsque la jeune fille pouvait s'échapper de la maison et fuir sa mère, elle franchissait en courant les enclos, se faufilait sous la clôture, contournait le jardin potager des Maxwell et entrait dans la cour où, invariablement, elle s'arrêtait brusquement et cherchait Dick du regard.

Cette fois-là, il se trouva que c'était le jour de la cuisson du pain et l'heure du thé.

N'apercevant personne alentour, elle resta hésitante au milieu de la cour, puis regarda vers la fenêtre de la cuisine et les aperçut tous là, attablés; elle allait repartir lorsque la porte s'ouvrit et Hilda Maxwell l'appela :

— Entrez, Molly. Nous avons presque terminé.

Tandis qu'elle s'avançait timidement dans la cuisine, Hilda se tourna vers la table et, tout en menaçant Dick du doigt, elle s'écria :

— Et ne t'étouffe pas avec la dernière bouchée.

Elle avait parlé sur le même ton que s'il eût été son

enfant, mais en revanche elle s'adressa à Molly comme s'il se fût agi d'une invitée :

— Asseyez-vous, Molly. Prendriez-vous une tasse de thé et un morceau de *tea-cake* ?

— Avec plaisir, madame Maxwell. Merci beaucoup.

L'instant d'après, elle était attablée, et les quatre autres qui avaient terminé restèrent assis à l'attendre.

Le silence aurait pu être pesant, mais désormais Abel y était accoutumé : personne ne commençait un repas ou ne quittait la table sans que le bénédicité n'eût été dit; aussi regardait-il Molly en lui souriant gentiment. C'était une jolie petite jeune fille et il s'était pris d'une grande affection pour elle au cours des derniers mois. Il n'avait jamais vu sa mère, mais, d'après ce qu'il avait entendu, il imaginait que c'était le genre de femme qui n'aimait pas se salir les mains. Elle avait, en effet, eu une enfance oisive dans cette maison même où elle passait maintenant la plus grande partie de ses journées à ne rien faire. Au siècle précédent, on aurait dit qu'elle avait des vapeurs, ce qui n'est jamais qu'un autre mot pour désigner la paresse ou le refus des responsabilités.

— Bon ! Vous avez terminé, dit M. Maxwell (Puis il parcourut la table du regard, inclina la tête et récita :) Seigneur, au nom de tous ceux qui sont ici présents, je te remercie pour le pain que tu nous as donné. Amen.

— Amen, amen, amen.

— Voilà. (Peter Maxwell se leva de table et dit d'une voix fatiguée en se penchant vers Molly :) Alors, jeune fille, je suppose que vous êtes venue ici pour m'enlever mon troisième associé ?

Il lui adressa une grimace faussement sévère; et elle, battant des paupières, répondit :

— Oui, en effet, vous pouvez voir les choses comme ça, monsieur Maxwell.

A cette réponse, Peter Maxwell renversa la tête en arrière et éclata d'un rire retentissant; Hilda Maxwell, imitant son mari, prit elle aussi un air faussement guindé tout en disant :

— Voilà une demoiselle bien effrontée; elle va droit au fait.

Son regard alla de l'un à l'autre, puis à Abel qui le lui rendit avec un sourire narquois. Mais le rire de Peter Maxwell s'éteignit de la pièce comme s'il avait été tranché par un coup de couteau; il se plia en deux et pressa les mains sur sa poitrine en gémissant à voix haute.

— Oh, mon dieu ! Mon dieu !

Hilda le soutint d'un côté et Abel de l'autre.

— Allongez-le là, sur la carpette... Peter ! Peter ! Tu te sens mal ?

Elle voulut étendre le corps recroquevillé qui gisait sur le sol, mais Abel la retint :

— Ne le touchez pas, appelez le médecin.

— Je peux l'appeler. (Molly se dirigea vers la porte.) Je connais le numéro de téléphone; c'est le même médecin que le nôtre, n'est-ce pas ? demanda-t-elle en regardant Hilda.

— Oui, oui. Dites-lui... dites-lui que M. Maxwell s'est évanoui. Dites-lui que c'est... c'est sérieux.

— Allez chercher une couverture pour le couvrir.

Elle regarda Abel et acquiesça de la tête avant de bondir sur ses pieds.

Un instant plus tard, tandis qu'il l'aidait à l'envelopper dans une couverture, Abel nota un changement dans le corps de l'homme prostré; et tout à coup ses gémissements cessèrent. Il regarda avec appréhension le visage aux yeux clos; il s'était détendu et les rides semblaient s'être effacées.

Il leva la tête et rencontra le regard d'Hilda qui se mit à pousser des petits cris plaintifs :

— Oh non, non ! Ce n'est pas possible. Il... il en a déjà eu. Non, non, non. Il n'est plus, c'est ça ?

Elle s'adressait à Abel qui répondit :

— Je... je ne sais pas, son pouls est très faible.

Il tenait le poignet de Peter Maxwell et ne sentait aucun battement sous ses doigts, mais il était incapable de lui dire : « Il est mort. » Il n'arrivait pas à le croire lui-même, c'était arrivé trop brusquement. Il était mort en riant, oui c'est ça, en riant. Cet homme religieux... cet homme religieux et profondément bon était mort en riant. C'était une belle façon de s'en aller.

Il était neuf heures du soir. Ils avaient descendu un petit lit et Peter Maxwell avait été transporté dans la salle de séjour. Avec l'aide de l'entrepreneur des pompes funèbres, Mme Maxwell en personne (la jeune fille comme Abel continuait à l'appeler) s'était chargée de le déshabiller et de lui mettre ses derniers vêtements. A présent, elle était assise à la table de la cuisine, les deux mains jointes posées dessus, les yeux totalement secs, car elle n'avait pas encore versé une seule larme, et elle le regarda sans sourciller en disant :

— Il faut prévenir mon père, je pense, ainsi que notre Florrie.

Assis à l'autre bout de la table, Abel cligna des paupières, mais ne dit mot. Jamais auparavant, il ne l'avait entendue faire allusion à son père ou à sa sœur, mais au fait, pourquoi l'aurait-elle dû ? Il ne savait rien à son sujet, sinon qu'elle était Mme Maxwell, une femme bienveillante et qui réussissait tout ce qu'elle entreprenait. Cependant il ne put dissimuler sa surprise lorsqu'elle lui demanda :

— Voudriez-vous aller les prévenir ?

— Quoi ! Vous voulez dire qu'ils habitent près d'ici ?

— Tout près. (Il y avait à présent une note d'amertume dans sa voix.) Il y a plus de deux ans que je ne les ai vus; il était... opposé à mon mariage avec M. Maxwell. (Elle appelait toujours son mari M. Maxwell. Elle desserra les mains et se caressa la joue avant de poursuivre :) Il m'était facile de comprendre ce point de vue : M. Maxwell a trois ans de plus que mon père; il en a soixante-deux. Mais... j'ai essayé de lui expliquer que ce n'était pas ce qu'il croyait, je veux dire notre association... (Elle regardait à présent vers le feu, puis ajouta dans un soupir :) Il n'a rien voulu savoir, il n'a pas voulu connaître mes raisons.

Abel demeurait silencieux; il arrivait fort bien à comprendre pourquoi son père n'avait pas voulu écouter les raisons pour lesquelles une femme comme elle épousait un homme de soixante-deux ans. Encore que Peter Maxwell ne paraissait pas du tout cet âge; on lui aurait donné la cinquantaine, certes, mais jamais soixante-deux ans. Et cela s'était passé deux ans avant !

— Et puis il y a notre Florrie. (Elle le regardait de nouveau.) Je n'ai pas envie de la prévenir, mais il faut bien que je le fasse. Si je ne le fais pas, c'est lui qui le fera... Ils s'entendent comme larrons en foire, des athées tous les deux. (Elle fit une moue méprisante, exprimant ainsi ce qu'elle pensait de leur impiété.)

Elle s'était levée et dirigée vers le buffet d'où elle sortit une nappe d'un tiroir; elle l'étendit sur la table d'un seul geste. La routine du petit déjeuner continuait. Et tout en dressant la table elle parlait comme si elle eût été seule; cependant c'était à lui qu'elle s'adressait :

— Cela m'étonnerait que vous la trouviez chez elle; elle sera sûrement encore en train de se balader. Mais si elle est chez elle, elle ne sera pas seule, vous pouvez parier votre dernier bouton de manchette là-dessus. Bien sûr que non ! Notre Florrie n'est jamais seule. Il sera là. Et si ce n'est pas lui, ce sera un autre. Mon père savait ce qui se tramait, et pourtant il y a contribué. C'est incroyable quand on y pense, non ?

Abel fixait la table et nota avec surprise qu'elle ne mettait pas un seul couvert, mais trois. Elle suivit son regard, et, cessant de s'affairer, elle lui dit sans autre préambule :

— Je ne peux pas manger toute seule; Dick et vous, vous viendrez prendre votre petit déjeuner ici. Pour le moment en tout cas. Il faut que je m'active pour cesser de penser. Si vous n'avez pas envie d'aller les avertir ce soir, je voudrais que vous le fassiez demain à la première heure, mais... mais (elle croisait et décroisait fébrilement les doigts) je crains de rester seule cette nuit, et... si elle n'a pas perdu tout respect humain, elle viendra me tenir compagnie.

— J'y vais tout de suite. (Il s'était levé.) Donnez-moi simplement leurs noms et leurs adresses.

— Florrie n'est pas difficile à trouver. Elle habite à Brampton Hill, à moins de dix minutes à pied. Je crois que c'est au 46. De toute façon, c'est une grande maison. L'une de celles qui ont été divisées en plusieurs appartements. De ce côté-là de la rue, c'est la seule qui ait une grande grille en fer. Je ne sais pas à quel étage elle habite.

Il doit y avoir les noms sur les portes. Mais mon père... lui, c'est plus loin. Il habite (elle détourna la tête comme si elle allait dire quelque chose de honteux) dans Bog's End, au numéro 109 de Temple Street. Mon père s'appelle Donnelly, et elle aussi.

Comme il se dirigeait vers la porte, elle lui fit face à nouveau et ajouta d'une voix tendre et triste :

— Quand vous verrez le 109, vous comprendrez pourquoi je suis ici (elle pointait l'index vers le sol), mais peu importe. Dites-leur que M. Maxwell est mort. Il... mon père sortira sûrement pour arroser cette nouvelle, mais notre Florrie, ma foi, on verra bien quelle sera sa réaction.

Il s'était arrêté et la regardait attentivement.

— Je vais faire descendre mon fils pour qu'il vous tienne compagnie. Il ne doit pas encore être couché. Il ne se couche jamais avant moi. Et je ferai le plus vite possible.

Elle acquiesça et il sortit, fermant doucement la porte derrière lui. Dans la cour, il s'arrêta un instant et observa la nuit étoilée. C'est une drôle de femme, songeait-il, si jeune et en même temps si mûre. Elle donnait l'impression de n'avoir jamais eu d'enfance.

Quand Abel frappa au 109 de Temple Street, il comprit le sens des paroles d'Hilda Maxwell, avant même que la porte ne s'ouvrît. Malgré l'obscurité, il avait deviné que cette rue était l'une des plus pauvres de Bog's End, ce qui n'était pas peu dire.

— Quoi ? Qui êtes-vous ?

— Monsieur Donnelly ?

— Oui, c'est moi.

— Je suis... je suis Abel Gray.

— Et alors ? Qu'est-ce que vous cherchez ?

Abel se trouvait en face d'un tout petit homme fluet, qui parlait avec une grosse voix. Il eut carrément envie de rire. Il était tellement différent d'Hilda que c'en était inimaginable. Que ce bonhomme puisse être le père de Mme Hilda Maxwell semblait parfaitement ridicule. Ce petit type mal rasé, à la voix rauque, appartenait à un autre monde, tout à fait à l'opposé du 3 de Newton Road qui se trouve, en fait dans Brampton Hill, le quartier chic de Fellburn.

— J'ai un message de la part de votre fille... Hilda.

Il sentit qu'il aurait dû ajouter son nom. Ses paroles lui parurent étranges. C'était la première fois qu'il prononçait son prénom tout haut, et il lui sembla qu'il n'avait rien à voir avec la personne qu'il désignait.

— Hilda ? Qu'est-ce qu'elle veut Hilda ? Qu'est-ce qui lui arrive ? Elle est au moins sur son lit de mort si elle m'envoie quelqu'un.

— Non, pas elle... elle, elle va bien, mais son mari est mort soudainement, ce' soir.

A la faible lueur de la lampe du couloir, Abel vit l'expression du vieil homme se modifier. Il ouvrit la bouche, la referma, frotta son menton mal rasé, et il l'observa un moment avant de lui dire d'une voix plus posée :

— Vous devriez entrer.

Enlevant sa casquette, Abel passa devant lui et pénétra dans une pièce dont il s'aperçut au premier coup d'œil qu'elle servait tout à la fois de cuisine, de salle à manger et de chambre. Le ménage n'avait pas été fait depuis longtemps, mais il y avait deux petites notes d'intimité : devant un feu de cheminée, un grand fauteuil défoncé, d'un cuir qui avait dû être rouge autrefois, et deux whippets assis sur un tapis ras; ces derniers étaient si confortablement installés qu'ils ne daignèrent même pas se déranger pour renifler son pantalon.

— Asseyez-vous.

Il désigna une chaise en bois près d'une table de cuisine carrée sur laquelle étaient posées de nombreuses assiettes sales.

Tandis qu'Abel s'asseyait, M. Donnelly, au lieu de prendre place, resta debout, face à lui, et demanda :

— Quand cela est-il arrivé ?

— Vers cinq heures du soir, aujourd'hui.

— On s'y attendait ?

— Non, pas du tout; il venait de terminer son thé lorsqu'il a eu un malaise.

— Eh bien... (Il tourna le dos et se dirigea vers la cheminée. Il se pencha par-dessus les chiens pour cracher dans le feu, puis se retourna et poursuivit :) Cela n'a pas dû la surprendre; ça faisait des années qu'il ne tenait plus sur ses jambes, encore que les carcasses les plus délabrées soient celles qui durent le plus longtemps. En tout cas (il esquissa une grimace et hocha lentement la tête vers Abel) elle a eu ce qu'elle voulait plus vite qu'elle ne l'espérait, n'est-ce pas ?

— Je ne vous suis pas très bien.

— Non, bien sûr, vous n'êtes là que depuis quelques mois. Oh ! je sais tout sur vous ! Je suis toujours au courant de tout. J'ai beau être cloué de ce côté et elle de l'autre, je connais chacun de ses mouvements. Vous étiez sur les routes, n'est-ce pas, vous et votre gamin, et vous avez aidé le vieux Maxwell lorsqu'il a eu une crise ? Vous voyez, je n'ignore rien. Eh bien, tout ce que je peux souhaiter à présent, c'est qu'elle vive assez longtemps pour jouir de ses deux années et demie de labeur, car, bon dieu ! ça a dû être un drôle de labeur... Et ne dites pas, monsieur (il tendit le doigt vers Abel comme s'il le mettait en joue), ne me dites pas que vous ne comprenez pas qu'elle soit partie; personne ne voudrait de ce trou, et elle et Florrie n'en voulaient pour rien au monde. Je l'ai envoyée dans une école de dactylos, la même que Florrie. Florrie y a réussi, mais pas elle. Elle ne voulait pas travailler dans un bureau. Elle ne voulait pas être secrétaire; elle voulait commencer au sommet; une maison et une affaire tout installées, voilà ce qu'elle voulait. Mais autour d'elle il n'y avait personne qui aurait pu les lui servir sur un plateau. Elle a fait la dégoûtée avec tous les mâles de Bog's End. Elle ne s'est plus montrée à la Chapelle où elle allait depuis toujours, et elle s'est mise à fréquenter l'église de Saint-Michael, et ça pourquoi ? (Il avança sa petite tête et prit un accent snob.) Parce que ce sont les gens bien, les gens distingués qui vont à Saint-Michael. Les hommes ont des gants et des cannes, et leurs femmes portent toutes un chapeau lorsqu'elles font leurs courses; pas une qui sorte tête nue. Et ils font la charité, et à Noël, au repas de la franc-maçonnerie, c'est à qui donnera le plus aux crève-la-faim de Bog's End.

Oh, oh ! (Il agita la main vers Abel comme s'il voulait le faire taire et reprit :) Notre Hilda avait l'œil sur les affaires, mais elle n'a pas pu y faire sa place, parce que les mères ne sont pas des idiotes, elles ne veulent pas d'une belle-fille de Bog's End. Alors, comme elle n'a pas pu s'infiltrer dans cette racaille de la haute, elle a dû se rabattre sur ce qui se présentait de mieux ensuite, elle a pris le vieux Maxwell. Un pilier de l'église, ce vieux Maxwell. Il ne s'était jamais marié et il ne la voulait pas comme femme, qu'elle disait. Qu'est-ce qu'il voulait donc d'elle, hein, ce sale vieux bougre ?

M. Donnelly marqua alors une pause pour reprendre son souffle; puis il recracha dans le feu et resta les yeux baissés sur les flammes; il continua d'une voix calme, un peu triste même :

— Eh bien, elle a fini par obtenir ce qu'elle voulait, elle s'est lancée dans la vie, elle a eu une maison et une affaire qui marche. Je devrais être heureux. Mais oui, je devrais en être heureux. (Il se retourna et regarda Abel en ajoutant :) Je ne pense qu'à elle, vous savez. Depuis qu'elle est née, j'ai fait très peu attention à Florrie, je l'ai laissée de côté en quelque sorte; elle en a été marquée. Mais oui, j'ai fait ça. Bien qu'elle en vaille dix comme Hilda. Mais on ne domine pas ses sentiments. Vous les dominez, vous, les vôtres ?

Il regardait fixement Abel. Celui-ci, se souvenant d'Alice, secoua lentement la tête et répondit :

— Non; vous avez raison; on ne peut pas contrôler ses sentiments.

M. Donnelly s'avança alors vers la table en disant sur un ton différent :

— Je ne peux rien vous offrir, y a plus une goutte d'alcool dans cette maison, rien que du thé.

— Cela ne fait rien, je dois rentrer, du moins après être passé chez votre deuxième fille.

— Oh ! (Il parut surpris.) Elle vous envoie chez Florrie ? Elle ne me laisse pas faire ça !

— Oui, elle m'a demandé d'aller chez elle pour le lui annoncer. Elle... elle a besoin de compagnie cette nuit, de compagnie féminine, je crois.

— Ah, mais oui ! C'est la mauvaise heure. On ne peut passer la nuit seul avec un mort, peu importe ce qu'on en pense. Eh bien, c'est gentil de votre part d'être venu. Vous m'avez dit que vous vous appeliez comment ?

— Abel Gray.

— Ah oui ! c'est ça, Abel Gray ! Eh bien, je pense que nous nous reverrons. Je ne serai pas un visiteur régulier, je ne viendrai que quand elle me le demandera. Mais je me rendrai à l'enterrement par respect. D'ailleurs (il détourna la tête), je me sentirai sacrément hypocrite après tout ce que j'ai dit sur lui. Pourtant, si je n'y vais pas, elle me le reprochera avec tout le reste. Bien, je vous y verrai.

— Mais oui. Bonne nuit, monsieur Donnelly.

— Je m'appelle Fred.

— Bonne nuit, Fred.

— Bonne nuit à vous.

La porte se referma derrière lui. Il redescendit la rue, mais s'arrêta en chemin pour contempler encore une fois le ciel. Étonnant... vraiment étonnant, la vie des gens, tout ce qui leur arrive... Sa propre vie était assez étrange, encore qu'il y avait quelque chose d'étrange chez tous les gens qu'il avait rencontrés.

Il découvrit que le 46 de Brampton Hill était aussi différent du 109 de Temple Street que du 3 de Newton Road. Cela ressemblait à l'ancien hôtel particulier d'un riche industriel. Il y avait une dizaine de noms inscrits sur une plaque en acajou, suspendue sur le mur de gauche du vestibule à carreaux vernissés. Ils étaient alignés par rangées de trois, et il n'y avait qu'un seul nom au bas de la plaque. Ils devaient être groupés par étage, de bas en haut, supposa-t-il. Commençant par le haut, il chercha celui de Donnelly, mais il lui fallut tous les parcourir avant de lire : « Miss F. Donnelly, côté jardin ».

Abel regarda autour de lui. Où pouvait donc se trouver cet appartement ? Il doit falloir passer par l'extérieur, pensa-t-il. Au moment où il se dirigeait vers la porte principale, celle du vestibule s'ouvrit et un homme en sortit.

— Excusez-moi (Abel se tourna vers lui), pouvez-vous m'indiquer comment l'on se rend à l'appartement sur jardin ?

— Mais oui. Vous n'avez pas besoin de ressortir, on se trompe facilement. Vous entrez dans le hall principal, vous tournez à droite, c'est la porte au fond du couloir.

— Merci, monsieur.

— Je vous en prie.

Il entra donc dans le hall et contempla les lieux. C'était immense. On aurait pu en faire trois logements. Le sol du vestibule et de l'imposant escalier qui menait aux étages supérieurs n'était pas recouvert de moquette, mais, se dit-il, qui pourrait avoir l'idée de recouvrir un parquet comme celui-ci ? Il tourna à droite et longea le corridor. Il y avait un mur aveugle; dans l'autre était percée une rangée de fenêtres en saillie sans rideau, et tout au fond se trouvait la porte qu'il cherchait.

Il hésita un instant, puis sonna. Il était sûr d'une chose, c'était que quiconque choisissait de vivre dans un tel endroit ne pouvait guère ressembler à M. Fred Donnelly.

Comme il n'y eut pas de réponse, il sonna plus longuement tout en espérant vaguement que la porte ne s'ouvrirait pas, car cela le rebutait un peu de rencontrer la sœur d'Hilda. Cette situation était trop compliquée pour lui; c'en était assez pour aujourd'hui.

— Oui, qu'est-ce que c'est ?

Il sursauta. Sur le seuil de la porte se tenait une femme presque aussi grande que lui. Elle était vêtue d'un peignoir blanc en laine et, les bras levés, sans cesser de se peigner elle répéta :

— Oui ?

— Je... je viens de la part de votre sœur, Mme Maxwell. Je suis le manœuvre, Abel Gray. J'ai un message pour vous.

Avec quelques gestes vifs, elle acheva d'arranger sa coiffure avant de dire :

— Ah ! Ah bon ! (Et elle ajouta aussitôt :) Eh bien, entrez.

En refermant la porte derrière lui, elle dit en riant :

— Je n'attendais personne à cette heure, j'étais en train de me sécher les cheveux. Le coiffeur n'aime pas le faire, cela lui prend trop de temps, de les sécher je veux dire. C'est ma seule concession aux mœurs de la femme de l'ancien temps. Entrez. Venez vous asseoir.

Elle traversa un corridor qui était aussi grand que sa salle de séjour au-dessus des garages, et il remarqua les meubles alignés le long des murs. Aucun meuble moderne ici, mais de l'ancien si tant est qu'il s'y connût, du mobilier semblable à celui que l'on trouvait chez Lady Parker.

Ils entrèrent dans un salon, ou était-ce une salle de séjour ? Quel que soit le nom que l'on donnât à cette pièce, elle était surprenante. Les murs gris mat tapissés de tableaux à cadre doré, l'épais tapis couleur cerise et, de part et d'autre d'une cheminée en marbre blanc, les deux profonds divans recouverts de velours brun chaud faisaient, malgré la pénombre, un étonnant chatoiement de couleurs.

Lorsqu'elle l'invita à s'asseoir sur l'un des divans, le moelleux des coussins l'étonna. Elle prit place en face de lui, attendant qu'il lui adressât la parole, mais il restait absorbé par le décor; et elle dut lui répéter :

— Vous m'avez dit que vous m'apportiez un message de la part d'Hilda ?

— Oui. (Il lui sourit alors et hocha la tête en ajoutant :) Excusez-moi d'avoir l'air distrait, mais... mais c'est une pièce étonnante, je la trouve très belle.

— Merci; mais il est facile de décorer une pièce lorsqu'elle a des proportions agréables; avec ces moulures et cette hauteur de plafond (elle leva la main), vous ne pouvez pas faire d'erreur.

— Oh ! je ne suis pas de votre avis.

— Non ? Eh bien, vous avez peut-être raison.

Elle lui rendit son sourire, puis attendit. Le visage d'Abel redevint sérieux et c'est sur un ton conventionnel qu'il lui dit :

113

— Ce sont plutôt de tristes nouvelles que j'apporte; M. Maxwell est mort en fin d'après-midi.

— Ce n'est pas possible !

D'un mouvement brusque, elle s'était avancée sur le bord du divan, et elle parut hésiter avant de répéter :

— Ce n'est pas possible !

— Eh bien, si.

— Comment cela est-il arrivé ?

En quelques mots, il lui raconta ce qui s'était passé. Lorsqu'il eut terminé, elle se renfonça dans le divan et, la tête enfouie dans un coussin, elle émit un son qui tenait du rire et du gémissement. Puis elle releva la tête et, en le regardant, elle le questionna d'une voix hésitante :

— Et elle veut que j'aille auprès d'elle ? (Il sentit qu'elle était sur la défensive.) Vous voulez dire que, de sa propre initiative, elle me demande d'aller là-bas ?

Il lui rendit son regard. Elle parlait d'une façon différente; lorsqu'elle lui avait adressé la parole la première fois, elle s'était exprimée comme une personne bien éduquée mais à présent on aurait dit qu'elle était au 109 de Temple Street, à Bog's End, bien que cela parût impossible qu'elle y ait jamais vécu et qu'elle y ait été élevée par ce singulier vieil homme.

Il continuait à l'observer, détaillant son visage. C'était une belle femme. En fait, non; pas vraiment. Son nez était un peu trop long, sa bouche trop large. Il aurait fallu qu'elle eût des yeux plus allongés pour pouvoir être qualifiée de belle femme; les siens étaient ronds, bien que brun foncé et bordés de longs cils. Et la courbe de ses sourcils lui faisait un regard profond. Elle avait un teint pâle, presque terne dans cette lumière; mais sa chevelure, sa chevelure, c'était autre chose; elle était magnifique. Elle n'était ni blonde, ni châtain clair, ni châtain. De quelle couleur était-elle donc ? d'une combinaison de ces trois teintes, et elle était si abondante ! Mais il n'arrivait vraiment pas à la situer comme la fille de ce vieil homme ou la sœur d'Hilda Maxwell. Et surtout pas comme la sœur d'Hilda. Non seulement leurs visages n'avaient aucune ressemblance, mais leurs silhouettes démentaient tout lien familial. Hilda était petite et bien en chair, elle semblait avoir encore les rondeurs de l'enfance, bien qu'elle eût plus de vingt ans. Et elle donnait l'impression de n'être qu'une femme d'intérieur. Par contre, on aurait cru que le corps de sa sœur n'avait aucune forme; sa poitrine était aussi plate que celle d'un garçon, ses chevilles et ses pieds chaussés de pantoufles avaient l'air osseux, bien que leur minceur même suggérât une certaine élégance. Mais on sentait la femme en elle; elle paraissait à peine trente ans.

— Je suppose que vous savez tout sur moi ?

— *Comment* ?

— J'ai dit que je supposais que vous saviez tout sur moi. (Elle avait détaché chacun de ses mots.)

— Non, je peux vous affirmer que je ne sais rien sur vous. J'ignorais votre existence jusqu'à ce soir, jusqu'à il y a une heure pour être précis, de même que celle de votre père.

— Mon père ? oh ! (Elle mit la main sur sa bouche pour ne pas éclater de rire et dit presque en bredouillant :) Vous... vous ne l'avez pas... vous ne l'avez pas... ?

— Si. (Il lui adressa un large sourire.)

— Vous voulez dire que vous êtes allé chez mon père ?

— Oui, je sors de chez lui.

— Mon dieu !... Vous a-t-il jeté quelque chose à la tête ?

— Des mots seulement.

— Rien d'étonnant.

Elle se leva, abaissa son regard sur lui et se mordit les lèvres. Puis, se croisant les bras, elle glissa les mains sous ses aisselles et se mit à marcher de long en large sur le tapis étalé entre les divans. Elle s'arrêta et lui dit d'une voix redevenue calme :

— Elle doit avoir très mauvais moral pour nous envoyer chercher, surtout mon père... Je dis bien, surtout lui, encore que je sois aussi méchante que lui. Oh non, pire ! à ses yeux, je suis une femme de mauvaise vie. (Elle se pencha vers lui en hochant la tête :) Vous le saviez ? Que j'étais une femme de mauvaise vie ?

— Non, je ne le savais pas.

Elle sourit d'un air cynique.

115

— Eh bien, il est surprenant qu'elle ne vous ait pas mis au courant avant de vous envoyer faire cette course. Mais ne vous en faites pas, maintenant qu'elle m'a prévenue, vous allez connaître toute l'histoire. Oh, mon dieu ! (Elle se redressa, se mordit fortement la lèvre, renversa la tête en arrière et regarda le plafond en terminant sur une note qui révélait de la pitié :) Pauvre Hilda ! (Puis, faisant demi-tour, elle traversa la pièce aussi rapide qu'un éclair et, de l'autre côté, elle lui cria :) Je serai prête dans une ou deux minutes.

Il regardait encore vers ce qui devait être l'entrée de sa chambre lorsqu'elle réapparut en disant :

— Dans le petit meuble qui est derrière vous, vous trouverez de quoi prendre un verre; servez-vous.

Il faillit répondre : « Je ne bois pas d'alcool. Jamais. » Mais il se tut, s'extirpa du divan et se dirigea vers le meuble. Il l'ouvrit et découvrit deux rangées de bouteilles et une carafe de whisky aux trois quarts pleine. La main posée sur la carafe, il tourna la tête et dit :

— Je vais... je vais prendre un whisky; je vous sers quelque chose ?

— Je prendrai la même chose que vous.

Sa voix était étouffée, et il imagina qu'elle devait fouiller dans quelque penderie.

Il avait servi les whiskies et les avait déposés sur la petite table proche du divan quand elle revint. Elle portait une robe étroite en laine bleue, qui descendait à peine jusqu'aux mollets et lui collait au corps comme une seconde peau. Elle avait une veste bleu foncé posée sur le bras et une paire de chaussures à talons hauts à la main. Elle s'assit, et, après avoir retiré ses pantoufles, elle mit ses souliers; quand elle se releva pour prendre le verre qu'il lui tendait, elle était aussi grande que lui.

La première gorgée de whisky qu'il avala lui brûla l'arrière-gorge. Il se pencha en avant et toussa.

— Vous désirez sûrement un peu plus d'eau ?

Toujours toussant, il s'essuya la bouche avec son mouchoir et répondit :

— Je n'ai pas l'habitude; je ne bois jamais d'alcool.

— Oh ! ça ne m'étonne pas ! Le 3 de Newton Road est

116

une citadelle d'antialcooliques. Avec M. Maxwell, ça ne pouvait pas être autrement, ni avec Hilda, bien sûr. Oh non ! pas avec notre Hilda... ! J'ai l'air méchante, n'est-ce pas ?

— Vous avez sûrement vos raisons.

— Bien sûr que j'ai mes raisons, mais elle aussi a les siennes, et nous pensons chacune avoir les meilleures. De toute façon, allons-y.

Au moment où elle se levait pour enfiler sa veste, il posa rapidement son verre pour l'aider. Elle l'observa un instant par-dessus son épaule avant de lui dire :

— Je ne sais pas pourquoi, mais vous n'avez pas l'air d'être le genre d'homme à rester dans un établissement comme celui-là.

Il s'écarta d'elle et répliqua, sur la défensive :

— J'étais on ne peut plus content d'accepter ce qu'ils avaient à m'offrir il y a six mois. Je n'avais pas de travail et un enfant à charge.

— Oui. Je comprends bien. Comme dit le proverbe « ne choisit pas qui emprunte »... Et j'en sais quelque chose.

Mais elle ne poursuivit pas. Elle éteignit la lampe qui était sur la table et se dirigea vers la porte-fenêtre.

— Nous allons sortir par là, cela raccourcit bien de cinq cents mètres, et ça n'est pas négligeable quand on marche avec des talons hauts.

— Je suis... je suis venu en automobile.

— Oh, oh ! (Elle fit une profonde révérence.) Très bien ! Alors c'est différent. Mais nous pouvons quand même sortir par là. Elle alluma une lampe extérieure, tira les rideaux en velours et ouvrit la porte-fenêtre. Ils sortirent, et, après avoir refermé à clef, elle dit :

— Passons par là. Je laisserai éclairé jusqu'à mon retour.

Elle s'était assise dans l'auto, et il allait refermer sa portière quand elle murmura :

— Mon dieu ! Mais je me sens bien nerveuse.

Son changement d'attitude fut si frappant qu'il se passa

quelques secondes avant qu'il ne se penchât vers elle
pour demander :

— Nerveuse ? Pourquoi ?

— De... de rencontrer Hilda.

Elle avait retrouvé son ton de voix habituel, cet accent
qui oscillait entre celui de Bog's End et celui de
Brampton Hill.

— Pourquoi seriez-vous nerveuse à l'idée de la rencontrer ? Je pense que c'est plutôt elle qui le serait.

— Oh non ! (Elle eut un petit rire.) Notre Hilda
appartient à cette catégorie de personnes qui gonflent
vos péchés sans dire un seul mot, il suffit qu'elle vous
regarde. Petite, elle était déjà comme ça. Les gens de
bien sont tous pareils, et elle est ce qui se fait de mieux
dans le genre; j'espère que vous n'avez pas cru tout ce
que papa vous a raconté à son sujet. Il a dû vous donner
l'impression qu'elle avait épousé Maxwell uniquement à
cause de son affaire et de sa maison. Mais ne croyez pas
que ce soit vrai, pas complètement en tout cas. Bien sûr
que cela a pesé dans la balance, et je ne la blâme pas pour
autant. Cela ne sert à rien de se boucher les yeux. Non,
je crois qu'elle fait partie de ces individus qui essaient
réellement d'être bons, mais... (elle eut à nouveau un
petit rire) ils vous mettent mal à l'aise en le faisant.

— Oui, bien sûr, je comprends ce que vous voulez
dire. Mais je vous répète que je ne vois rien qui puisse
vous inquiéter.

— Ah, là, là ! jeune homme (elle riait franchement à
présent), c'est que vous ne connaissez rien, mais rien du
tout à notre famille !

Il fit démarrer l'auto. De façon étrange, une sorte de
joie s'insinuait doucement en lui. C'était comme si une
toute, toute petite flamme s'était allumée dans l'univers
ténébreux qui était le sien depuis des mois. Ensevelie
sous la gratitude qu'il devait aux Maxwell et sous la
nouvelle sécurité et le bonheur que Dick avait trouvés,
l'empreinte douloureuse laissée par Alice n'avait pas
disparu. Et à présent, pour la première fois, un coin du
linceul était en train de se soulever.

CHAPITRE IV

Il y eut foule à l'enterrement de Peter Maxwell. Comme le pasteur le fit remarquer à Hilda, c'était très flatteur non seulement pour elle, mais aussi pour M. Maxwell, car cela montrait à quel point il avait été respecté par les paroissiens; il avait été un homme bon, dans tous les sens du terme.

Plus tard, au cours de cet après-midi-là, alors que les dernières personnes, derrière le cortège, avaient quitté la maison, rassasiées, et qu'il ne restait plus dans la salle à manger que le père, les deux sœurs et Abel, Hilda, assise sur le bord de son fauteuil, répéta les paroles du pasteur. En évitant Abel, son regard accusateur alla du petit homme assis en face d'elle à la grande silhouette souple sur le divan, et elle déclara :

— C'était un homme bon. Vous pouvez dire ce que vous voulez, c'était un homme bon.

— J'ai rien à dire contre lui, jeune fille. Il est parti et il se trouve maintenant là où le Bon Dieu l'a décidé. Il faut laisser les morts enterrer les morts, voilà mon avis.

— Vous n'avez jamais eu un mot gentil pour lui de son vivant, ni l'un ni l'autre. (Elle regardait encore son père.)

— Le passé, c'est le passé.

— Je ne vois pas les choses comme ça.

— Eh bien (Fred se souleva de son fauteuil en se tortillant et continua sur un ton qui lui ressemblait beaucoup plus), si tu recommences ce cirque, je vais me tailler, car je ne veux pas me chamailler avec toi un grand jour comme celui-là. Si tu as besoin de moi, tu sais où je suis, je viendrai si tu m'appelles; c'est pas maintenant que je vais commencer à fourrer mon nez dans tes histoires.

Hilda s'était levée et observait Florrie qui s'apprêtait

119

elle aussi à partir; avec un tremblement dans la voix, elle lui dit :

— Je suppose que tu t'en vas aussi ?

Florrie ne broncha pas; fixant Hilda bien en face, elle lui répondit d'une voix posée :

— Non, si tu veux que je reste.

— Fais à ta guise.

Lorsque Hilda se retourna pour raccompagner son père, elle planta son regard dans celui d'Abel qui n'avait pas prononcé une parole depuis qu'il était entré dans la salle de séjour dix minutes auparavant. Il semblait qu'elle voulût le faire entrer dans le cercle de leur petite famille lorsqu'elle s'adressa à lui :

— C'est toujours la même chose, toujours.

Il ne fit aucun commentaire, car il ne voyait pas en quoi sa remarque réfutait les propos tenus. On aurait cru qu'elle s'attendait à ce qu'il connût les tenants et les aboutissants d'une ancienne histoire de famille.

Une fois resté seul dans la pièce avec Florrie, il la regarda. Elle était calée au fond du divan, les yeux rivés sur la bague sertie d'un diamant qu'elle faisait tourner autour du majeur de sa main gauche.

Il s'avança tranquillement vers la cheminée et resta là, le dos tourné au feu, pendant quelques secondes, avant d'observer :

— Elle est bouleversée. C'est normal.

Elle leva les yeux sur lui et répéta :

— Oui, c'est normal.

— Allez-vous rester avec elle cette nuit ?

— Oui, si elle le veut. Mais rien qu'une nuit... Je veux dire qu'elle n'aura sûrement pas besoin de moi plus d'une nuit; dès demain, elle se sera ressaisie.

— Vous croyez ? (Il y avait une note d'étonnement dans sa voix.)

— Oh ! c'est certain ! Je le sais. (Elle eut cette espèce de rire qu'il avait déjà entendu une fois.) J'ai toujours pensé que cela avait l'air idiot d'affirmer « je le sais », quoique de temps en temps je me surprenne à le faire. Cela semble si pompeux, si inspiré par Dieu... Êtes-vous comme... ?

(Elle agita alors la main vers la porte avant d'ajouter :)
Êtes-vous pratiquant ?
— Non.
— Ils n'ont pas essayé de vous convertir ?
— Non.
— Vous devez avoir une forte personnalité.
— Je suis seulement entêté.
La porte s'ouvrit; Hilda réapparut et recommença
aussitôt à parler, toujours agressive :
— Il ne change pas, en aucune manière. Croyez-vous
qu'il se serait acheté un costume ? Pas du tout, il a fallu
qu'il vienne comme ça, avec ce vieux machin gris.
— Il est à court d'argent, tu le sais bien.
— Je le lui aurais offert s'il me l'avait demandé.
— Enfin, Hilda !
Abel nota un changement saisissant chez la grande et
élégante Florrie. Elle bondit du divan. Elle donnait
l'impression de dominer sa sœur lorsqu'elle s'écria :
— Te le demander ! Tu sais parfaitement qu'il ne nous
demande jamais rien et qu'il aurait préféré mourir plutôt
que de te demander de l'argent afin de s'acheter un
costume pour aller à l'enterrement de ton mari. C'est du
simple bon sens.
— Et voilà. Et voilà, ça recommence ! Vous formez
bien la paire. Tout ce que je fais, à vos yeux, c'est mal. Ça
a toujours été comme ça.
— Là, tu te trompes. (A présent, il y avait un peu
d'amertume dans la voix de Florrie.) Je ne suis pas de mèche
avec lui, mais toi, tu l'as été, parce qu'il t'a gâtée dès que tu
es née; mais, depuis que tu te débrouilles seule, tu le traînes
dans la boue. Peu importe, écoute; je m'en vais, tu n'as pas
besoin de moi. Si je reste, cela ne peut finir que par une
guerre de religion, et ce n'est pas le jour. (La voix de Florrie
s'était radoucie lorsqu'elle ajouta :) Bonne nuit. Et, comme
papa, si tu as besoin de moi, je viendrai.
Au moment où elle s'éloigna vers le vestibule, Abel
aurait voulu lui demander de rester. Mais il se dit que cela
ne le regardait pas. Ce n'était pas sa famille, ils avaient
leur guerre, et, d'après ce qu'il avait pu entendre, elle
durait déjà depuis longtemps. Et dans cette guerre-ci il

121

n'avait pas non plus à s'enrôler. Il serait objecteur de conscience une fois encore, décida-t-il.

Au bruit que fit la porte d'entrée en se refermant, Hilda s'effondra; atterré, Abel la vit tomber sur le divan et commencer à pleurer.

Avec gêne, il quitta le coin de la cheminée, se rapprocha d'elle et la regarda, mais il ne la toucha pas.

Elle pleura pendant cinq bonnes minutes; ce n'étaient pas des pleurs anxieux, mais des sanglots réguliers. De temps à autre, elle relevait la tête pour lui jeter un regard et dire :

— Excusez... excusez-moi.

— Oh ! c'est la meilleure chose que vous puissiez faire; cela vous fera du bien. Rien de tel que les larmes pour apaiser une douleur.

— Je me sens si seule, si perdue.

— C'est naturel; ce ne sont que les premiers jours.

Puis elle se moucha, releva ses cheveux, arrangea sa jupe et dit :

— Florrie est dure. Ils sont durs tous les deux.

— Je ne le pense pas.

— Vous ne les connaissez pas. (Elle releva brusquement son petit menton :) Ils ne prêtent aucune attention à la façon dont ils se présentent; lui habillé comme un clochard, elle, avec la vie qu'elle mène.

— Nous sommes tous différents; il y a quelque chose en chacun de nous qui fait que nous prenons des routes divergentes.

Il parlait sur un ton très bas, et sa voix à elle, par contraste, parut élevée lorsqu'elle proclama agressivement :

— Mais l'on doit tenir compte de certaines valeurs. Si vous voulez vivre honnêtement, vous devez vivre parmi des gens honnêtes et respecter les règlements, les lois et les commandements de l'Église et... (Sa voix baissa soudain :) Vous êtes de leur côté, n'est-ce pas ? Parce que vous êtes athée ?

— Non, pas vraiment. Je ne suis du côté de personne, parce que cela ne me regarde pas.

Elle attendit quelques instants avant de lui demander avec calme et légèrement stupéfaite :

— Ne croyez-vous pas que... que vous allez expier dans l'au-delà les péchés que vous avez commis ici-bas ?

Il se permit de sourire et fit précéder sa réponse d'un petit « Hum ! » :

— Je pense que non. Je crois que nous nous punissons tout seuls de nos fautes. Ce sont les circonstances et l'entourage qui déterminent les actes des gens. Ce que je crois, c'est que l'esprit ou la conscience — appelez ça comme vous voulez — a sa propre façon de faire expier.

— Oh ! c'est ridicule. (Indignée, elle se leva brusquement.) Alors, les meurtriers et les délinquants?

— Eh bien, si la société ne les fait pas payer en les pendant ou en les incarcérant à vie, leur conscience s'en charge.

— Mais comment pouvez-vous le savoir ? Comment pouvez-vous affirmer que chacun souffre à cause des choses épouvantables qu'il a faites ?

— Je n'en sais rien; mais comment pouvez-vous connaître ce qui se passe dans ma tête et moi dans la vôtre ? Personne ne sait réellement ce qui se cache derrière les bavardages. Nous ignorons tous ce qui se passe dans l'esprit d'un homme ou d'une femme aux petites heures du matin lorsque les pensées sont sans entrave et que la bestialité et l'obscénité font irruption et que...

Il s'arrêta d'un seul coup. Elle ouvrait de grands yeux, et il y avait même un soupçon de peur dans son regard. Il s'empressa de dire :

— Excusez-moi; c'est une question épineuse. Je ne parle pas beaucoup, vous le savez bien, mais lorsque j'ai commencé... (Il eut un sourire quelque peu hésitant avant d'ajouter :) Il vaut mieux que je rejoigne le petit là-haut. Je lui ai dit de monter une fois que Benny aurait quitté l'atelier (il jeta un coup d'œil à sa montre), et il doit y avoir deux heures qu'il est parti... Est-ce que ça ira pour vous, cette nuit ?

— Ça ira. (Sa voix était basse, prudente.)

— C'est dommage que votre sœur ne soit pas restée.

— Oh ! dit-elle en hochant la tête, c'est aussi bien ! Nous ne nous sommes jamais vraiment entendues. Et, de toute façon, je commence à m'habituer à rester seule. Mais... (elle fit une pause), je dois vous avouer qu'avec vous juste à côté je me sens plus en sécurité. Il y a tellement de gens sur les routes en ce moment. On ne sait jamais... (Elle ferma les yeux, inclina la tête, puis l'agita dans un geste d'impatience en ajoutant :) Oh, pardon !

— Vous n'avez pas à vous excuser. (Il prit un ton léger.) C'est comme vous le dites, on ne sait jamais. Je n'ai été sur les routes que pendant quelques semaines, mais j'y ai appris que, si l'on ne garde pas un œil ouvert en dormant, on risque de se faire voler jusqu'à sa dernière chemise.

Elle lui adressa un petit sourire; puis, l'accompagnant dans la cuisine, elle lui demanda :

— Vous voulez prendre quelque chose avant de remonter ?

— Oh ! mais non; après ce repas ! Merci beaucoup.

— Et... et pour Dick ?

— Non plus. Je serais surpris qu'il ne soit pas malade cette nuit. Bonsoir. Essayez de ne pas vous inquiéter. Prenez une boisson chaude et allez dormir.

— Merci, Abel; vous avez... votre aide m'a été précieuse; et je dois dire que vous... que vous m'avez apporté plus de réconfort que ma propre famille. Je ne sais pas ce que j'aurais fait si vous n'aviez pas été là.

— Oh ! il y aurait eu quelqu'un d'autre. Vous savez bien, ce que vous dites tout le temps (il penchait la tête vers elle comme s'il s'était adressé à un enfant), que Dieu veille à tout.

Le visage sérieux, elle le regarda dans les yeux et lui dit :

— Oui, Abel, je sais; Dieu veille à tout.

CHAPITRE V

— Papa ?

— Oui, qu'est-ce qu'il y a ?

— Benny se comporte d'une drôle de façon ces jours-ci.

— Benny se comporte toujours d'une drôle de façon, tu le sais bien.

— Oui, mais en ce moment il n'est pas drôle de la même façon. Avant il était vraiment drôle, on pouvait se moquer de lui, mais hier il était méchant, il m'a dit qu'il allait répéter à Mme Maxwell que je n'étais pas allé au catéchisme.

— Comment l'a-t-il su, si tu ne le lui as pas rapporté ?

— Je ne le lui ai pas dit; mais il a dû entendre Molly venir me chercher, parce que je n'étais pas allé chez elle. Et, aujourd'hui encore, il a dit quelque chose de drôle, pas une chose pour rire, une chose bizarre.

— Et alors, c'est quoi cette chose bizarre qui ne faisait pas rire ?

Dick fronça les sourcils comme s'il réfléchissait.

— Il prétend que sa mère avait affirmé que je voulais aller dormir dans la maison, et que, si j'y allais, elle viendrait et me frapperait.

Abel, qui était en train de mettre sa cravate en face du miroir de la petite coiffeuse, se redressa, tira sur le nœud, puis se retourna vers Dick pour lui demander :

— Est-ce qu'il t'est arrivé de lui dire que tu voulais aller dormir dans la maison ?

— Bien sûr que non, papa; parce que j'ai jamais eu envie d'aller dormir dans la maison. C'est ici que je veux dormir; je ne voudrais aller nulle part ailleurs.

Abel se retourna vers le miroir. Lui aussi, il avait noté un changement chez Benny depuis quelques mois, plus exactement depuis que M. Maxwell était mort. Il l'avait attribué à un peu de jalousie puérile, car, à présent, non seulement il réparait les voitures, mais il se chargeait de tout le reste du travail avec un employé sous ses ordres; du moins du côté pratique, car Mme Maxwell... Hilda s'occupait de la partie administrative... comme toujours. Peut-être aussi était-il jaloux de l'autorisation qu'elle lui avait donnée de faire de la poterie, ici en haut, pendant ses temps de repos.

Durant les six derniers mois, il avait fréquenté, à raison de deux fois par semaine, les cours du soir pour apprendre à se servir d'un four. Le tour, les vases et les poteries ne l'intéressaient pas, mais il s'était relancé à corps perdu dans son vieux passe-temps favori : le modelage des animaux; et certains d'entre eux, une fois peints et vernis, avaient été si bien réussis qu'il souhaitait qu'elle lui laissât ouvrir un petit atelier séparé, dans la cour, où les clients pourraient admirer son travail. Mais, jusqu'à présent, il s'était dit qu'il devait attendre son heure, choisir le bon moment; elle était très susceptible sur certains points, le temps par exemple. Elle n'aimait pas le temps perdu, surtout depuis qu'elle le payait quatre livres par semaine et le mécanicien deux livres dix; même Benny devait rester toute la journée sur les bicyclettes pour mériter ses quinze shillings.

Ce jour-là, il ne voulait pas la voir quand elle reviendrait de sa visite hebdomadaire au cimetière, car il était à peu près certain qu'elle lui demanderait d'aller prendre une tasse de thé avec elle et que la discussion tournerait uniquement sur le travail de la semaine écoulée et de celle à venir. Ce n'était pas qu'il n'aimât pas parler du travail ni qu'il désirât fuir sa compagnie, mais depuis quelque temps il se sentait mal à l'aise devant elle... Et il savait bien pourquoi.

D'ailleurs, en présence de Florrie aussi, il se sentait mal à l'aise et là encore il savait pourquoi. Florrie lui plaisait, mais d'une façon entièrement différente. Le sentiment qu'il portait à Hilda était fait de gratitude et d'une sorte de compassion, parce que, comme elle l'avait avoué le soir de l'enterrement, il sentait un être solitaire et désemparé derrière son air hermétique.

Florrie avait un effet complètement différent sur lui. Sa présence l'excitait; la nuit, quand il ne dormait pas, il pensait à elle. Dans un sens, elle aurait pu être Alice; elles étaient totalement dissemblables, mais elles l'attiraient toutes deux de la même façon.

Elle lui avait rendu quelques rares visites au cours de ce mois, et elle n'avait jamais manqué de s'arrêter un moment dans la cour pour lui parler. Il ne s'était trouvé qu'une seule fois en sa compagnie dans la maison, depuis les funérailles. Elle était arrivée à l'improviste, à l'heure du dîner, un samedi, pour annoncer à sa sœur que leur père était malade et lui demander si elle ne pensait pas qu'elle devrait aller lui rendre visite. Il n'avait pas vu l'accueil que Hilda lui avait réservé, mais il s'était bien rendu compte que la visite de sa sœur l'exaspérait. Il avait pensé qu'elle allait l'inviter à manger quelque chose ou, pour le moins, à s'asseoir, mais elle n'en avait rien fait; au lieu de cela, elle s'était tournée vers lui et, le traitant comme un petit employé, l'avait pratiquement congédié.

— Si vous avez fini, Abel, lui avait-elle dit, allez vous occuper de Benny. Si vous ne le faites pas partir, il va rester là tout l'après-midi et sa mère viendra se plaindre que je ne lui laisse jamais prendre de repos.

Il n'avait pas complètement terminé son pudding, mais lorsque Florrie était entrée il s'était levé. C'était une petite marque de courtoisie à laquelle il avait pris goût bien des années auparavant, parce qu'elle semblait ranger un homme sinon dans la catégorie des gentlemen, du moins dans celle des gens qui savent ce que l'on doit faire quand une dame entre dans une pièce. Il se souvenait qu'il avait baissé les yeux, mais pas sur les restes de son pudding; puis il s'était dirigé vers la porte sans prêter attention à Hilda, mais son regard avait croisé celui de Florrie; et il y avait eu de la compréhension dans le coup d'œil qu'ils avaient échangé.

A la suite de cet incident, il avait décidé qu'à l'avenir il garderait scrupuleusement sa place. Et il savait que l'attitude qu'il avait adoptée depuis lors n'avait pas échappé à Hilda, car, les jours suivants, elle avait été inhabituellement amicale avec lui et elle s'était occupée de Dick avec beaucoup de gentillesse.

Il se retourna vers son fils pour lui demander :

— Veux-tu venir te promener ?

— Oui, papa.

Abel sourit.

— Mais tu préférerais aller chez Molly, n'est-ce pas ?

— Non, papa.

— Ne raconte pas de blagues.

Dick pencha la tête, puis il dit avec un petit rire penaud :

— Elle est en train de m'apprendre à jouer aux échecs, elle ne peut pas sortir à cause de sa mère... sa mère est vraiment une vieille...

— Doucement ! Doucement !

— C'en est vraiment une, papa. Elle prend des grands airs, elle fait des manières, et dès que Molly s'assoit elle se jette sur sa clochette. C'est comme si elle était sa servante... comme celle qu'avait Lady Parker.

— Bon. Vas-y. Moi, je vais me promener; si je ne suis pas de retour vers six heures, reviens ici, lis ou occupe-toi. Mais ne va pas ennuyer Madame Maxwell.

— Non, je n'irai pas. Mais si elle veut que j'aille prendre le thé ?

— Ah ! si elle te le demande, c'est différent.

— Où vas-tu te promener, papa ?

— Je ne sais pas encore, peut-être plus haut dans la campagne.

— Avec le vent qu'il fait, tu vas être emporté.

— Tant mieux; j'ai vraiment besoin de prendre l'air.

Il faillit ajouter : « Ça te ferait plus de bien de venir avec moi que d'aller jouer aux échecs », mais il se ravisa. Son fils détestait marcher, ces semaines qu'il avait passées sur les routes les pieds écorchés et pleins d'ampoules l'avaient à jamais dégoûté de la marche à pied. C'était dommage, car il y perdait beaucoup. La semaine précédente justement, quand il avait reçu le carnet de notes de Dick — qui était excellent —, il lui avait demandé :

— Qu'est-ce que tu aimerais faire quand tu seras grand ?

Et l'enfant, après avoir regardé pensivement dans le vague, avait répondu en riant :

— Quelque chose que je puisse faire assis, papa.

Ce qui les avait fait rire tous les deux.

— J'y vais maintenant, papa.

— D'accord, sois sage... Hé ! attends une minute. (Il alla jusqu'au placard et attrapa un paquet de caramels sur l'étagère supérieure.) Donne-les à Molly. Dis-lui que c'est moi qui les lui offre. Compris ? Et n'en prends pas avant qu'elle ne t'en donne.

Dick se mit à rire et dit :

— Merci papa. J'en mangerai un quand elle en mangera un.

Abel le regarda sortir en courant de la pièce. Il ne l'avait jamais vu aussi heureux. Ç'était le bonheur d'un être qui se sent en sécurité et content de son sort. Il devait imaginer qu'il était installé là pour toujours. En fait, pourquoi pas ?... Avec ce qui se dessinait, pourquoi pas ? Il n'était pas aveugle, il n'était pas sot. Alors, pourquoi pas, en vérité ? Mais il y avait un obstacle, et il le connaissait trop bien, de même il savait qu'il valait mieux ne pas penser à une autre solution, car Madame Hilda Maxwell n'était pas ce genre de femme... Par contre, si ç'avait été Florrie...

Il enfila son manteau, attrapa son feutre et descendit l'escalier. Au moment où il tournait la poignée de la porte, un coup de vent la lui arracha, et, tandis qu'il essayait de la rattraper d'une main, de l'autre il heurta Florrie qui s'était écartée brusquement pour ne pas recevoir la porte en pleine figure. Il la retint juste avant qu'elle ne tombât, et, sans la lâcher, il lui cria dans le vent :

— Excusez-moi, elle m'a échappé.

— Ce n'est rien, ce n'est rien (elle rit en redressant son chapeau), c'est de ma faute, je longeais le mur.

Il l'aidait encore à reprendre son équilibre quand il ajouta :

— Elle est sortie... Hilda. Elle est au cimetière. Mais entrez. Elle laisse les clefs au-dessus du cadre de la porte. Le premier coin où un cambrioleur irait regarder.

Sans la lâcher, il l'accompagna et c'est lui qui retira les clefs de leur cachette et qui ouvrit la porte; et tant qu'il ne l'eut pas refermée sur eux il lui tint le bras.

De ses deux mains à présent libres, elle ôta son chapeau en disant :

— Je dois ressembler à un hérisson. Quelle idée aussi de porter un chapeau avec un bord aussi large, surtout par un temps pareil ! (Elle reforma son chapeau en ajoutant :) Mais il va bien avec ma tenue.

Il n'était qu'à quelques pas d'elle, et il l'observa de la tête aux pieds avant de déclarer :

— C'est une très jolie tenue, une toilette tout à fait charmante. Avec le goût que vous avez, vous n'auriez jamais pu vous occuper d'autre chose que de vêtements, vous ne croyez pas ?

Il avait découvert quelques semaines plus tôt qu'elle fabriquait des vêtements, et pas des vêtements ordinaires, de confection ou de prêt-à-porter comme ceux qui pendent en longues rangées dans les grands magasins. Les siens étaient des exclusivités d'Yvonne Mode, vendus dans une petite boutique d'une rue latérale de Brampton Hill.

Un jour qu'il prenait un raccourci pour ramener une voiture à réparer, il était passé juste à côté d'elle au moment où elle fermait la boutique. Il lui avait offert tout naturellement de la raccompagner chez elle, et, quand elle avait été assise dans l'automobile, il lui avait demandé :

— Alors, c'est là que vous travaillez ?

— En quelque sorte.

— Ce n'est pas une réponse vraiment précise.

— Eh bien, je travaille là, mais c'est ma boutique.

— Votre boutique !

— Oui. Regardez où vous allez, avait-elle ajouté rapidement comme il tournait la tête vers elle. Pourquoi êtes-vous si surpris ? Pourquoi n'aurais-je pas une boutique comme celle-là ?

— Il n'y a... il n'y a absolument aucune raison, c'est que j'en ai entendu parler comme de la boutique la plus élégante de Fellburn. Je me suis souvent demandé comment marchait ce genre de commerce, quels étaient les gens qui ont assez d'argent pour acheter... ce type de vêtements.

— Vous seriez bien étonné de l'apprendre.

— Peut-être bien.

Il lui demandait à présent :

— C'est quel tissu ? du velours ?

— Du velours côtelé.

— C'est superbe.

Il regarda son visage. Elle était très jolie. Il s'était mis dans l'idée que son visage n'était qu'intéressant, et maintenant il le trouvait beau; l'éclat de son teint était rehaussé par le marron fauve du tissu.

Il cligna rapidement des paupières en ajoutant :

— Comment se porte votre père ?

— Oh ! il va beaucoup mieux. Il est à nouveau sur pied et il aboie comme un dogue, alors vous voyez que ça va. Je lui ai fait acheter un nouveau costume hier. Oh ! là là ! Si vous aviez vu la scène ! Le pauvre vendeur ! c'est une chance qu'il me connaisse, sinon il l'aurait jeté dehors. Papa avait dit qu'il viendrait faire un tour avec moi aujourd'hui, juste pour se montrer à Hilda. (Elle se pencha en avant et fit la moue.) Vous savez ce qu'il a crié à tue-tête dans le magasin ?

Il fit un geste d'ignorance, accompagné d'un grand sourire.

— « La prochaine saleté que tu vas me faire enfiler, ça sera au moins des pantalons de tapette, des saletés de pantalon de golf. » J'ai beau avoir la peau dure, j'étais quand même contente de sortir de là.

Elle riait, légèrement penchée vers lui, une main devant la bouche, et lui, imaginant le vieux bonhomme plus vrai que nature, avait joint son rire au sien quand la porte s'ouvrit brusquement, à cause du vent, apparemment; ils se retournèrent vivement et leurs épaules se touchèrent; Hilda se tenait là, dans l'encadrement de la porte, et il n'était pas difficile de lire ses sentiments sur son visage.

— Comment es-tu entrée ici ? (Elle s'appuyait contre la porte et regardait sa sœur froidement, mais c'est Abel qui lui répondit d'une voix calme :) Je lui ai dit où se trouvaient les clefs, et j'ai ouvert.

— Mais vous n'en avez pas le droit. Vous n'avez absolument pas le droit d'entrer ici quand je n'y suis pas. Et toi ! (Elle s'avança et on aurait pu croire un instant qu'elle allait frapper ou bousculer Florrie, mais elle se contenta de pointer le doigt vers elle.) Tu sais que je vais au cimetière tous les dimanches. Tu choisis ton moment, n'est-ce pas ? Oh ! je sais bien ce que tu cherches.

Florrie ne répondit pas, mais elle parut subitement plus grande. Le teint rosé de son visage avait fait place à une pâleur mortelle, et ce fut elle qui bouscula sa sœur pour l'écarter de la porte. Elle l'ouvrit, et sortit à pas lents.

En remarquant le visage complètement crispé d'Hilda, il eut soudain l'impression angoissante de se retrouver en face de Lena dans le cottage, en pleine querelle, et le ton de sa voix ressembla à celui qu'il aurait pris s'il s'était adressé à elle, lorsqu'il s'écria :

— Faites attention, vous allez trop loin...

— Ne me dites pas jusqu'où je peux aller, monsieur Gray.

Elle le contourna, se dirigea vers la table, ôta son chapeau de feutre taupé qu'elle jeta sur une chaise et ajouta sans le quitter des yeux en utilisant ses propres mots :

— C'est *vous* qui devez faire attention; c'est *vous* qui allez trop loin. (Puis se penchant au-dessus de la table, elle lui cria :) Vous ignorez tout; vous ne savez rien d'elle; c'est une femme de mauvaise vie; elle ne pense qu'aux hommes. Elle a toujours été ainsi. C'est une briseuse de ménages. Vous la trouvez belle, drôle, de compagnie agréable; laissez-moi vous dire que les épouses de ceux qui les ont quittées par sa faute ne la voient pas comme ça. Celui qu'elle fréquente en ce moment est marié et a quatre enfants; et c'est lui qui a tenu le plus longtemps : six ans. Pensez à ça, monsieur Gray, rendez-vous compte de ce que doivent ressentir ces femmes. Et vous dites que *je* vais trop loin. Oh ! je sais ce qu'elle cherche, et, si vous avez un tant soit peu de bon sens, vous le savez aussi !

Elle poussa un immense soupir qui sembla balayer sa

fureur, s'assit sur une chaise et laissa tomber sa tête dans ses mains. Elle se tut pendant un instant avant de reprendre plus pour elle-même que pour lui :

— Toute ma vie, j'ai été tourmentée à cause d'elle; tourmentée, c'est bien le mot, et lui, bien sûr, il a pris son parti. Il n'allait pas faire autrement; elle se fait entretenir et elle, elle l'entretient. C'est donc normal qu'il prenne son parti, n'est-ce pas ?

Elle semblait avoir oublié sa présence. Il annonça alors d'un ton tranquille :

— Je vais me promener.

Il avait déjà ouvert la porte quand elle lui dit doucement :

— Abel, Abel, ne partez pas.

Sans tenir compte de cet appel plaintif, il referma la porte, traversa rapidement la cour, puis la route, et il s'élança dans la campagne.

Cela devait faire deux heures qu'il marchait. Il avait contourné les faubourgs de la ville, puis traversé Bog's End, la place du marché déserte, le parc tout aussi désert, et il arrivait maintenant à Brampton Hill.

Tandis qu'il peinait dans la côte, la force du vent lui fit rentrer la tête dans les épaules. Il soufflait de plus en plus fort, et il savait qu'il ne se calmerait pas avant l'arrivée de la pluie dont le ciel bas et sombre annonçait l'imminence. Il était à moins de dix minutes de la maison, mais il ne voulait pas retourner là-bas, ou du moins il voulait pouvoir rejoindre leurs pièces au-dessus des garages sans qu'elle le vît, et il y avait encore une bonne heure avant la tombée de la nuit.

Quand il s'arrêta devant les grandes grilles du numéro 46, il se demanda si c'était là qu'il avait eu l'intention de venir depuis qu'il était sorti, et il se fit une réponse bredouillante : « Par dieu, non ! Il en avait eu assez pour aujourd'hui. Il ne voulait plus rien savoir ni de l'une ni de l'autre. »

Pourquoi se fourrait-il toujours dans de telles situations ? Depuis qu'il avait mis un pied hors de chez lui, cela n'arrêtait pas. Mais non, restons honnête : ses ennuis avaient commencé avec Alice; avant, il s'était contenté d'être simplement un mari, mais un mari que l'on avait empoisonné, que l'on avait frustré, que l'on avait rendu malheureux. Et il était toujours marié, il ne devait pas l'oublier; la seule différence était que plus personne ne l'empoisonnait, qu'il n'était plus frustré... Hé là ! une seconde. (Il haussa les épaules, secoua la tête à l'idée qui prenait forme dans son esprit.) S'il n'était pas frustré, qu'est-ce qui le rongeait alors ? Et qu'est-ce qu'il faisait là ? Allez, qu'est-ce qu'il faisait là ? La réponse ne fut pas longue à venir, et il s'était déjà engagé dans l'allée couverte de graviers quand il se dit : « Si elle a tant d'hommes que ça, un de plus, un de moins, ça ne fera pas de différence. »

Tandis qu'il faisait le tour de la maison pour atteindre la porte-fenêtre, le vent, qui redoublait de violence, lui apporta soudain des bruits de voix et il s'arrêta un peu avant d'atteindre le seuil. Le salon était éclairé. Florrie lui tournait le dos et son père, agrippant à deux mains l'une des deux portes entrebâillée, était en train de lui crier :

— Si tu lui adresses de nouveau la parole, Dieu m'en est témoin, aussi longtemps que je vivrai, je ne te parlerai plus. Tu m'entends ? Plus jamais. Si tu lui souffles un mot là-dessus, un seul... je t'avertis !

— Tu peux m'avertir autant que tu veux (la voix de Florrie était aussi haute que la sienne), tu peux me faire n'importe quelle menace. Aussi loin que je me souvienne, il en a toujours été ainsi. Eh bien, je te le dis, papa, et je le ferai, encore une remarque insultante de sa part et elle le saura, elle le saura avec un seul mot; je lui dirai : « Bâtarde, dans tous les sens du terme, tu n'es qu'une bâtarde ! »

Il y eut un silence que seules les rafales du vent vinrent meubler; puis il saisit avec difficulté les paroles de M. Donnelly qui disait :

— Tu n'as pas le droit, Florrie, tu n'as pas le droit de faire ça.

— Si, j'en ai le droit. Mets-toi bien ça dans la tête, j'en ai tout à fait le droit, et je le ferai. J'ai assez attendu.

Comme tu le dis toi-même, personne n'est ni complètement noir ni complètement blanc. Mais elle, elle m'a rendue noire, noire comme du charbon. Elle raconte aux gens que je suis une femme de mauvaise vie, que je suis pourrie. Je sais ce que je vaux, personne ne le sait mieux que moi, mais je ne suis pas celle pour qui elle veut me faire passer. Et cet homme, aujourd'hui, a eu l'impression que j'étais la dernière des dernières. Et tu sais pourquoi ?

Elle avança ses deux mains, les posa sur celles de son père et claqua la porte. Il tendit l'oreille pour saisir ce qu'elle disait, mais en vain. Par contre, maintenant il pouvait voir son visage : il était déformé par la colère. Son père, les sourcils levés, agitait sans cesse sa main, comme pour réfuter ce qu'elle était en train de lui dire.

Alors qu'il hésitait entre partir ou s'avancer, une tuile arrachée du toit, qui passa à quelques centimètres de lui avant de s'écraser sur la terrasse, décida à sa place.

La porte-fenêtre s'ouvrit; Fred Donnelly sortit sur le seuil, le regarda et cria :

— Qu'est-ce que vous venez donc chercher ici, bon dieu ?

— Rien. (Sa réponse lui parut idiote.)

— Eh bien, j'espère que c'est ce que vous trouverez. C'est dommage qu'elle vous ait raté, ajouta-t-il en regardant la tuile qui avait éclaté en mille morceaux.

Puis il s'en alla en longeant la maison.

— Entrez; il fait froid.

Elle avait le souffle court, comme si elle avait lutté contre le vent.

Il hésita un instant avant de pénétrer dans la pièce. Et, quand elle referma la porte derrière lui, la paix, la chaleur et le silence qui l'enveloppèrent lui donnèrent un moment l'impression qu'il avait réellement reçu la tuile sur la tête, tant il se sentit fatigué et hébété.

Mais elle lui demanda :

— Depuis combien de temps êtes-vous là ?

— Je... je ne saurais dire.

Elle se détourna, porta les deux poings à sa bouche et ferma les yeux. Puis elle se dirigea vers le feu. Elle tendit les mains vers les flammes comme pour chercher de la chaleur et elle dit platement :

— Pourquoi êtes-vous venu ?

— Je ne sais pas.

Elle se retourna brusquement, lui fit face et cria :

— Ne dites pas ça ! C'est ce qu'ils disent tous...

Elle s'arrêta soudain et reporta les mains à sa bouche. Alors, sans un geste, il lui demanda :

— Pourquoi ne finissez-vous pas votre phrase ?

Avec une grimace de protestation, elle reprit :

— Parfaitement ! C'est ce qu'ils ont dit, tous les trois.

Elle avait parlé d'une voix si forte et si aiguë qu'il parcourut rapidement la pièce du regard.

— Ne vous en faites pas, s'écria-t-elle, c'est une vieille maison, les murs sont épais, et cet appartement est à l'écart; il n'y a qu'une cave au-dessous. Je peux crier autant que je veux. Et, de toute façon, même si nous étions au milieu du vestibule, je ne me gênerais pas pour crier. Et puis je vais vous dire les choses très clairement. J'ai trente-deux ans; j'ai connu trois hommes dans ma vie; ma dernière liaison a duré six ans. *Je ne suis pas une prostituée.*

— Je ne l'ai jamais pensé.

— Ne mentez pas; vous êtes venu pour ça. Je le sais bien. (Elle agita la main avec dédain.) J'imagine le tableau qu'elle vous a fait de moi. Elle vous aura tout noirci parce qu'elle vous veut, parce qu'elle veut vous épouser... Ne prenez pas cet air surpris, vous n'êtes pas aveugle. En tout cas, ce serait la meilleure chose que vous puissiez faire.

Elle lui tourna le dos, s'avança à pas lents jusqu'au divan et s'y assit; puis, levant les yeux, elle dit d'une voix redevenue calme :

— Ne faites pas attention à ce que vous avez entendu; il n'y a pas là de quoi la blâmer, et je ne lui raconterai rien, bien que j'aie dit le contraire, car, étant donné son caractère, elle ne le supporterait pas. Pour elle, l'illégitimité est un péché; elle ne se contenterait pas de condamner les fautifs; telle que je la connais, elle irait jusqu'à se charger de cette faute.

Il s'avança et prit un siège en face d'elle avant de lui demander tranquillement :

— Vous êtes donc demi-sœurs ?

— Non, non, répondit-elle en secouant la tête. Nous n'avons aucun lien de parenté de quelque nature que ce soit.

— Quoi !... Vous voulez dire ?

— Je veux dire que mon père n'est pas le sien et que ma mère n'est pas la sienne.

— Elle a été adoptée ?

— Euh... dans un certain sens, plutôt comique. (Elle détourna la tête, l'air songeur, puis continua en le regardant à nouveau :) Vous avez vu mon père, n'est-ce pas ? Ce petit homme mal fichu, d'un mètre cinquante... Je tiens de ma mère (elle ponctua ces paroles en désignant sa taille d'un geste de la main), bien que je sois encore beaucoup plus grande qu'elle. Mais pouvez-vous imaginer mon père consumé par le feu de la passion ? Eh bien, il l'a été. Il avait un frère jumeau, Len, qui avait une belle prestance. Ils devaient être l'opposé l'un de l'autre. Mais ils sont tous les deux tombés amoureux d'Annie, qui habitait la porte à côté de la leur. Enfin pas exactement, mais dans la même rue. Et, bien sûr, elle a choisi Len. D'après ce que j'ai pu comprendre de ce que ma mère m'a raconté — elle vivait alors tout à côté de chez eux —, mon père a disparu et personne n'a rien su de lui pendant cinq ans, mais, lorsqu'il est revenu, il s'est rabattu sur ma mère. Il lui avait toujours beaucoup plu, disait-elle — mais elle n'employait jamais le terme « aimer ». C'était une femme timide que ma mère, mais elle était la gentillesse même, et lui, par contrecoup, comme il avait besoin de cette gentillesse, il l'a épousée.

Entre-temps, Len et Annie, qui avaient quitté la ville, revinrent et, dès l'instant qu'ils furent là, mon père ne les a plus quittés. Même la nuit où je suis née, il était chez eux; il ne m'a vue que plusieurs heures après ma naissance. Cela a duré ainsi pendant cinq ans; puis mon oncle Len a eu un accident dans la mine et il est mort — mon père et lui étaient mineurs. A ce moment-là, ma mère s'est attendue au pire; elle a eu peur que mon père ne parte et n'aille vivre chez Annie, car c'est lui qui s'est occupé de l'enterrement et de tous les autres détails, et il restait toujours avec elle, du moins les quinze premiers jours après la mort de Len. Et puis un jour — c'est ma mère qui me l'a raconté —, il a failli devenir fou. Elle était partie, tout simplement partie; elle lui avait laissé un mot lui disant qu'elle en avait plein le dos de Doncaster... c'est là que nous vivions, et qu'elle allait à Londres. Vous savez (elle se leva du divan, retourna auprès de la cheminée et, tendant les mains vers le feu, elle poursuivit tout en les frottant l'une contre l'autre), ce que les femmes font pour les hommes et ce que les hommes attendent d'elles m'étonnera toujours. (Elle tourna vivement la tête vers lui.) Rien n'a changé depuis ces trente dernières années. Le vote ? Ah ! Laissez-moi rire. Vous savez quoi ? (Elle lui fit alors carrément face.) Il voulait que ma mère comprît son point de vue; il a été jusqu'à pleurer. C'était la première fois qu'elle le voyait pleurer, m'a-t-elle dit. Il n'a pas versé une larme à la mort de son frère, ni à celle de ses parents. Vous vous rendez compte ?

Bref (elle se rassit alors en face de lui et, se calant au fond du fauteuil, elle résuma rapidement la suite des événements), dix-huit mois passèrent, et, un beau jour, qui est-ce qu'il trouve sur le pas de la porte ? cette chère Annie, enceinte jusqu'aux yeux, et je dis bien enceinte jusqu'aux yeux, car sa fille est née moins de quarante-huit heures après son arrivée, et au moment où l'une naissait l'autre mourait. (Elle s'arrêta, soupira, puis reprit :) Tout ce que je vais vous raconter maintenant, je l'ai vu moi-même. Je me souviens du nouveau-né couché au pied du lit, tandis que Mme Williams du haut de la rue et ma mère essayaient de ranimer Annie. Plus tard, je me vois assise auprès du feu dans la cuisine en train de regarder le bébé allongé dans le panier à linge sale; je me rappelle également que mon père était à moitié écroulé sur la table, la tête enfouie dans ses bras.

Je garde aussi de cette époque le souvenir de nos meubles empilés dans une camionnette, et puis de mon père qui portait le bébé, et de ma mère qui me tenait par la main, montant dans un train. Nous avons atterri directement au 109 de Temple Street. Mon père avait déjà fait le voyage pour louer la maison; il avait tout préparé. Hilda serait sa fille et ma mère devrait l'adopter comme telle. Dans ce quartier, cette situation n'avait rien d'anormal. Voilà, vous connaissez toute l'histoire, si ce n'est un autre détail, plutôt ironique quand on y pense : tout l'amour dont il a privé ma mère et qu'il a accordé d'abord à la femme de son frère jumeau et ensuite à cette enfant illégitime (il n'a jamais appris qui était le père) n'a servi à rien, car Hilda a grandi en le détestant. Il le sentait et ses sentiments pour elle se sont transformés en une sorte de relation amour-haine. Il a refusé tout amour et tout respect à ma mère; il m'a certainement privée de son affection, car même avant qu'Hilda n'entrât en scène il m'en avait fort peu témoigné; mais, à partir du moment où elle est apparue, je n'ai plus été bonne à ses yeux qu'à veiller à ce qu'il n'arrivât rien à sa petite chérie. (Elle se pencha vers lui et grimaça un sourire en disant :) Imaginez ce qu'il a pu ressentir lorsqu'elle a épousé Peter Maxwell, un homme plus âgé que lui, car si jamais quelqu'un tombait amoureux de sa fille, qui n'était pas sa fille, il devenait... N'ayez pas l'air si choqué.

— Qu'est-ce qui vous fait croire que je suis choqué ?

— Vous en avez eu l'air.

— Détrompez-vous.

— Toujours est-il que les choses se sont passées ainsi et je n'ai pas besoin de vous demander de ne pas souffler mot de tout cela, n'est-ce pas ?

— Bien sûr, cela va de soi.

— Même son certificat de naissance ne peut rien lui laisser soupçonner... Est-ce qu'elle vous plaît ?

Il réfléchit, puis répondit sur un ton énergique :

— Oui; oui, je l'aime bien.

— Cela ne serait pas plus mal si vous l'épousiez.

— Ce... ce n'est pas mon intention.

— Ah bien. (Elle rit alors gentiment.) Vous feriez mieux de vous décider, car sinon vous ne pourrez pas rester là-bas. Vous ne croyez pas ?

— Et pourquoi pas ? (Il était sur la défensive.)

— Pensez-vous qu'elle puisse accepter d'avoir une liaison avec vous ?

— Qui parle de ça ? Je ne me vois pas lui suggérer ce genre de chose, étant donné ses opinions religieuses.

— C'est vrai, c'est vrai. La vie deviendrait vite intolérable pour tous les deux; à cause d'elle. Mais elle est jeune, elle a été mariée à un vieillard, ne croyez-vous pas qu'il va vous falloir prendre une décision ? Ce serait une erreur de vous croire indispensable. Elle peut engager un gérant d'un jour à l'autre.

— Je n'ai jamais eu l'impression que j'étais indispensable, et je suis bien conscient qu'elle peut me remplacer dès demain.

Il se sentit contrarié; fâché même. Il comprit alors pourquoi Hilda perdait son sang-froid en face d'elle : sa franchise était déconcertante. Il se rendit compte qu'elle rougissait, et voulut se lever pour partir. Mais elle lui demanda doucement :

— Avez-vous aimé votre femme ?

— Non, répondit-il brièvement. (Sa voix parut forte par contraste.)

— Jamais ?

— Un peu au début; cela n'a pas duré.

— Vous est-il arrivé d'aimer une femme ?

Il la contempla; et il crut voir Alice, et son corps bien en chair; puis il répondit dans un souffle :

— Oui, une fois.

— Beaucoup ?

Elle avait prononcé ce mot si bas qu'il ne sut pas si c'était elle qui avait posé cette question ou s'il se l'était posée à lui-même, mais il répondit :

— Oui, beaucoup, beaucoup.

— Pensez-vous que cela aurait duré ?

— Oui, je le pense.

— Moi, je ne crois pas que l'amour puisse durer, pas cet amour-là, celui qui vous consume, celui qui est aussi douleur. Vous n'êtes pas vraiment honnête; tout amour, quand il est bref, paraît merveilleux. Mais quand il dure, cela ne se passe pas comme ça. Tant que vous y êtes plongé, il vous joue des tours diaboliques, vous avez sans cesse peur qu'il ne finisse. Vous êtes jaloux si vous vous rendez compte qu'un autre est en train de prendre votre place. Toute cette maudite histoire ressemble à une opération sans anesthésie.

— Apparemment, vous avez subi cette opération ?

Elle leva les yeux sur lui, puis les détourna et répondit comme si elle se parlait à elle-même :

— Oui, j'ai subi cette opération. Mais dans un seul des trois cas que j'ai mentionnés. J'allais sur mes dix-huit ans; je travaillais pour la première fois et, en six mois, j'étais parvenue à faire partie du bureau du directeur. Mon cher ! c'est quelque chose dont on peut être fier. Ce n'est pas la peine de faire une telle grimace; ce n'est pas de lui dont je suis tombée amoureuse. Le directeur, c'était un rouquin qui reniflait; chaque fois qu'il dictait, il reniflait. (Elle éclata de rire à ce souvenir.) Non, comme une sotte que j'étais, je suis tombée amoureuse d'un Adonis des ventes. Il ne m'est pas venu à l'idée qu'il s'était déjà occupé de la plupart des femmes de la maison, car, vu qu'il avait trente ans, je me disais que, si cela avait été le cas, l'une d'elles lui aurait déjà mis la main dessus. Vous savez, je suis restée avec lui deux ans et demi. Il me faisait la cour, comme on dit, et je me suis brouillée avec toutes les filles des bureaux; elles me disaient toutes, amicalement, que je n'était qu'une dupe. Mais j'étais certaine que c'était par jalousie, car ne voyais-je pas mon audacieux bohémien chaque jour jusqu'à dix heures du soir ? C'était l'heure à laquelle je devais être rentrée, car après mon père fermait la porte à clef. Pouvez-vous imaginer ce que j'ai ressenti le jour où j'ai finalement appris qu'à la minute où il me laissait il filait directement chez une jeune veuve, mère de quatre enfants ? C'est mon patron qui me révéla la chose — c'était quelqu'un de bien malgré son habitude de renifler. Il me dit très gentiment que mon cher Fred lui avait donné son préavis et qu'il avait emmené sa veuve et sa nichée à Doncaster. Oh ! là là ! Doncaster ! Exactement l'endroit d'où mon père s'était envolé avec les vestiges de son amour.

Vous savez quoi ? (Elle se pencha de nouveau et tapota ses genoux en continuant.) Il n'y avait pas une personne dans cette entreprise pour croire que j'ignorais tout de ses frasques; certains dirent que je l'avais empêché d'épouser cette pauvre veuve et de donner un père à ces orphelins qui en avaient tant besoin; d'autres, que j'avais essayé de le garder en lui faisant des cadeaux et que je n'avais pas volé ce qui m'arrivait. Pour çe qui est des cadeaux, c'était vrai d'ailleurs (elle hochait la tête lentement), je dépensais pour lui chaque penny qui me restait, une fois ma pension payée. Aussi, je sais ce que c'est que d'être amoureuse... C'était quelque chose dans ce genre-là pour vous ?

— Non. Cela a été merveilleux, pour elle aussi bien que pour moi.

— Et qu'est-ce qui s'est passé ?

— Elle est morte.

— Oh... Excusez-moi. Voulez-vous... voulez-vous une tasse de café ?

— Je veux bien.

Quand elle l'eut laissé seul dans le salon, il se renversa sur le dossier du divan et il commença de se caresser le menton, puis les joues, l'une après l'autre. C'était chez lui un signe indéniable d'agitation et, dès qu'il s'en aperçut, il joignit fermement les mains.

Qu'il le voulût ou non, il se trouvait de plus en plus impliqué dans les affaires de cette famille; mais où cela le mènerait-il ? C'était là une autre question. Il se demanda soudain à combien se montaient ses économies. Autour de soixante-douze livres. C'était une belle somme — il n'en avait jamais eu autant de toute sa vie —, mais ce n'était pas suffisant pour monter une affaire. Il n'avait pourtant pas à se plaindre de sa situation actuelle : Hilda avait refusé qu'il payât quoi que ce fût pour le repas de midi et elle le logeait gratuitement; ainsi, sur les quatre livres qu'il gagnait par semaine, il ne dépensait que ce qui était nécessaire pour les autres repas et leurs vêtements. Il en avait d'ailleurs acheté une quantité exagérée pour Dick. Mais, s'il voulait se mettre à son compte, il faudrait qu'il loue un local et un appartement, et l'affaire un peu particulière qu'il avait en tête — une sorte de magasin de nouveautés — ne serait pas immédiatement rentable. Comme occupation annexe, cela pouvait très bien marcher, mais ne faire plus que cela, ce n'était pas possible.

Il ne savait pas ce qu'il ferait s'il se retrouvait placé devant le choix dont Florrie avait parlé, sinon qu'il dirait la vérité à Hilda. Et que se passerait-il alors ? Il pouvait déjà imaginer comment elle le regarderait et quel ton elle emploierait : « Vous voulez dire que vous êtes parti comme ça, tout simplement parce que votre épouse s'est interposée dans vos affaires de cœur avec une autre femme ? » Bien sûr, s'il devait révéler son passé à Florrie, il le ferait sans craindre son mépris; car, d'après ses propres mots, elle connaissait bien les hommes et leur façon d'agir... A travers trois d'entre eux, avait-elle dit, et le premier avait vraiment été un sale type, à l'en croire.

Quand elle revint dans la pièce, il se leva, lui prit le plateau des mains et le déposa sur la petite table, puis, assis de nouveau l'un en face de l'autre, ils burent leur café à petites gorgées.

Elle lui demanda soudain de façon complètement imprévisible :

— Vous voulez que je vous raconte le numéro deux ?

A ces mots, il s'étrangla en avalant une pleine gorgée de café chaud, toussa, reposa sa tasse et s'essuya la bouche avant de répondre :

— Pas si cela doit vous faire de la peine.

— Oh ! ça ne me fera pas de peine; le numéro deux ne peut pas me faire de la peine. Cela me rend un peu furieuse parfois quand j'y pense. Cela me fait surtout enrager d'avoir été assez sotte pour tomber une seconde fois dans le panneau. J'avais quitté le bureau de l'entreprise — je n'avais pas envie de supporter les commentaires, les sourires dans mon dos et les moqueries —, et comme avec le temps mon goût pour les vêtements s'était développé — peu, mais bien, telle a toujours été ma devise — je suis devenue assistante dans un grand magasin de Newcastle, où au bout de deux ans je fus chargée de faire moi-même les achats de mon service. Je n'eus à passer par-dessus personne, sinon un mort ou une morte en l'occurrence, car la femme qui s'occupait des achats a eu une crise cardiaque et je l'ai remplacée. Mais je me suis si bien débrouillée que j'ai obtenu le poste à titre définitif. Et c'est ainsi que j'ai rencontré William; pas Bill ou Billy, non, William. (Elle se mit à rire.) J'aurais dû me douter que quelqu'un qui exigeait que tout le monde l'appelât William, même sa petite amie, devait singulièrement manquer d'humour. Quoi qu'il en soit, c'était un représentant, et, pour employer ses propres mots, il m'a eue à l'instant même où il a posé son regard sur moi. Son travail l'obligeait à voyager dans tout le Nord, aussi nous ne nous voyions pas aussi souvent que nous l'aurions voulu. Il y avait un an que nous nous connaissions quand la question du mariage s'est posée. Mais cela présentait des difficultés, car, voyez-vous, William devait s'occuper de l'entretien de sa mère, qui était veuve, et de ses deux jeunes sœurs. En fait, il vivait à Leeds. Je fus invitée deux fois à passer un week-end chez lui, mais les deux fois il y eut un empêchement. La première fois, sa mère tomba malade; la seconde, il fut retenu par son travail. J'ai oublié de vous dire qu'à cette époque je n'habitais plus chez mon père; j'avais pris un petit appartement, et William économisait ainsi sur ses notes de frais, étant donné que je l'hébergeais et le nourrissais chaque fois qu'il venait voir des clients dans la région.

A ce point de son récit, elle le regarda attentivement sans ciller, et il lui rendit son regard. Mais quand elle se remit à parler, elle tendit ses deux mains en avant et fit le geste de vouloir couper court.

— Bref, sans que je sache vraiment pourquoi, tout à coup je me suis dit : « Ah non ! ce n'est pas possible, ça ne va pas recommencer ! Les météorites ne tombent jamais deux fois au même endroit. » Alors j'ai pris le train pour Leeds, et j'ai découvert que l'adresse que ce cher William m'avait laissée était celle d'un bureau. Toujours est-il que là on m'a fourni son adresse personnelle, et, quand j'ai frappé chez lui, je me suis retrouvée en face de sa chère maman et de ses sœurs qui étaient de toute évidence sa femme et ses filles. J'ai prétexté que je m'étais trompée de porte et je suis retournée à Newcastle. J'ai attendu l'arrivée de mon William chéri, le week-end suivant, et je lui ai filé la plus belle raclée qu'il ait jamais reçue de toute sa vie. Je me suis servie de poêles, de vases et de tout ce qui m'est tombé sous la main. Je ne sais pas comment il a expliqué à sa femme la perte de ses deux dents, son œil au beurre noir et ses bleus sur les tibias. Mais, ce soir-là, je me suis dit « plus jamais »; désormais, c'est moi qui choisirai, c'est moi qui tirerai les ficelles. Alors j'ai regardé autour de moi... Une autre tasse de café ?

— Non, merci.

— Moi, j'en prends une autre.

Elle remplit sa tasse, et, tandis qu'elle la buvait à petites gorgées, il attendit sans faire de commentaires. Puis elle continua son récit avec vivacité :

— Newcastle est une grande ville, et, en dépit de la pauvreté du Nord, c'est une ville riche; tout un tas d'hommes fortunés y vivent et, au cours des repas du personnel, j'en rencontrais un grand nombre. C'est comme ça que j'ai fait mon choix... Je pense que nous avons fait notre choix en même temps, tous les deux. Je savais qu'il était marié et qu'il avait quatre enfants; je savais que sa femme était issue d'une des plus grandes familles de notre hémisphère, et je devinais en très peu de temps que, comme tous les hommes qui ont quatre enfants et une femme, il était pris dans une routine incapable de le rendre heureux. Tant qu'ils sont célibataires, les hommes sont heureux (elle remuait lentement la tête, pesant chacun de ses mots avec cynisme), tous les hommes mariés que j'ai rencontrés et qui, si j'ose dire sans fausse modestie, ont voulu me rendre la vie agréable avaient été malheureux avec leur femme. Et ils m'ont tous dit que j'étais celle qu'ils auraient épousée s'ils m'avaient connue avant, et que s'ils l'avaient fait ils n'auraient jamais traversé la mauvaise passe dans laquelle je les trouvais. En tout cas, me voilà ! (Elle écarta largement les bras.) Cet appartement est à moi, je ne suis pas locataire; l'affaire est à moi, tous les papiers sont établis à mon nom et portent ma signature. Ainsi vous savez tout, j'ai eu trois hommes dans ma vie et je ne me considère pas comme une prostituée pour autant. Qu'est-ce que vous en pensez ?

145

— Je pense que vous êtes une femme très honnête...
Aimez-vous cet homme ?

— Non, pas dans le sens où j'entends « aimer ». Pour
moi, l'amour est fait de peine, de peur, de jalousie, de tout
un tas de choses comme je vous le disais. Non, j'aime bien
Charles, je l'aime vraiment bien. On pourrait dire finalement que nous sommes de très bons amis. (Elle eut un
petit rire forcé.) Mais pour être tout à fait honnête je dois
ajouter ceci : il y a à peu près un an, sa femme a eu vent de
mon existence et les choses ont commencé à changer. Il
n'était pas question qu'il divorçât. De toute façon, je ne le
désirais pas plus que lui. Mais quand il est resté trois mois
sans venir mon existence a été singulièrement vide; et, à
présent que cela fait six mois que je ne l'ai pas vu, elle l'est
complètement. Comme on dit, n'est-ce pas, c'est la vie...
Je vous choque ?

— Pourquoi voulez-vous à tout prix que je sois choqué ?

— Je ne sais pas. Quelque chose en vous, la façon dont
vous me regardez pendant que je parle. C'est drôle, mais
si j'ignorais que la religion n'est pas votre fort, je serais
persuadée que vous êtes en train de me condamner à cause
de vos croyances.

— Mon dieu ! (Il se mit à rire en agitant lentement la
tête de droite à gauche. Puis la regardant à nouveau, il
dit :) Ça prouve combien vous me connaissez mal.

— C'est vrai. Mais il faut dire que personne n'a l'air de
bien vous connaître. Vous êtes du genre plutôt secret,
n'est-ce pas ?

A la chaleur qui montait le long de son cou, il sut qu'il
était en train de rougir, et, comme il se taisait, elle ajouta :

— Excusez-moi; je ne voulais pas être indiscrète; je ne
voulais pas vous forcer. Cela n'a pas d'importance pour
moi. Mon expérience m'a au moins appris une chose : la
vie de chacun lui appartient, il peut en faire ce qu'il veut
et, il doit en supporter lui-même les conséquences. En
tout cas, après tout ça, je ne suis guère plus avancée et je
me demande toujours pourquoi vous êtes là ce soir.

Que pouvait-il répondre ? Qu'il était venu pour lui
faire la cour ? Qu'il pensait qu'elle n'y accorderait pas

grande importance, qu'elle le verrait simplement comme le suivant sur la liste de ses soupirants ? Il répondit seulement :

— Je ne sais pas.

— Moi, je sais. Vous voulez que je vous le dise ?

— Je préférerais pas.

— Très bien. C'est à mettre à votre crédit. Vous avez vu que j'étais fâchée, blessée par ce que Hilda raconte sur moi. Vous n'avez pas l'air d'aimer que l'on blesse les gens, n'est-ce pas ? Vous avez fait la guerre ?

— Oui et non.

— Oui et non ? C'est une drôle de réponse. Qu'est-ce que vous étiez ?

— Objecteur de conscience.

— Seigneur Dieu !

Il vit sa bouche s'élargir en un grand sourire, sa poitrine plate se soulever, et quand elle éclata de rire il lui demanda :

— Qu'est-ce que vous trouvez de drôle à ça ?

— Je ne sais pas; je ne sais pas pourquoi je ris; ça m'a... ça m'a tellement surprise, et la façon dont vous l'avez dit. (Son sourire s'évanouit, et c'est avec un air pensif qu'elle ajouta :) Vous avez dû être un homme vraiment courageux. Je n'ai jamais pu comprendre pourquoi les gens prenaient les objecteurs pour des lâches. Quand j'étais enfant, j'en ai connu un; du moins je savais où il habitait. Les femmes du voisinage ne pouvaient pas s'en prendre à lui parce qu'il était en prison, mais elles s'en prenaient à sa femme et à ses gosses; elles brisaient leurs vitres et tout. Vous savez quoi ? Les pauvres vivent dans l'ignorance.

— Ils n'en ont pas le monopole.

— Non, peut-être pas; mais déjà à cette époque il me semblait qu'ils ne pensaient pas par eux-mêmes, qu'ils se laissaient simplement mener. Et il y a autre chose. Je détestais, encore bien plus qu'Hilda, vivre à Bog's End parmi les pauvres. Même maintenant je déteste descendre là-bas. Je hais les rues tristes, les pièces étroites, les arrière-cours minuscules. Dans Temple Street, ils doivent encore aller chercher l'eau dans la rue.

— Vous n'avez plus à vous inquiéter de ça ici, n'est-ce pas ?

— En effet.

Ils se regardaient à présent dans un silence presque hostile, comme s'il avait attaqué son mode de vie. Mais ils se sourirent encore, et alors qu'ils allaient au même moment dire quelque chose un bruit provenant du vestibule leur fit tourner la tête. Une clef remua dans la serrure, et une porte s'ouvrit et se referma.

Florrie s'était levée, et Abel se leva à son tour, avec lenteur, en regardant le visiteur inattendu qui se tenait sur le seuil de la pièce, une main sur la poignée de la porte. L'homme était de la même taille que lui. Il avait une épaisse chevelure blonde, et chaque trait de son visage était agréable. Son pardessus était posé sur son bras et il tenait un chapeau mou à la main. Chaque détail de sa personne révélait un homme distingué, et le ton de sa voix renforça encore cette impression lorsqu'il dit :

— J'espère... j'espère que je ne vous dérange pas.

— Oh, mais non.

Florrie s'avança lentement vers lui avec un sourire, le débarrassa du pardessus et du chapeau qu'elle déposa sur une chaise; puis sans se retourner elle tendit une main en arrière vers Abel et dit :

— Voici M. Gray; c'est le... le gérant d'Hilda. Il est juste venu pour m'apporter un message de sa part.

Elle ne le présenta pas à Abel. Ils se regardèrent et se saluèrent de la tête.

— Viens, assieds-toi. Il fait un vent effroyable dehors. As-tu mangé ?

Abel regarda l'homme venir vers lui, passer entre les divans, s'approcher de la cheminée et tendre ses mains vers les flammes. Six mois ! pensa-t-il. Elle a dit que depuis six mois il n'était pas venu la voir, et l'on aurait dit que cela ne faisait que six heures, qu'il rentrait tout simplement du bureau !

— Il faut que je m'en aille.

Il se dirigea vers la porte. Non pas la porte-fenêtre, mais celle du vestibule. Elle le regarda et lui sourit. C'était un sourire chaud, qui le remerciait pour son tact.

— Je dirai à Mme Maxwell que c'est entendu; vous viendrez la voir ?

— Oui, dites-lui que je viendrai.

Il se retourna vers l'homme qui s'était assis dans un coin du divan.

— Bonsoir, lui dit-il.

Et l'homme, qui regardait vers le feu et semblait avoir totalement oublié sa présence, tourna la tête et répondit :

— Oh ! bonsoir, bonsoir.

Au moment où elle le quitta à la porte du hall, elle lui dit très doucement :

— Bonsoir, et il lui répondit sur le même ton.

Il longea l'allée, passa la grille, et, une fois dans la rue, il s'arrêta. Il avait un étrange sentiment, comme s'il venait de perdre quelque chose. Mais quand on n'a rien à perdre, comment pourrait-on éprouver un tel sentiment ? Il ne pouvait tout de même pas être amoureux d'elle. Mais non ! Il avait aimé Alice, et elle seule. Mais alors, pourquoi avait-il l'impression que le sol de son nouveau monde venait de se dérober sous ses pas ? Son nouveau monde si sûr... *si sûr* ? Qu'est-ce qu'il racontait donc là ? S'il n'épousait pas Hilda, cette sécurité aurait la vie courte, et il ne pouvait pas épouser Hilda. Alors ? La route de nouveau ? Oh non ! mon dieu, pas avec le petit ! Il n'avait pas le droit de le lui imposer. Alors, que faire ?

Il n'avait pas encore trouvé de réponse à sa question quand il arriva dans leur salle de séjour où Dick, les yeux écarquillés par la peur, éclata dès qu'il le vit :

— Hé ! papa, j'ai cru que tu étais parti et que tu m'avais laissé. Et Mme Maxwell était en colère. Quand je suis entré dans la cuisine, elle m'a poussé dehors en me disant que je ferais mieux d'aller prendre mon thé chez Mlle Florrie. Pourquoi elle m'a dit ça, papa ? Je ne suis jamais allé là où elle habite Mlle Florrie ? J'ai eu peur, tu sais. J'ai eu peur parce que j'ai cru que j'allais devoir retourner vivre avec ma maman.

C'était la première fois que l'enfant mentionnait sa mère depuis qu'ils étaient convenus qu'il devait faire comme si elle était morte; que sous l'effet de la peur il en parlât montrait bien qu'il continuait de penser à elle.

149

Au moment où il serra son fils contre lui, il sut que le futur ne dépendait pas de lui, mais de son enfant, et que, pour pouvoir continuer à lui donner une vie sécurisante, il lui faudrait se battre contre lui-même. Mais comment effacer le souvenir d'une mère — d'une mère vivante — de la mémoire d'un enfant ? Le seul moyen, croyait-il, était de lui faire choisir entre un lit confortable et un estomac bien rempli et la route une nouvelle fois.

Et il savait ce que déciderait son fils, car il était trop jeune pour comprendre vraiment ce que ce choix impliquait. Mais un jour il ne serait plus un enfant; serait-il alors capable d'expliquer à un jeune homme que tout ce qu'il avait fait c'était pour lui ?

Que de problèmes pour une seule journée... Et cette nuit ! Et cette nuit, Florrie avait retrouvé son homme, son gigolo. A cette idée, il fit la grimace. Bon dieu ! Si seulement il avait pu être à sa place, gigolo ou pas, car il se sentait brûlant de désir. Cela n'avait rien à voir avec l'amour, c'était seulement du désir, et à cet instant, s'il avait pu, il l'aurait extirpé à jamais de lui-même.

CHAPITRE VI

Il y avait eu des rafales de neige toute la journée. Les flocons étaient si légers par moments que l'on aurait cru qu'il tombait de la farine. Le froid était intense et le ciel descendait si bas sur la ville que tous les passants se répétaient : « Mauvais temps pour Noël, pas de doute. »

Dick entra dans le garage en courant, et cria :

— Crois-tu qu'elle va tenir, papa ? Est-ce qu'on va pouvoir faire de la luge sur la colline ? Bob Tanner a dit que l'année dernière ils en avaient fait et que ç'avait été fantastique. Qu'est-ce q't'es en train de faire, papa ?

— Qu'est-ce que tu crois ? Ouvre tes yeux.

— C'est que j'peux pas te voir, papa (Dick se mit à rire), tu es à moitié caché sous la voiture.

— Eh bien, pourquoi est-ce que je pourrais m'être fourré là ?

— Pour réparer quelque chose, sans doute.

Abel rampa sur le sol, émergea de la voiture, puis il s'assit, et tout en retirant avec un chiffon la graisse qui maculait ses mains il rit avec son fils :

— Qu'est-ce qui t'excite comme ça ?

— J'sais pas. C'est juste Noël qui arrive et la neige. Où est Benny ?

— Comme d'habitude, dans l'atelier des bicyclettes.

— J'vais aller lui lancer une boule de neige.

— Ça m'étonnerait que tu y arrives; tu n'en ramasseras jamais une cuillère à soupe, il n'y en a pas assez.

— Il y en a en haut du mur.

Au moment où l'enfant détalait, Abel l'interpella :

— Un instant, Dick. (Lorsqu'il s'arrêta de courir, il l'avertit :) Attention, ne le taquine pas trop.

— J'le taquine jamais, papa.

— Bon, s'il est dans un de ses jours de mauvaise humeur, ne l'approche pas.

— D'accord, papa.

Dick courut vers le mur qui longeait une partie de la façade donnant sur la rue, et, dressé sur la pointe des pieds, il racla la neige sur le sommet du mur qui était plat. Arrivé à l'extrémité, il en avait en effet recueilli tout juste de quoi remplir une cuillère à soupe. A l'abri du mur, il pressa doucement les flocons entre ses doigts, mais il eut beau essayer, il ne put former une boule de neige.

Aussi, emprisonnant la neige entre ses mains, il retraversa la cour au pas de course, dépassa le garage, puis l'atelier des machines où Arthur Baines travaillait sur le tour, et entra dans l'atelier des bicyclettes.

C'était une grande pièce de douze mètres de long sur quatre mètres cinquante de large. Sur un côté se trouvaient les présentoirs pour les bicyclettes qui étaient tous occupés, sauf deux, le temps étant peu favorable à ce genre de commerce. Un établi étroit courait le long de l'autre mur; on y trouvait un assortiment d'outils, et en haut, telle une rangée de portraits, on voyait accrochées des roues de bicyclettes. Au-delà de l'établi, il n'y avait qu'un ancien poêle à charbon qui dégageait une odeur âcre. Chauffé à blanc, il rayonnait plus intensément que le bec de gaz nu qui se trouvait dans l'applique suspendue au-dessus de l'endroit où Benny se tenait.

Benny Laton avait toute l'apparence d'un homme. Il était âgé de vingt-trois ans et mesurait un mètre soixante; il avait une forte carrure et une tête bien proportionnée; mais ses membres étaient fluets. Assis il paraissait normal; c'était lorsqu'il marchait ou parlait que l'on s'apercevait qu'il ne l'était pas, car il avait une démarche gauche et un parler enfantin.

Dick s'arrêta devant lui :

— Bonjour, Benny.

— Ah, c'est toi. Tu es donc revenu ?

— Oui, il neige.

— Je le sais... espèce de toqué.

— Devine ce que j'ai dans les mains ? (Dick leva ses mains fermés vers le visage de Benny et lui adressa un sourire narquois.)

— J'sais pas.

152

— Allez, devine.

— Un oiseau.

— Un oiseau ?... Non, de la neige.

A l'instant même où il prononçait le mot « neige », il ouvrit ses mains et lui jeta au visage le peu qu'il restait dans ses doigts trempés.

La réaction de Benny fut si inattendue et brutale que Dick ne réussit même pas à crier. Benny l'avait poussé violemment du bras; il trébucha en arrière et dut s'agripper à un présentoir pour ne pas tomber; puis Benny marcha sur lui, une clef à molette dans la main, en tenant un discours incohérent. Dick, lui, recula pas à pas.

Lorsqu'il sentit la chaleur du poêle il put enfin retrouver sa voix et crier de peur :

— Ne fais pas ça, Benny. Ne le fais pas ! Je ne pensais pas à mal. Ne fais pas ça.

— Tu... tu l'as emportée. Oui, tu l'as fait.

— Arrête, Benny ! Je vais me brûler, je vais me brûler.

— Oui, tu vas brûler, t'iras en enfer.

— *Papa ! Papa !*

Il sentit une violente chaleur dans son dos; il sut que s'il mettait la main en arrière il toucherait le poêle chauffé à blanc, il poussa alors un hurlement aigu; puis un autre et un autre encore.

Abel était en train de traverser la cour pour rejoindre Hilda dans la cuisine afin de l'avertir que la réparation était terminée et qu'il allait ramener l'automobile à son propriétaire quand il entendit les hurlements; Hilda les entendit également, car elle était affairée devant l'évier et dans la lumière vague de la lampe du portail elle avait vu Abel se diriger vers la maison.

Elle et Arthur Baines atteignirent au même moment la porte de l'atelier des bicyclettes; ils s'arrêtèrent et, cloués au sol par la peur, ils observèrent Abel qui s'avançait lentement vers le milieu de la pièce, en parlant avec calme et douceur à Benny :

— Qu'est-ce qu'il y a ? Qu'est-ce qui s'est passé ? Baisse ton bras, Benny.

Puis il se tut. Benny avait fait un nouveau pas en

direction de Dick, la clef brandie au-dessus de sa tête, et il criait :

— Ne m'approchez pas, m'sieur. N'avancez pas. Vous n'êtes pas mon patron. Il l'a emmenée. J'le dirai à ma m'man.

Hilda, qui avait rejoint Abel, lui parla à son tour d'une voix très calme également :

— Benny ! Benny ! Ecoute-moi. Tu ne vas pas faire de mal à Dick; tu l'aimes bien, Dick.

— Non, j'l'aime pas. J'l'aime pas. Il veut dormir à la maison. Ma m'man l'a dit, et ma m'man elle sait. Le grand va se marier avec vous, ma m'man l'a dit; et alors le jeune va dormir dans la maison. Ma m'man, elle sait; elle sait ce qui se passe avec le grand.

Il se fit un silence total dans l'atelier, puis Abel s'avança de nouveau. Et c'est d'une voix qui n'avait plus rien de doux qu'il hurla :

— Pose cette clef !

— Non !

Tout en parlant, Benny avait agrippé Dick par une épaule, mais, vaincu par la chaleur et la peur, l'enfant s'évanouit et s'effondra sur le sol.

Abel bondit en avant, mais au moment où il allait l'empoigner le jeune dément abaissa la clef avec une telle force sur son avant-bras que tous entendirent l'os craquer.

Avoir pu frapper quelqu'un semblait l'avoir calmé : il restait là, la clef au bout des doigts, à regarder Abel plié en deux par la souffrance. Et lorsque Arthur Baines lui retira l'outil, il n'opposa aucune résistance. Il se tourna simplement vers Hilda, qui tentait de soulever Dick dans ses bras, pour lui bredouiller :

— Avant, vous m'aimiez bien, le meilleur ouvrier, vous disiez, votre meilleur ouvrier. Patron Maxwell, il m'aimait bien, oui, il m'aimait bien. Ma m'man elle dit que les choses sont plus pareilles depuis que le vagabond est là. Des clochards, voilà ce qu'ils étaient, des clochards. J'le dirai à m'man.

— Tais-toi ! hurla Hilda.

Et le jeune homme se tut et resta à la regarder, les lèvres tremblantes. Elle demanda alors à Arthur Baines :

— Ramenez-le chez lui, Arthur, voulez-vous ? Racontez à sa mère ce qui est arrivé et dites-lui que je veux la voir.

— Est-ce qu'il ne vaudrait pas mieux que je donne d'abord un coup de main à Abel et que je ramène l'enfant à la maison ?

— Non, non. (C'était Abel qui avait pris la parole d'une voix lente et empâtée.) Je vais très bien. Nous allons nous occuper de Dick; emmenez-le (il ferma les yeux et laissa retomber sa tête sur le côté), sortez-le d'ici.

Arthur saisit Benny par le bras et le conduisit vers la porte; le jeune homme marcha tranquillement. Mais une fois sur le seuil, il força Arthur à s'arrêter et déclara :

— J'veux mon manteau.

Après l'avoir mis, il semblait encore ne pas vouloir partir, et, comme Arthur le poussait pour le faire sortir, il se retourna et cria :

— Clochard ! Clochard de la route ! Tu cherches juste un coin peinard. Ma maman, elle sait.

Hilda n'avait pas entendu, sembla-t-il, les insultes de Benny, elle s'efforçait de soulever Dick dans ses bras. Mais Abel resta la tête baissée, les yeux clos. Il ne ressentait aucune douleur dans le bras, tout son côté gauche était complètement engourdi, mais il éprouvait un sentiment qu'il ne connaissait pas et qui lui paraissait étrange. Peut-être, imagina-t-il, est-ce ce que les hommes éprouvent avant de s'engager dans une bataille. Quelque chose qui les effraie, mais qu'ils ne peuvent éviter. Quelque chose qu'ils savent devoir affronter. Et il sut à cet instant qu'il avait atteint un tournant de sa vie et qu'avant l'aurore il aurait pris une décision.

Il était allé à l'hôpital où on lui avait plâtré le bras. Dick était couché et dormait dans l'une des chambres d'ami du premier étage; et lui-même assis devant le feu était en train de boire un chocolat chaud, attendant qu'elle lui adressât la parole.

Il était revenu de l'hôpital à huit heures et demie, il était maintenant dix heures, et elle n'avait pas prononcé plus d'une dizaine de phrases durant tout ce temps. Toutefois, elle s'était montrée très attentive, insistant pour qu'il prenne le repas qu'elle lui avait préparé, le faisant asseoir dans le grand fauteuil en cuir, le fauteuil de M. Maxwell, et installant des coussins pour soulager son bras.

Lorsqu'elle s'installa juste en face de lui et le regarda droit dans les yeux, il sut que le moment fatal était arrivé. Quoi qu'il dise, sa vie allait être bouleversée : ou bien il allait se retrouver sur les routes, ou bien il allait rester ici, en sécurité — mais à quel prix !

— Abel.

— Oui, Hilda ?

— Les choses touchent à leur terme, n'est-ce pas ?

— Dans quel sens ? (Mon dieu ! Pourquoi reculait-il comme cela ? il savait quelle serait sa réponse, alors pourquoi trembler ?)

Il se sentit gêné et confus lorsque, tout à coup, elle détourna la tête et tortilla son jeune corps bien en chair comme pour rompre des liens.

Quand elle retrouva son calme, elle le regarda de nouveau droit dans les yeux en lui disant :

— Ne faites pas l'aveugle, Abel. Vous savez aussi bien que moi où les choses en sont. Voulez... voulez-vous que je m'humilie... que je mette mon âme à nu avant que vous ne parliez ? Encore que je sache que vous ne parlerez jamais, que vous ne le direz jamais, simplement à cause de notre position. Oh ! Abel.

Elle avait sauté si rapidement de sa chaise pour s'agenouiller à ses côtés qu'il avait sursauté, et, lorsqu'il retira craintivement son bras blessé qu'elle avait bousculé, elle s'écria :

— Abel ! Est-ce que je vous ai fait mal ? Excusez-moi.

— Mais non. Ce n'est rien.

— Abel !

Elle le regardait avec intensité, les lèvres tremblantes, les yeux humides. Il posa alors sa main libre sur les cheveux d'Hilda, puis tout en lui dégageant le front il lui dit :

— Je... je sais ce qui doit être dit, mais, comme vous l'avez exprimé, je n'aurais jamais pu me forcer à le faire. Maintenant encore... eh bien, je... je ne sais pas.

Elle s'accroupit, et son visage parut petit et pitoyable lorsqu'elle murmura :

— Je... je croyais que vous m'aimiez bien.

— Oui, bien sûr, je vous aime bien.

Sa réponse fut brève et sincère. Il n'avait aucune raison de dissimuler les sentiments qu'il éprouvait pour elle; il l'aimait bien, il l'aimait beaucoup, mais il ne la désirait pas, pas comme... Ce ne fut pas au prénom d'Alice qu'il s'était arrêté. Elle lui dit alors avec douceur :

— Je vous aime, Abel; je crois que je vous ai aimé dès l'instant où vous avez franchi la porte. Il a fallu que je me contrôle tant que M. Maxwell était en vie, mais... depuis qu'il n'est plus et que j'ai cru que vous étiez épris de Florrie, j'ai failli devenir folle. C'est vrai, Abel. Elle tournait lentement la tête d'un côté à l'autre; puis saisissant ses doigts dans ses mains, elle se blottit contre lui, le visage appuyé sur son épaule, le regard plongeant là où sa chemise ouverte laissait apparaître sa poitrine. Et elle murmura alors :

— Il faut... il faut que je vous dise que... que je n'ai jamais été réellement mariée.

— Quoi ! Mais je pensais...

Le ton de sa voix lui fit relever la tête, et elle dit, d'une voix légèrement choquée :

— Oh oui, oui ! M. Maxwell et moi, nous étions religieusement mariés ! tout a été fait dans les règles, mais... mais ce que je veux dire, c'est qu'il... qu'il me considérait plus comme sa fille et... vous voyez, je n'aurais pas pu supporter qu'il me considérât autrement. Cela... cela avait été prévu avant la cérémonie... eh bien, qu'il n'y aurait rien de... Vous comprenez ce que je veux dire.

Il observa l'air pincé qu'elle avait alors pris, et il eut envie de rire. Il n'arrivait pas à croire qu'elle ait pu partager le lit de cet homme si longtemps et rester vierge. Il fallait qu'il eût été de bois, car enfin... il n'était pas si vieux. Et elle ? En tout cas, une chose était certaine à présent, c'est qu'elle voulait se marier, et pas seulement sur le papier; le désir émanait d'elle comme une source de chaleur; se sentait à la pression de ses mains et à la façon qu'elle avait de rapprocher son corps du sien, et se lisait ouvertement dans la profondeur de son regard.

Un sentiment de pitié effaça son envie de rire. Il commençait à se demander si, finalement, elle n'accepterait pas les avantages du mariage sans la cérémonie. Si jamais il arrivait à la convaincre, il n'aurait plus aucun souci à se faire.

Il retira le bras de ses épaules et se remit à écarter les cheveux de son front, mais c'est sans la regarder dans les yeux qu'il lui dit :

— Cela a dû être assez dur pour vous, et je comprends ce que vous ressentez... eh bien, si c'est pareil pour vous, nous... nous pouvons être ensemble... être heureux sans les palabres habituelles, car après tout...

Elle s'était écartée de lui aussi vivement qu'elle s'était approchée cinq minutes auparavant. Elle se tenait debout à présent, les pieds bien plantés au sol. Le regard fixe, une main sur la bouche, qu'elle déformait, les yeux grands ouverts et le corps hérissé, elle éclata d'indignation :

— Qu'est-ce que vous voulez dire ? Je ne suis pas comme ça ! Vous croyez que, parce que Florrie est une femme perdue, j'en suis une aussi. Bien sûr, c'est exactement ce que vous pensez. Vous vous dites, elles sont de la même famille, donc semblables. Ce qu'elle fait, c'est pour de l'argent ou des cadeaux, et, comme je viens de vous parler de M. Maxwell vous supposez que je l'ai épousé pour ce que cela allait me rapporter. Voilà ce que vous pensez, c'est évident. (Elle hochait la tête.)

Il se leva, et déclara tranquillement, sans s'approcher d'elle :

— Ecoutez ! Ecoutez, Hilda. Je pensais simplement que vous préféreriez cette solution. Tout le monde ici sait que j'étais sur la route, que croyez-vous que les gens vont dire quand ils sauront que je désire vous épouser ? Que c'est pour profiter de vous, bien sûr. Voilà ce qu'ils diront. (Il tourna la tête dans sa direction comme si elle eût réfuté son argument.) Je désirerais... Eh bien, disons que je voulais vous réconforter sans vous placer dans une situation embarrassante.

Il s'aperçut que chacune de ses paroles la détendait comme si on lui avait fait une injection; elle alla s'asseoir sur une chaise, la tête basse et les épaules affaissées, et elle se mit à caresser vivement du pouce l'extrémité de ses doigts, comme si elle voulait palper la texture d'un tissu pour en trouver le nom uniquement au toucher. Il avait déjà observé cette habitude chez elle, et il y reconnut le signe de sa nervosité.

Il s'avança alors, lui prit une main et la pressa contre sa poitrine. En faisant ce geste, il se sentit pris de compassion pour elle, mais il n'y avait là aucune trace d'amour. Il aurait ressenti la même chose pour un animal pris au piège, ou pour quelqu'un qui se serait complu à se torturer, comme elle l'avait toujours fait.

Elle lui dit dans un souffle, sans le regarder :

— Je ne peux pas faire autrement que de passer par le mariage, Abel. Je ne veux pas me perdre... malgré ce que j'éprouve.

— Je comprends (il avala sa salive avant de pouvoir prononcer ces mots), ce sera comme vous le voulez.

— Oh ! Abel, Abel ! (Elle se releva et l'enlaça, mais il émit un petit grognement, et elle s'écria :) Oh ! excusez-moi, vous avez mal !

Elle enleva un bras de son cou et se mit un peu de côté; puis elle leva son visage vers lui, et, au moment où il se pencha pour l'embrasser, elle ferma les yeux. Il sentit alors son corps frémir contre le sien.

Lorsqu'elle s'écarta de lui, elle était rayonnante; les yeux brillants, elle le contempla de la tête aux pieds, et c'est d'une voix hachée qu'elle lui dit :

— Tu es si fort et si doux. Je n'avais jamais imaginé qu'un homme pût être aussi doux, Abel.

— Tu ne me connais pas vraiment. (Il secoua la tête en riant.)

Elle pivota sur elle-même comme une petite fille excitée et s'écria :

— Oh ! si tu savais tous les projets que j'échafaudais ! la nuit, dans mon lit, je calculais tout ce que nous

159

pourrions faire avec l'entreprise, parce que je sais que tu l'aimes, cette entreprise, n'est-ce pas ! Elle s'était retournée vers lui, et il répondit d'une voix calme :

— Je serais difficile si je ne l'aimais pas.

— Nous pourrions nous agrandir en poussant Esther Burrows à nous vendre son terrain, ce qu'elle sera bien forcée de faire tôt ou tard, vu la façon dont l'argent lui file entre les doigts. Et nous pourrions distribuer de l'essence. J'ai longuement réfléchi à tout cela. Il y a bien assez de place pour installer des pompes sur le devant.

Il s'était assis et la regardait; elle jeta une nappe sur la table, et dressa le couvert pour le petit déjeuner du lendemain sans cesser de parler de ses projets, puis soudain, abandonnant ses préoccupations de chef d'entreprise, elle redevint petite fille et lui demanda :

— Tu crois que je pourrais me marier en blanc, Abel ? J'aimerais tellement remonter la nef avec une robe blanche cette fois-ci. Je portais une toilette ordinaire... Qu'est-ce qu'il y a ?

Elle s'avança vers lui; il s'était levé avec un air absolument rigide. Et c'est sur un ton inflexible qu'elle ne lui connaissait pas, et qu'il n'avait même pas employé avec Benny au cours de cet après-midi, qu'il lui déclara :

— Je ne me marierai pas à l'église, Hilda.

Les mains tendues, paumes offertes, l'air consterné, la voix défaite, elle lui demanda :

— Pas à l'église ? Mais où donc alors ?

— A la mairie.

— *Oh non, non !* (Elle secouait farouchement la tête.) Jamais ! Un mariage à la mairie ? Mais il n'est pas... il n'est pas sanctifié ni rien.

— C'est comme une cérémonie à l'église.

— Mais non. Mais non. Je ne te comprends pas, Abel. Et que va dire le pasteur ? Il ne le permettra jamais. Nous avons toujours été pratiquants. J'ai... j'ai toujours pris conseil auprès de lui, et M. Maxwell était un marguillier adjoint; c'est ainsi que nous nous sommes connus. Le pasteur est au courant de notre... je veux dire de la façon dont nous étions mariés et de tout le reste. Il nous a toujours... approuvés.

— Je suis désolé, Hilda; mais je ne me marierai jamais à l'église, dans quelque église que ce soit.

La note de détermination définitive qu'elle releva dans sa voix lui fit soudain comprendre que si elle voulait cet homme il lui faudrait accepter cette condition.

Il se dirigea vers la porte en disant :

— Je rentre maintenant, réfléchis, nous ne sommes pas pressés.

Elle l'observa un instant avant de demander :

— Tu pourras te débrouiller ?

Il acquiesça avec un sourire rassurant :

— Oui, ça ira très bien. Bonne nuit, Hilda. Ne t'inquiète pas, il n'y a pas de mal. Si... si tu ne peux pas trouver le moyen de... nous pourrons continuer comme avant. Nous en reparlerons demain. Dors bien.

Il prévit ce qui allait se passer à l'expression de son visage. Lorsqu'elle courut soudain se jeter dans ses bras, il sut que ce ne serait pas la peine d'attendre le lendemain pour avoir une réponse : il l'avait.

Il était assis sur une chaise à dossier droit, son fils debout entre ses genoux. L'enfant était un peu pâle; il avait l'air embarrassé, et on pouvait lire dans ses yeux qu'il avait peur quand, la lèvre légèrement tremblante, il demanda :

— J'ai fait une bêtise, hein, papa ?

— Mais non, mais non.

— Je n'ai fait que lui jeter un peu de neige, tu sais, papa. C'était un tout petit peu et ça ne lui a pas fait mal, et...

— Je sais, je sais.

Abel attira contre lui l'enfant, qui toucha son écharpe d'un geste hésitant :

— Ça te fait très mal, papa ?

— Non, je ne sens plus rien maintenant. C'est juste un peu engourdi. Mais écoute-moi, il faut que je te parle, c'est sérieux.

Il scruta le visage de son fils, puis il se passa la langue sur les lèvres, et serra fortement les dents comme pour dresser une barrière aux paroles qu'il devait prononcer.

161

La tête légèrement inclinée, il lui dit d'une voix douce :

— Écoute. Te souviens-tu de ce que je t'ai dit à propos de ta mère ?

Il attendit :

— Eh bien, tu ne te souviens pas ? (Sa voix était devenue âpre.)

— Mais si, papa, répondit-il en hochant la tête. (Puis il redressa le menton et répéta :) Si, si, papa.

— Bon, alors ça va. Mais nous savons tous les deux qu'elle était bien vivante et en bonne santé quand nous avons quitté Hastings, n'est-ce pas ?

— Oui, papa.

— Nous savons donc qu'elle vit encore.

— Oui, papa.

— Alors maintenant, écoute-moi bien. Quand un homme est marié et que sa femme est vivante, il ne peut pas se marier avec une autre femme. Tu comprends ?

Dick cligna des yeux, jeta un coup d'œil de côté, puis regarda son père et répondit fermement :

— Oui, papa.

— Bon. Si cet homme s'en va et se marie avec une autre femme alors que la première est toujours en vie, c'est une sorte de... une sorte de péché, et on peut le mettre en prison parce qu'il n'a pas le droit d'avoir deux femmes. Tu comprends ?

— Oui... oui, papa, redit-il, après un autre silence.

Abel le saisit alors par les épaules et se pencha jusqu'à ce que son visage fût au même niveau que le sien :

— Madame Maxwell veut que je l'épouse. Tu comprends ? Elle veut que je l'épouse. Si je ne le fais pas, cela changera bien des choses. En fait, nous devrons partir d'ici, et il me faudra chercher du travail ailleurs. (Il fit une pause.) Tu te souviens de ce qui s'est passé avant quand j'ai essayé de trouver du travail, n'est-ce pas ?

L'enfant ouvrait de grands yeux; son air apeuré avait fait place à une grande perplexité. Cette fois, il ne répondit pas, mais demeura silencieux tandis qu'il tentait d'envisager l'énormité de ce que son père venait de lui expliquer.

Son jeune esprit se mit à vagabonder. Il songeait aux

péchés qui risquaient de vous faire aller en prison; il éprouvait le même sentiment que lors d'une séance de cinéma du samedi après-midi où il avait vu des cowboys et des indiens se battre et où les méchants avaient finalement été tués ou emmenés en prison par le shérif. Mais ce sont les méchants qui vont en prison, et pourtant son père avait dit que s'il prenait une deuxième femme il risquait la prison ! L'image d'un bébé lui vint à l'esprit. Il ne comprit pas tout de suite pourquoi, puis il se rappela que la sœur de Georgie Armstrong, qui s'était mariée trois mois auparavant, venait d'avoir un enfant et qu'à l'école Georgie s'était battu avec un plus grand à cause de ça. Georgie avait onze ans et il savait tout sur les bébés. Il affirmait qu'on pouvait en faire aussi bien un que cinq, exactement comme ses lapins; ils mettaient seulement un peu plus longtemps pour naître; il avait dit qu'il fallait trois mois pour chaque bébé et que le docteur était venu et avait retiré le bébé par le nombril de sa sœur...

— Est-ce que tu m'écoutes ? (Abel le secouait rudement par les épaules.) C'est très important pour toi. Est-ce que tu t'en rends compte ?

— Mais de quoi, papa ?

— Dis-moi, je parle tout seul ou quoi ? Qu'est-ce que je viens de dire ?

— De ne pas parler de maman.

— Eh bien, il faut que tu te souviennes que tu dois en quelque sorte oublier que ta mère est vivante, parce que, une fois que je serai marié, si Hil... Madame Maxwell ou n'importe qui d'autre apprend que j'ai déjà une femme, on m'enverra en prison. Je n'aurai plus besoin de me casser la tête pour trouver du travail. *Alors, est-ce que tu as compris maintenant ?*... Dis-moi que tu as compris que tu ne dois jamais parler de ta mère à personne.

— Oui, papa.

Un long silence s'ensuivit pendant lequel ils se regardèrent, puis Abel reprit :

— Tu as beaucoup d'amis à l'école. Ce copain, Georgie Armstrong, il va te raconter des secrets, et il va s'attendre à ce que tu lui en racontes en échange. Eh bien, si tu ne veux pas que j'aie des ennuis, tu ne dois jamais te confier à lui, je veux dire... euh, lui raconter des choses qui sont arrivées lorsque nous vivions à Hastings, par exemple.

— J'dirai rien, papa, j'dirai rien.

Ils se dévisagèrent une nouvelle fois; puis l'enfant demanda doucement :

— Qu'est-ce qui arriverait, papa, si ma m'man venait ici et qu'elle nous trouvait ?

Abel ouvrit tout grand la bouche pour aspirer une goulée d'air. Puis, se levant, il passa un bras autour des épaules de son fils et le serra fortement contre lui en le rassurant :

— Ne t'en fais pas pour ça. Il n'y a aucune chance qu'elle nous trouve. Avant de partir, je lui ai bien précisé que nous n'irions pas vers le Nord. De toute façon, si jamais elle montait par ici, elle irait directement de l'autre côté de la rivière, et nous en sommes loin. Les gens des environs ne mettent pas souvent le nez hors de chez eux; il y en a même à North Shields qui de toute leur vie n'ont jamais mis un pied de ce côté-ci de la rivière. Ne t'en fais donc pas pour ça, mon fils; c'est le dernier de mes soucis. La seule chose qui me préoccupe, c'est de savoir si tu seras capable de tenir ta langue.

L'enfant s'écarta de son père et le regarda bien en face tout en lui disant lentement avec un air solennel :

— Je ne dirai jamais, jamais rien; j'aime trop être ici.

Peut-être était-ce dû à la lumière que donnait la petite fenêtre, mais Abel eut l'impression qu'à cet instant son fils avait changé. Il le vit sortir prématurément du monde de l'enfance, écrasé par un secret qui ne ferait que peser plus lourd au fil des années, et il se demanda ce que deviendrait leur relation le jour où Dick prendrait conscience de la situation dans laquelle il l'avait placé : l'amour aveugle qu'il lui portait y résisterait-il ? La chute d'un dieu est toujours plus dure à accepter que celle d'un homme, et il savait bien qu'il était une sorte de dieu pour lui, qu'il était celui qui ne peut que bien agir, celui qui connaît les réponses à toutes les questions.

Il lui tourna le dos et s'approcha de la fenêtre. Tandis qu'il regardait dans la cour en se demandant si cela valait la peine de prendre ce risque, son attention fut attirée par une automobile qui faisait un demi-tour. Et quand Florrie en descendit, tout son corps se raidit. Elle se précipita vers la porte de la cuisine. Lorsqu'elle se referma sur elle, il consulta sa montre. Huit heures et demie. Elle allait sans doute ouvrir sa boutique; mais alors que venait-elle faire ici ? Il ne l'avait pas vue depuis des semaines, depuis la nuit où son distingué ami était réapparu par surprise. Il s'interdit de descendre; ce n'était pas le moment de se trouver en face d'elle.

Sans s'écarter de la fenêtre, il dit à son fils :

— Va à l'école tout seul.

— Est-ce que je dois y rester toute la journée, papa ?

— Oui, tu seras mieux là-bas.

Pendant que Dick ramassait son cartable, enfilait son manteau et mettait son bonnet, il garda les yeux rivés sur la cour.

— Je pars, papa. (Il était derrière lui, et Abel se retourna et lui caressa la joue en disant gentiment :)

— Sois sage.

Il avait évité d'ajouter : « N'oublie pas ce que je viens de te dire », car il sentait bien que cela était inutile. Désormais, moins il en parlerait, mieux ce serait.

Alors que l'enfant traversait la cour, la porte de la cuisine s'ouvrit, et Florrie réapparut, suivie par Hilda qui était en train de mettre son manteau; et, comme cette dernière se dirigeait vers l'escalier, il se recula et attendit qu'elle l'appelle.

Il descendit les marches sans se presser, et il fut accueilli par un flot de paroles :

— Papa a été renversé par une auto la nuit dernière, il est à l'hôpital. Est-ce que vous pourrez vous occuper de tout ? Laissez Arthur faire le travail, je veux dire; surveillez seulement comment ça se passe.

Avant qu'il n'ait eu le temps de la rassurer, elle s'exclama :

— Oh, mon sac ! Je suis sortie sans mon sac.

Elle fit demi-tour et se précipita dans la maison tandis qu'il se dirigeait à pas lents vers l'automobile à côté de laquelle se tenait Florrie. Ils se regardèrent un moment en silence, puis il lui dit :

— Je suis désolé pour votre père.

— Oh ! il s'en remettra ! Mais au cas où, j'ai pensé qu'il fallait l'avertir... A propos, elle m'a annoncé l'heureuse nouvelle.

Il continua à la regarder s'attendant à ce qu'elle le félicitât. Mais elle lui dit :

— Je souhaite que tous vos vœux se réalisent.

Et il répondit :

— J'ai bien peur que ce que je souhaite soit hors de ma portée.

Hilda revenait.

— Voilà, dit-elle. Je suis prête.

Tandis que Florrie contournait l'automobile pour atteindre la portière droite, Hilda leva son visage vers celui d'Abel, et, après un instant d'hésitation, il s'inclina et déposa un baiser sur sa joue.

Le moteur rugit, puis l'auto démarra aussi rapidement que si elle eût pris le départ d'une course; il se retrouva seul, planté au milieu de la cour.

Jamais auparavant il n'avait ressenti un tel sentiment de désespoir.

TROISIÈME PARTIE

LE PREMIER INCIDENT
1938

CHAPITRE I

— Est-ce que je peux entrer, Molly ?

La jeune femme, debout devant l'évier, se retourna pour regarder l'adolescent vêtu de son blazer d'écolier qui se tenait sur le seuil de la porte.

— Mais, bien sûr ! Qu'est-ce qui t'arrive ? D'habitude, tu ne le demandes pas, qu'est-ce qui se passe ?

Il s'avança dans la cuisine en regardant tout autour de la pièce d'un air inquiet, et il murmura :

— Ta mère ?

— Oh ! elle n'est pas en bas aujourd'hui ! Elle descend rarement le week-end.

— Ah ! c'est vrai ! (Il lui fit un signe d'assentiment.)

Elle se tenait en face de lui et, se penchant en avant, elle lui demanda doucement :

— Qu'est-ce que tu as ? Tu es malade ?

— Eh bien (il détourna la tête), j'ai... j'ai vomi, et c'est... tombé sur ma manche. Regarde mon blazer. Tante Hilda va être furieuse si elle s'en aperçoit. Est-ce... est-ce que je peux le nettoyer avec une éponge ?

— Qu'est-ce qui t'a rendu malade ? (Elle était toujours penchée vers lui.) Te serais-tu goinfré ?

— Non. (Il secoua la tête d'un air penaud :) J'ai fumé.

— Fumé ?

Elle prononça ce mot avec un petit ricanement, puis leurs regards se croisèrent et ils éclatèrent d'un rire qu'ils étouffèrent tous deux rapidement en mettant la main devant la bouche.

— Bon, enlève ta veste, dit-elle en passant derrière lui pour l'aider à la retirer. Qu'est-ce que tu as fumé, des cigarettes ?

— Non... une pipe.

— *Une quoi* ? (Elle ricana de nouveau.) Mais où donc l'as-tu dénichée ?

169

— C'est Georgie. Georgie Armstrong. Son père lui a donné ses vieilles pipes, et on est allés dans la cabane au fond du jardin. Lui, il sait fumer et je crois que je n'aurais pas eu mal au cœur s'il n'y avait pas eu sa mère.

— Elle vous a surpris ?

— Je comprends qu'elle nous a surpris ! On ne sait même pas par où elle est arrivée. (Il serra les lèvres pour s'empêcher de rire, puis continua :) Elle n'a pas dit un mot, elle l'a soulevé par le col de sa chemise, et il avait encore la pipe à la bouche ! Ensuite, elle a mis la main sur moi et... et...

Il se pencha alors au-dessus de la table et, y appuyant les coudes, il enfouit la tête dans ses mains pour refréner son hilarité.

— Continue, raconte-moi, chuchota Molly.

Il se tourna vers elle et termina :

— Le coup de pied qu'elle m'a filé au derrière m'a fait franchir la porte et je me suis étalé à plat ventre. C'est à ce moment-là que j'ai été malade et... et... quand j'ai retrouvé mes forces, je l'ai vue qui traversait le jardin en traînant Georgie qui touchait à peine le sol avec ses pieds. Le plus drôle de tout ça, c'est qu'elle n'a pas dit un mot.

Ils se tordirent de rire en se regardant dans les yeux; puis, en essayant de se calmer, il tomba contre elle, et lorsqu'il l'entoura de ses bras, elle s'immobilisa une seconde avant de presser son corps secoué par le rire contre le sien. Quand il eut retrouvé son calme, cependant, il la garda enlacée jusqu'à ce qu'une voix tranchante qui provenait de l'étage les séparât brusquement.

— Molly ! Molly !

Elle alla jusqu'à la porte qui menait au vestibule, et de là elle cria :

— Oui ?

— Qu'est-ce qui se passe en bas ?

— Rien.

— Monte ici.

— Je m'occupe du dîner; je monterai après. (Elle referma la porte assez brusquement, puis, de retour dans la cuisine, elle dit : (Il vaut mieux que je repasse ta veste; tu ne peux pas la mettre encore humide.

— Oh ! ça ira comme ça ! (Il parlait très bas.)

Sans prêter attention à ce qu'il lui avait dit, elle sortit la planche à repasser et le fer d'un placard, puis elle le brancha et, en attendant qu'il chauffe, elle se mit en devoir de défroisser son blazer.

Dick s'était assis et l'observait : elle avait été son amie pendant des années, mais, depuis un an environ, il avait l'impression qu'elle le fuyait un peu.

Elle mouilla un doigt avec sa langue pour tâter le fer. Puis levant les yeux sur lui elle s'arrêta et dit :

— Tu es encore à des kilomètres. A quoi penses-tu ?

— Je... je n'étais pas à des kilomètres, je pensais à toi.

— Oh !

— Il vient de me passer par l'esprit que tu ressembles beaucoup à tante Florrie.

— Allons ! Allons ! (Elle fit un petit bruit moqueur.) Ta tante Florrie n'est pas seulement la femme la plus élégante de la ville, elle en est aussi la plus belle, si je suis bon juge.

— Je ne parlais pas de ton visage, je pensais à ta silhouette.

— Merci bien, merci bien.

— Oh ! ça n'est pas ça que je voulais dire ! Tu es très bien.

— Jusque-là tu veux dire ? (Elle posa sa main sous son menton.)

Hé oui, c'était ce qu'il voulait dire, parce qu'elle ne ressemblait pas du tout à sa tante Florrie. Ses cheveux noirs étaient raides comme des baguettes tandis que ceux des autres femmes étaient frisés ou ondulés. Et son visage était terne; on aurait même pu dire qu'il était jaunâtre. Mais elle avait de très jolis yeux, allongés, avec de lourdes paupières. Il se souvint qu'une fois son père avait dit qu'elle avait des yeux merveilleux, et sa tante Hilda avait ajouté qu'il était dommage que le reste de son visage ne fût pas à l'avenant; ce qui n'était guère gentil. Mais il arrivait à sa tante Hilda de dire des choses qui n'étaient pas très gentilles; et de plus en plus souvent.

171

Il se rappelait vaguement le temps où elle avait été aux petits soins pour lui. Malgré tout, elle était chouette, tante Hilda; et, en plus, c'était une bonne cuisinière.

Pour rattraper son apparent manque de tact, il ajouta :

— Papa a dit une fois que tu avais des yeux charmants.

— C'est vrai ?

— Oui.

— Mais ton papa est un homme très bon.

— Oui, je crois. (Elle refit son petit bruit de gorge; puis d'un geste vif, elle retira le blazer de la planche à repasser et le lui tendit :) Tiens. Et la prochaine fois que tu veux fumer, essaie une clope.

— Ça m'étonnerait que je recommence.

Tout en boutonnant sa veste, il se dirigea vers la porte et dit :

— Merci, Molly. Tu m'évites de recevoir un savon. Taratata !

— Taratata !

Elle posa une main dans le creux de ses omoplates, et, quand elle lui fit franchir la porte d'une poussée, il se tourna vers elle et se remit à rire. Puis il partit.

Il longea la maison en sautillant, traversa le jardin, sauta la clôture délabrée, contourna les dépendances, se faufila dans l'étroit passage qui séparait le garage de l'atelier des bicyclettes, et enfin il pénétra dans la cour.

Arthur servait un client à la pompe à essence. Cela lui rappela que ce samedi-ci son père serait libre. Cette idée le rendit léger et il se précipita vers la porte de la cuisine, puis ralentit le pas pour entrer.

Il pénétra dans la pièce dont la luminosité lui était familière, et son regard tomba avec étonnement sur la table du dîner. Il s'était attendu à trouver son père et sa tante Hilda attablés, et à ce qu'ils lui demandent : « Qu'est-ce que tu as fait pendant tout ce temps ? » Mais il n'eut pas plus tôt refermé la porte de la cuisine qu'il sut où ils se trouvaient, et en entendant le ton sur lequel ils se parlaient, ses épaules s'affaissèrent et son menton retomba sur sa poitrine. Ils recommençaient, du moins tante Hilda recommençait.

172

Il s'approcha sur la pointe des pieds de l'autre porte et y colla son oreille. Son père était en train de dire :

— Je gagnais plus lorsque j'étais simple ouvrier. Pourquoi ne mettons-nous pas les comptes en commun, je suis censé être ton associé, n'est-ce pas ? Ton associé ? La bonne blague !

— Il y a de l'argent là si tu en as besoin; je ne te laisse jamais à court, que je sache.

— Qu'est-ce que tu racontes ? Tu enregistres chaque penny qui entre dans cette maison. Tu soignes ces livres comme s'il s'agissait de ta Bible.

— Abel ! Je te préviens maintenant...

— ... Au lieu de me prévenir, tu ferais mieux de conclure un accord honnête avec moi... Mon nom devait être inscrit dans la société, n'est-ce pas ? Et qu'en est-il ? J'ai fait doubler le volume du chiffre d'affaires en cinq ans, et malgré toutes tes promesses je fais encore le travail d'un manœuvre. En fait, tu me considères encore comme un ouvrier, n'est-ce pas ?

— Ne sois pas ridicule ! Je t'ai toujours donné tout ce que tu m'as demandé.

— Qu'est-ce que tu racontes encore, Hilda ? Tu m'as donné tout ce que je t'ai demandé ?

— Je ne vais pas rester là à perdre mon temps en discussions avec toi.

Dick allait bondir en arrière mais la voix d'Abel l'arrêta, et son sixième sens l'avertit qu'il l'avait empoignée. Il s'était mis à parler d'une voix âpre et irritée :

— Que m'as-tu donné, en fait, Hilda ? Un costume neuf chaque année, les vêtements d'école de l'enfant et quatre bons repas par jour. Je t'en suis reconnaissant, bien sûr ! Quoique cela ne t'ait pas coûté grand-chose, car tu n'aimes rien mieux que de te goinfrer... C'est faux, je n'ai pas ce que je demande. Et tu vas rester pour m'écouter; pour une fois, tu vas m'écouter.

Il se fit un silence durant lequel Dick respira profondément. Puis il s'efforça de retenir son souffle de peur de tousser. Son père reprit la parole, mais il parlait d'autre chose, de quelque chose de personnel cette fois, ce qui le gêna au point que son pouls s'accéléra et que de la sueur coula dans son dos. Il se refusa d'abord à écouter, puis il écarquilla les yeux et tendit l'oreille pour ne pas perdre une miette du flot de paroles que son père déversait : c'étaient des mots qui avaient à voir... avec cette autre chose, cette chose à propos de laquelle Georgie Armstrong savait tout, cette chose que, disait-il, son père et sa mère faisaient.

— Jusque-là et pas plus loin. Tu n'as pas aimé ça, n'est-ce pas ? Ç'a été un choc pour toi, tu l'as dit toi-même. Tu étais faite pour le vieux Maxwell. Bon dieu ! Quel dommage qu'il soit mort. Il t'apportait tout ce que tu souhaitais, n'est-ce pas ? Il te pouponnait, te caressait, te câlinait; et avec lui on n'allait pas jusqu'au bout, c'est bien ça ? Tout ce dont il avait besoin, c'était d'une petite fille, la nuit, et d'une femme d'affaires, le jour, et tu tenais très bien ce rôle. Eh bien, moi, je ne suis pas M. Maxwell ! Je ne cherche ni une petite fille, ni une femme de tête, je veux une compagne qui soit mon égale. J'ai travaillé durement pour ton affaire — *ton* affaire, tu entends ? — parce que tu ne m'as pas laissé en démarrer une à moi. Pourtant, c'est ce que nous étions convenus au départ, mais ç'a été vite enterré, n'est-ce pas ? Il ne faudrait surtout pas que j'aie quelque chose qui m'appartienne. Il faut que je dépende de toi, n'est-ce pas ? Je suis resté celui qui était sur la route. C'est ça ! Secoue la tête autant que tu voudras, Hilda. J'étais un vagabond et je le suis resté, hein ? Je te surprends parfois à me regarder comme si tu te demandais pourquoi tu m'as épousé.

Il y eut un bruit de bousculade, et Dick rentra la tête dans les épaules; puis il entendit Hilda qui hurlait :

— Eh bien, oui ! Tu as en partie raison, mais, à ce moment-là, je n'ai pas réalisé qui j'épousais ! Depuis, j'y ai beaucoup réfléchi, car ce n'est pas facile de te comprendre. Je n'en sais pas plus sur toi que le jour de notre mariage. Tu dis que, moi, je ne t'ai rien donné. Mais je voudrais bien savoir ce que, toi, tu m'as donné ! Tu accuses M. Maxwell de m'avoir traitée comme une petite fille. Eh bien, les choses auraient pu être différentes si tu m'avais accordé un peu de sa gentillesse au lieu de chercher seulement à satisfaire ton désir. Tu aurais dû

174

épouser une femme comme Florrie, elle aurait pu satisfaire tous tes désirs ! Avec elle, il n'y aurait pas eu de
problème !

Il y eut un bref silence; puis il fut abasourdi d'entendre
son père lui répondre d'une voix absolument calme et
ferme :

— C'est bien ce que j'aurais dû faire, tu as raison sur ce
point, Hilda, sauf que ce n'est pas une femme comme
Florrie que j'aurais dû épouser, mais Florrie elle-même.

— Chameau ! Cruel animal ! Tu sais ce que je pense
de Florrie, et il faut que tu me dises ça.

— C'est toi qui en as parlé, pas moi. De toute façon,
j'en ai assez. Maintenant je vais te dire pourquoi je suis
venu. A partir d'aujourd'hui, je vais prendre cinq livres
par semaine dans ce tiroir-caisse, au moins cinq livres. Je
vais calculer les bénéfices et m'attribuer un pourcentage.
Je pense que cela est parfaitement honnête, puisque je
travaille douze heures par jour. Et maintenant je m'en
vais, et je ne sais pas à quelle heure je reviendrai... ou si je
reviens. Et je dis bien, si je reviens.

Caché dans la souillarde, Dick vit son père entrer dans
la cuisine, puis s'arrêter lorsque Hilda lui cria :

— Tu ne peux pas sortir, je veux dire que tu dois être
de retour pour le thé, M. Gilmore est invité. Tu le sais.

— Hilda (Abel s'était retourné et lui faisait face), tu
peux dire de ma part à M. Gilmore qu'à partir d'aujour-
d'hui il peut aller se faire foutre. Tu sais, Hilda ? C'est un
homme comme ça que tu aurais dû épouser. Mais, bien
sûr, à cette époque, sa femme était encore en vie. Quel
dommage qu'elle ne soit pas morte en même temps que
M. Maxwell, vous auriez fait un couple merveilleux. Et tu
penses encore à Peter, Hilda, sais-tu cela ?

— Tu es un pervers. Voilà ce que tu es, Abel Gray, un
pervers.

Quand la porte de la cuisine se referma sur son père,
Dick recula, mais il n'essaya pas d'ouvrir celle de service,
car elle avait la mauvaise habitude de grincer. Hilda entra.
Elle se tenait le visage à deux mains; puis elle disparut de
sa vue, et il entendit un bruit étouffé, suivi d'un hoquet et
de sanglots.

Il resta là un moment à se ronger les ongles, promenant son regard sur les objets qui encombraient l'arrière-cuisine, avant de s'avancer à pas lents vers Hilda. Elle était à moitié allongée sur la table, la tête appuyée sur les avant-bras, et elle se berçait doucement. Elle avait tout l'air de quelqu'un qui tente de calmer une grande douleur, et ce spectacle le bouleversa. Sans qu'il sût pourquoi, ce fut plutôt à elle qu'alla sa sympathie. Il avait totalement oublié les raisons de leur dispute, il sentait seulement qu'il était de son côté.

— Tante Hilda !

Il posa la main avec douceur sur son bras; elle sursauta et roula de côté. Puis, relevant la tête, alors que des larmes s'échappaient de ses yeux, elle se mit à ouvrir et refermer la bouche comme si elle eût cherché à reprendre sa respiration.

— Allez, ne pleure pas. Ne pleure donc pas comme ça, tante Hilda. (Il la prit par les épaules et la mit debout.) Allons, viens, assieds-toi; je vais... je vais te préparer une tasse de thé.

Elle se laissa conduire jusqu'à une chaise et, ravalant un sanglot, elle s'exclama alors :

— Oh ! Dickie !

Puis elle lui saisit les mains, et il s'attendit à ce qu'elle lui demandât : « Depuis combien de temps es-tu là ? » Mais elle n'en fit rien.

— Ton père ne m'aime pas, il ne fait pas du tout attention à moi. Pas du tout, du tout, lui dit-elle.

Lorsqu'elle se laissa aller contre lui, il l'enlaça et attira sa tête contre sa poitrine, et pour la seconde fois en une demi-heure, moins d'une demi-heure même, il se retrouva dans les bras d'une femme.

Il prit conscience que jamais Hilda ne s'était tenue ainsi contre lui. Il lui était déjà arrivé de passer ses bras autour de ses épaules, de l'embrasser sur la joue pour lui souhaiter bonne nuit, mais elle ne l'avait jamais tenu de cette façon-là. Il s'aperçut que cela lui plaisait. Et, aussi facilement que le rire lui était monté aux lèvres avec Molly, il trouva des paroles pour la réconforter. Il ne savait pas bien ce qu'il disait ni pourquoi il le disait, mais il lui expliqua qu'elle se trompait, que son père pensait à elle et que les gens disent toutes sortes de choses lorsqu'ils sont en colère. Il lui rappela même le sermon que M. Gilmore avait prononcé un dimanche, peu de temps avant, sur le péché de la colère et le mal que l'on fait à ceux qu'on aime.

Tout en se serrant doucement contre lui, elle cessa de pleurer.

— Tu es gentil, Dickie. Tu es très gentil. Parfois, j'ai... j'ai été dure avec toi, mais c'est juste parce que... eh bien ! j'étais... j'étais très malheureuse.

Elle faillit se remettre à pleurer mais elle se dirigea soudain vers l'évier, fit couler l'eau froide et mit la tête sous le robinet; puis elle se sécha tranquillement le visage avec l'essuie-mains à rouleau. Elle regarda ensuite par la fenêtre de la cuisine et lui dit d'une voix lente :

— Ton père vient d'entrer dans le garage. Rejoins-le, veux-tu, et... et reste avec lui. Quel que soit l'endroit où il ira cet après-midi, reste avec lui.

— Mais oui, bien sûr, je... je vais le faire. Et ne t'inquiète pas, ça va s'arranger.

Au moment où il ouvrait la porte, elle ajouta :

— J'oubliais que, d'habitude, tu vas au cinéma le samedi après-midi.

— Oh ! (il haussa les épaules) de toute façon, je ne voulais pas y aller; j'ai déjà vu le film !

Il courut vers le garage et se trouva nez à nez avec son père au moment où celui-ci en sortait. Sans prêter attention à Dick, il se dirigea vers la route en boutonnant son pardessus. Dick marcha à sa hauteur, mais ils ne prononcèrent pas un mot ni l'un ni l'autre avant d'être sur le trottoir, hors de vue de la maison. Abel s'arrêta alors et lui dit :

— J'ai un travail à faire.

— Est-ce que je peux venir avec toi, papa ?

— Non. Et d'ailleurs, le samedi, tu vas au cinéma.

— J'ai déjà vu le film.

— Eh bien, va voir le match de « cricket »; ils jouent la finale !

— Papa, laisse-moi venir avec toi.

— Je t'ai dit que non ! Après, j'irai me balader sur les collines, et tu n'aimes pas marcher, n'est-ce pas ?

— Aujourd'hui, cela m'est égal, papa.

Ils se dévisagèrent jusqu'à ce que Dick avoue :

— Elle a pleuré, tu sais, elle a beaucoup pleuré.

Abel détourna la tête, se mordit la lèvre inférieure, puis répondit :

— Eh bien, si elle a pleuré, c'est qu'elle a besoin que quelqu'un s'occupe d'elle; alors retourne là-bas et reste avec elle !

— Mais elle...

— Elle quoi ?

— Heu ! Rien.

Ils se regardèrent à nouveau; puis Abel partit le long de la route et Dick s'en revint dans la cour. Il savait qu'elle l'avait vu, car elle était derrière la fenêtre. Mais il n'alla pas à sa rencontre.

Le samedi, Arthur Baines finissait son travail à six heures et demie. Il était sur le point de fermer le garage lorsque l'automobile pénétra dans la cour. C'était une Rover noire, une grosse cylindrée. Un homme sur la cinquantaine en descendit, qui laissa échapper un profond soupir comme s'il venait de faire une longue marche au lieu d'avoir conduit. Puis, voyant Arthur, il s'exclama :

— Oh ! comme je suis heureux de vous trouver ! Vous savez, c'est le premier garage que je rencontre depuis des kilomètres; on dirait qu'ils n'ont jamais entendu parler de l'invention de l'automobile par ici.

— Nous allions fermer, monsieur; qu'est-ce que je peux faire pour vous ?

— Eh bien, toutes sortes de choses, à vrai dire ! Je n'ai presque plus d'essence, ni d'eau, ni d'huile; et puis il y a ce frein (il désigna le levier qui se trouvait à côté du siège du conducteur), il est coincé. Ça a été une sacrée affaire de descendre ces collines. Et, bon dieu, ce n'est pas ce qui manque par ici, je n'en avais jamais vu autant. Pouvez-vous m'arranger ça ?

— Je peux vous donner de l'essence, de l'huile et de l'eau, mais si la panne du frein est sérieuse, voyez-vous... j'allais partir.

— Faites de votre mieux, jetez-y un coup d'œil.

Le petit homme trapu marcha jusqu'au milieu de la cour; il regardait vers la porte ouverte à côté du garage juste au moment où Dick en sortit. Il le salua avec chaleur :

— Bonjour, jeune homme.

— Bonjour, monsieur.

— Belle grande cour que vous avez là, dit-il en décrivant un demi-cercle avec le bras. Est-ce que je pourrais avoir un verre d'eau ?

— Bien sûr, monsieur. Venez avec moi jusqu'à la cuisine, je vous en donnerai un.

— Merci bien.

Dick précéda ce petit client loquace jusqu'à la porte de la cuisine, et en l'ouvrant, il appela :

— Tante Hilda, ce gentleman voudrait boire de l'eau.

Hilda, qui avait entendu du bruit, sortit rapidement de la salle de séjour, puis s'arrêta aussitôt, l'air désappointée :

— Oh ! mais oui, si vous voulez !

Dick remplit un verre et le tendit à l'homme qui le vida d'un trait avant de le lui rendre tout en remerciant.

Puis il s'adressa en souriant à Hilda :

— Il ne faut pas refuser le vin de Dieu, lorsqu'on a soif, même si l'on n'a pas l'habitude d'en boire. Mais, au fait, y a-t-il un bon hôtel dans la ville ?

— Vous êtes dans les faubourgs ici, mais si vous continuez tout droit, vous trouverez le « Bull » et le « Forestry »... Je crois qu'au Forestry on dort très bien.

— Merci beaucoup. Il faut que je parte... si votre ouvrier a réussi à arranger mon frein.

A l'instant même où il se retournait vers Arthur Baines qui était allongé sous l'automobile, Abel s'avança à pas lents dans la cour. Il jeta un vague coup d'œil vers l'auto et entrevit le groupe qui se tenait près de la porte de la cuisine. Il s'apprêtait à regagner l'une des anciennes chambres au-dessus du garage, qui lui servait désormais d'atelier, lorsqu'une voix, fort surprise, l'arrêta.

— Ce n'est pas possible ! Il n'y en a pas deux comme vous.

Abel se retourna pour regarder l'homme qui se précipitait vers lui. Il se raidit un bref instant, puis se détendit aussitôt : il n'y avait rien à craindre; ce n'était que le médecin, le cousin de cette démente.

— Monsieur Gray, n'est-ce pas ?

— Oui.

— Le monde est bien petit ! Je n'aurais jamais pensé vous revoir. Comment allez-vous ? Mais pourquoi vous le demander ? Vous avez l'air d'avoir réussi. Et... et (il se détourna) ne me dites pas... (Il se frappa deux fois le front et ajouta :) Mais bien sûr, bien sûr. Il n'a pas beaucoup changé, il n'a pas grandi tant que ça. C'est votre fils. (Il regardait Dick qui s'avançait, suivi par Hilda. Puis il se retourna vers Abel et l'interrogea du regard. Abel avala sa salive avant de s'incliner vers Hilda pour la présenter :) Ma... ma femme.

— Oh ! pas possible ! Comment allez-vous, madame Gray ? (Il s'avança vers elle, les mains tendues, et il serra la sienne avec effusion en lui disant : Je suis très heureux de faire votre connaissance. J'ai souvent pensé à votre mari, vous savez. (Il jeta un coup d'œil vers Abel qui était resté en arrière.) Nous nous sommes rencontrés dans les circonstances les plus étranges. Au fait (il se pencha vers elle), vous ne l'avez pas enchaîné pour le garder, n'est-ce pas... ?

Perplexe, Hilda fit les yeux ronds.

— ... Pas comme Tilly ? (Se rendant compte de son étonnement, il ajouta :) Oh ! il ne vous a jamais parlé de Tilly ? Eh bien (il jeta un coup d'œil à Abel), il aurait dû, cela vous aurait fait bien rire ! Tilly était ma cousine — elle était un peu dérangée là-dedans. (Il se frappa le front.) Mais elle s'est entichée de lui, à tel point qu'elle l'a enchaîné dans son étable pour essayer de le garder. Ce fut une histoire épouvantable, n'est-ce pas, jeune homme ? (Il regarda Dick qui, se souvenant tout à coup de la scène dans la grange, répondit par un simple signe de tête.)

— C'est arrangé, monsieur (Arthur Baines les avait rejoints), le frein était bloqué. Je l'ai réparé.

180

— Oh ! merci beaucoup ! Bon, je dois partir maintenant; il faut que je trouve un hôtel. Votre femme m'a dit qu'il y en avait deux bons en ville. (Son regard alla de l'un à l'autre, puis s'arrêta sur Abel, et il ajouta en riant :) Vous savez, c'est dommage que cela n'ait pas marché avec elle, je veux dire avec Tilly. Elle est morte trois mois après, vous auriez fait un bel héritage. Mais voilà, c'est moi qui étais là. C'est peut-être aussi bien comme ça, pas vrai ? Ça m'a permis de prendre ma retraite un peu plus tôt que prévu, et maintenant, je peux aller où bon me semble. En tout cas, j'ai été content de vous revoir; comme je disais, j'ai souvent pensé à vous. A propos, vous étiez aux abois ce jour-là; vous pensiez bien l'avoir tuée, et j'ai même cru un moment que c'était vrai. Bon, allez, au revoir ! Au revoir, jeune homme, répéta-t-il en posant la main sur la tête de Dick. (Puis se tournant vers Hilda, il lui tendit une nouvelle fois la main :) Je suis très heureux d'avoir fait votre connaissance et de savoir qu'il s'est trouvé une jolie petite femme.

Ils le regardèrent remonter dans sa voiture et restèrent là sans bouger jusqu'à ce qu'il eût fait demi-tour; quand il leur fit un geste d'adieu, ils lui répondirent tous en chœur.

Lorsque Abel s'éloigna vers l'atelier, Dick fit mine de lui emboîter le pas, mais Hilda l'arrêta en le tirant par la manche; il la suivit sans mot dire dans la maison. La porte n'était pas plus tôt fermée qu'elle lui demanda tout en agitant la tête de gauche à droite en signe d'incrédulité :

— Est-ce que c'est vrai ?

Il acquiesça en silence.

— Tu veux dire qu'une femme l'a... l'a enchaîné ? Est-ce qu'il vivait avec elle ?

Elle avait posé cette question sur un ton énervé, et il s'empressa de répondre :

— Non, non. Nous venions d'arriver chez elle et nous lui avions demandé l'autorisation de passer la nuit dans sa grange. Et cette femme... (on s'était rendu compte tout de suite qu'elle avait l'air bizarre) a répondu que...

Il se tut et baissa les yeux. Elle le secoua rudement par les épaules :

181

— Eh bien, qu'est-ce qu'elle a dit ?

— Elle a dit qu'il était l'envoyé de Dieu.

Comprenant alors pourquoi il avait hésité à répondre, c'est sur un ton plus calme qu'elle lui demanda de continuer.

— Il... il a travaillé toute la journée à nettoyer la porcherie et la cour, et il pleuvait à verse. Le soir... il a dit qu'on partirait le lendemain, et lorsqu'elle a apporté le dîner — elle n'offrait à manger qu'à lui —, elle ne faisait pas attention à moi...

— Qu'est-ce que tu veux dire par « elle ne faisait pas attention à moi » ?

— Elle ne me donnait rien à manger. Je crois... je crois qu'elle n'aimait pas les enfants. En tout cas, elle avait sûrement drogué le cacao car, lorsque mon père s'est réveillé, il avait la cheville et le poignet attachés par une chaîne en fer.

— Oh ! mon dieu ! (Elle porta une main à son front.)

— Et quand je me suis réveillé, j'étais hébété, mais j'ai trouvé une barre de fer avec laquelle il l'a frappée au moment où elle a apporté le petit déjeuner. Il lui a cassé un bras, mais en tombant elle s'est cogné la tête contre une dalle.

Il pressa soudain la main sur sa bouche, s'affala sur une chaise, et elle lui toucha le front.

— Tu es malade ?

— Non, non; j'ai eu un petit malaise.

Au bout d'un moment, elle lui redit :

— Alors, continue.

Levant les yeux vers elle, il reprit à voix lente :

— C'est vraiment tout, sinon que j'en rêve parfois la nuit. C'est un cauchemar : je rêve que je farfouille dans ses vêtements à la recherche des clefs. Papa avait sans doute pensé qu'elle allait mourir, parce que je me souviens que nous avons couru au village et que nous l'avons rencontré, lui, le docteur. Il se trouva que c'était son cousin, et nous sommes retournés avec lui là-bas. Papa ne voulait pas y aller, je me le rappelle bien, ni moi non plus; j'étais paralysé par la peur. Mais il était gentil, ce docteur...

— Tu es sûr que tu n'es pas malade ?

— Mais non.

Hilda lui offrit une tasse de thé, et elle l'observa en silence. Puis elle lui dit d'une voix calme, mais quelque peu amère :

— Vous faites une drôle de paire, tous les deux, avec vos secrets. Qu'est-ce qu'il y a encore qu'il ne m'ait pas dit ? La tasse de Dick se mit à trembler sur la soucoupe, et elle dut l'attraper pour l'empêcher de tomber alors qu'il bredouillait :

— Rien... rien d'autre, rien du tout.

— Allez, allez; ne t'agite pas comme ça. Reste assis et bois ton thé, je reviens dans une minute, dit-elle en lui écartant les cheveux du front.

Puis elle sortit, traversa la cour en direction de l'atelier. Mais il ne toucha pas à son thé. Avec des haut-le-cœur, il se dirigea vers l'évier.

QUATRIÈME PARTIE

LE DEUXIÈME INCIDENT
1941

CHAPITRE I

— Où vas-tu ?

— Tu le sais très bien, je vais au poste de surveillance d'incendie.

— Oh, là, là ! Au poste de surveillance ! Dis-moi, serais-tu la seule à surveiller les incendies de ce côté-ci de la ville ? Ça doit faire quatre fois que tu y vas cette semaine.

Esther Burrows fit une grimace d'irritation, se retourna dans son lit et ajouta :

— Alors, pourquoi as-tu mis cette belle robe ? A qui crois-tu donner le change ? Tu sors avec un homme, n'est-ce pas ? Ou avec ton petit garçon d'à côté ? Tu devrais avoir honte de toi... Un enfant de cet âge ! Je sais ce qui va arriver et je vais...

— Tu vas quoi ?

— Je vais... je vais mettre un point final à cette histoire. Je vais traverser là-bas et parler avec elle, mieux encore avec son père, et lui dire qu'il passe tout son temps dans ma cuisine. Un garçon qui va encore à l'école ! Tu devrais vraiment avoir honte de ta...

— Ferme-la !

— Comment ? Mais comment oses-tu me parler comme ça ? Ça commence...

— Parfaitement, j'ose; c'est moi qui commence à en avoir assez, et il y a très longtemps que j'aurais dû te le dire.

La jeune fille se tenait à son chevet, les mains appuyées à la barre par-dessus laquelle elle se penchait, et l'indignation qui la secouait faisait trembler tout le lit :

— J'en ai assez, tu entends ? J'en ai assez. Maintenant tu vas choisir. A partir d'aujourd'hui, tu vas me laisser tranquille, tu vas me laisser *vivre* comme je l'entends. Tu m'as gardée pieds et poings liés pendant des années; j'ai eu un peu de liberté pour la première fois quand l'on m'a proposé ce travail à mi-temps. Et même ça, tu as essayé de m'empêcher de le faire, ce n'est pas vrai ? Il faut que quelqu'un s'occupe en permanence de toi, n'est-ce pas ? Tu sais ce que tu es ? (Elle se pencha un peu plus en avant.) Tu n'es qu'une garce, une égoïste, une parasite, et par-dessus le marché une intrigante à l'esprit tordu. Oh... vas-y, tiens-toi le cœur, et fais-moi encore une de tes petites attaques; mais réfléchis bien avant et laisse-moi te dire que je ne vais pas rester là à te soigner. Il faudra que tu attendes jusqu'à demain matin. Et pendant que j'y suis, laisse-moi te dire encore autre chose, je ne monterai plus de bassines d'eau chaude. Si tu es capable de descendre seule pour te mettre à l'abri, tu peux tout aussi bien descendre à la salle de bain. Ça fait des années que je fais la trapéziste dans cet escalier, que je te lave, que je te sèche, que je te poudre. Oh, maman ! (elle avait pesé sur ce mot en secouant la tête) tu as usé mon père, physiquement et mentalement; mais moi je peux encore me sauver. Alors voici mon ultimatum : tu me laisses la liberté à laquelle j'ai droit, sinon je m'en vais... Parfaitement, je m'en irai. Tu m'as enfoncé dans la tête pendant des années que j'étais incapable de gagner ma vie autrement qu'en faisant la domestique, tu m'as fait miroiter ta maison et ton argent comme on tend une carotte sous le nez d'un âne; mais je n'ai jamais aimé les carottes, d'aucune sorte, et j'ai découvert que je pouvais gagner ma vie autrement qu'en étant l'esclave d'une ingrate et d'une égoïste. Voilà ! Maintenant tu sais ce que je pense.

Elle lâcha la barre, se redressa et marcha vers la porte; mais avant de sortir, elle se retourna pour ajouter :

— Non, je ne vais pas au poste de surveillance. Si tu veux savoir la vérité, je vais danser... *danser*. Et j'y vais avec un homme, un soldat. Il n'est que deuxième classe, mais c'est un homme.

Sa mère se redressa sur ses oreillers et lui cria :

— Qu'est-ce... qu'est-ce que je vais faire s'il y a une alerte ?

— Tu n'auras qu'à prier : tu en as l'habitude.

Quand elle claqua la porte de la chambre, il lui sembla

que toute la maison se mettait à vibrer, mais cette impression était due aux tremblements de son corps. Chacun de ses nerfs était tendu à craquer. Arrivée en haut de l'escalier, elle empoigna la balustrade, pencha la tête et murmura :

— Oh, mon dieu ! Mon dieu !

Comment avait-elle osé lui parler ainsi ? Mais surtout, où avait-elle puisé le courage ? Il y avait des années que cela couvait : les demandes incessantes de sa mère, sa mauvaise humeur, son égoïsme la faisaient bouillir de rage, et aujourd'hui cela avait sauté comme un bouchon de champagne... Mais elle n'aurait pas dû lui parler si brutalement... Elle aurait dû attendre. Non ! Elle se raidit. En réalité elle aurait dû le faire depuis longtemps. Et elle n'allait pas revenir sur le marché qu'elle lui avait proposé, en pleurnichant qu'elle se sentait coupable et pleine de remords.

Elle descendit lentement l'escalier, mais elle tremblait encore quand elle attrapa son manteau dans la penderie du couloir. Elle l'enfila, noua un foulard sous son menton et s'avança vers le miroir pour se regarder. Malgré la faible lumière, elle pouvait distinguer les traits anguleux de son visage. Les os de ses pommettes saillaient sous la peau, ce qui faisait ressortir son teint jaunâtre. Ses yeux étaient grands, sombres et... furieux.

Elle fit rapidement le tour du rez-de-chaussée pour tirer les rideaux de black-out; puis, écartant la lourde tenture qui masquait la porte, elle sortit, referma avec la clef et la glissa sous le paillasson. Deux minutes plus tard, elle traversait la cour du garage et se dirigeait vers la porte de leur cuisine. Elle s'ouvrit à l'instant où elle l'atteignait, et Dick l'accueillit en disant :

— Tu es en retard; je venais te chercher.

Avec un mouvement d'impatience, elle pénétra dans la pièce où elle découvrit Hilda debout, prête à partir.

— Je suis désolée... excusez-moi; je vous ai fait attendre.

— Oh ! ce n'est pas grave. De toute façon, ça ne commence guère avant huit heures. Les jeunes gens arrivent en général à cette heure-là à cause des rafraîchissements.

Hilda souriait, mais son visage se figea soudain, et elle demanda :

— Qu'est-ce qui se passe ? Quelque chose ne va pas ?

Molly répondit en baissant la tête :

— J'ai eu... j'ai eu des mots avec ma mère.

— Ce n'est pas trop tôt. Bien sûr, tout dépend de ce que vous lui avez dit.

Ils se retournèrent tous pour regarder Abel qui était assis dans son fauteuil devant le feu, et Molly expliqua d'une voix tranquille :

— Je... je me suis rebellée, mais je crois que je suis allée trop loin.

— Eh bien, il faut reconnaître qu'elle l'a cherché. Peu importe ce que vous lui avez dit, elle l'a bien cherché.

Regardant alors Hilda, Molly acquiesça de la tête :

— Je crois que oui. Mais je lui ai fait une vraie scène. (Elle eut un petit rire gêné.) A propos, je vais danser avec un soldat. Ce n'est qu'un simple soldat. Mais je crois que c'est ça qui l'a le plus choquée.

Ils éclatèrent tous de rire, et Abel qui riait encore plus fort que les autres quitta son fauteuil en disant :

— Vous pourriez avoir un soldat tous les jours, Molly, et pas seulement un soldat de deuxième classe. D'ailleurs, je suis étonné de ne pas voir plus de soldats des trois armées par ici. En fait, non pas les marins, car il n'y en a pas dans ce coin, mais les autres sont sans doute aveugles.

— Oh ! Monsieur Gray ! (Elle détourna la tête en signe de dérision, et il s'écria :)

— Je ne plaisante pas. Qu'est-ce que vous avez donc ? Vous ne vous regardez jamais dans une glace ?

— Bon, si nous voulons aller faire un tour là-bas, c'est le moment d'y aller... Et arrête de secouer tes épaules comme ça, Dick. Je te le répète sans cesse, intervint Hilda d'une voix tranchante en se dirigeant vers la porte.

Dick, ignorant sa remarque, regarda Molly et lui dit tout en riant :

— Dans cinq mois et demi, je serai engagé dans les forces aériennes, et je parie que dans six mois j'aurai des galons. J'aurai même mon propre avion et viendrai me poser devant ta porte d'entrée.

— Pourquoi la porte d'entrée ? demanda-t-elle d'un air étonné. Tu passes toujours par la porte de service.

Ils rirent de nouveau, puis Abel poussa Dick hors de la cuisine en disant :

— Allez-vous-en ! (Et une fois qu'ils furent dans la cour, il leur rappela :) Faites attention, soyez prêts à dix heures et demie, car je suis de garde à onze heures.

Dick cria avec désinvolture :

— Tu auras de la chance.

Et Molly :

— Nous serons prêts, nous serons prêts.

Mais Hilda n'ajouta rien; ce n'était d'ailleurs pas nécessaire, parce qu'il savait qu'elle aurait déjà mis son chapeau et son manteau, et qu'elle serait prête lorsqu'il viendrait les chercher. Elle allait au bal de la paroisse presque tous les samedis soir depuis deux ans, mais elle n'y dansait jamais. Elle avait pour tâche de servir les rafraîchissements et s'y tenait avec rigueur. Elle avait trente-six ans, mais elle n'avait jamais dansé. Et pourquoi ? Pensait-elle que c'était un péché ? A leur dernière dispute, il le lui avait reproché.

Il rit tout seul en se rasseyant, étendit ses longues jambes sur le garde-feu, glissa les mains derrière sa tête et se cala au fond du fauteuil en cuir. C'est drôle, se dit-il, on ne s'est pas disputés depuis plus d'un an, presque dix-huit mois même. Leur dernière querelle remontait à cette nuit où il s'était enivré, et Dieu sait qu'il avait été ivre ! Agacé par ce souvenir, il s'agita dans son fauteuil et s'efforça de rechercher la raison pour laquelle il avait tant bu, puis il laissa échapper un long soupir et se détendit.

Il aimait ces samedis où il avait la maison pour lui tout seul. Durant ces moments, il pouvait réfléchir tranquillement, et aujourd'hui il lui fallait méditer sur les paroles de Dick. Le jeune homme était déterminé à s'enrôler; il avait ses propres idées sur le droit de tuer ses semblables. Il lui avait dit la semaine précédente :

— C'est une grande guerre, papa; si ce n'est pas toi qui manges les autres, ce sont eux qui te mangent.

191

Ses paroles avaient eu l'air d'une citation, mais en même temps elles ravalaient la dernière guerre à une petite bagarre sans importance. Suivant l'exemple de beaucoup de jeunes gens de son âge, il voulait s'engager, comme si l'on vivait les préliminaires d'une crise mondiale. Mais quelle serait sa réaction s'il était jugé inapte à servir ?

Abel se redressa dans son fauteuil et tendit les mains vers le feu. On ne le refuserait pas à cause de sa taille, la taille n'importait pas pour un pilote ou un mitrailleur de l'armée de l'air, mais à cause de ses mouvements nerveux de l'épaule et de son rire trop facile, trop fort, qui alternait avec de longs silences, dont personne ne s'était occupé, et lui encore moins que les autres. Ce garçon était un paquet de nerfs. Mais il n'avait pas besoin d'un psychiatre pour déceler l'origine de ses troubles.

Il était presque dix heures et quart lorsque Abel sortit dans la cour avec la camionnette de dépannage. Hilda acceptait de se rendre à pied dans la pénombre jusqu'à la salle paroissiale, mais refusait de rentrer à pied dans le noir, car, disait-elle, on rencontrait des ivrognes.

La salle, de belles dimensions, servait pendant la journée de lieu de repos et de détente aux forces armées; les bals du samedi soir étaient ouverts à ceux qui pouvaient danser sans la stimulation de boissons alcoolisées, mais les non-buveurs d'eau s'y précipitaient également, parce qu'on y trouvait quantité de bonnes « victuailles ». On racontait que cette abondance, dans ces temps de grande restriction, tenait à une liaison entre le quartier-maître de la caserne adjacente et une femme, membre de la paroisse. Bien sûr, ce n'était là qu'une rumeur. Certains parlaient du miracle de la multiplication des pains, d'autres de la pêche miraculeuse, mais à cette époque qui aurait osé s'interroger sur l'origine de tels miracles ? Pas même les autres dames du comité paroissial, du moment que par leur biais elles obtenaient des mottes de beurre, des quarts de livre de fromage, et parfois des fruits secs; et aussi longtemps que cela durerait la salle des fêtes de Dorset Street resterait populaire.

192

Depuis le seuil, Abel observa les rangées de couples qui se tenaient par la taille en dansant la *Marche de Lambeth* au son d'un quartet à cuivre retentissant.

A l'autre extrémité de la salle, il aperçut Hilda en train de parler au révérend Gilmore. Il s'était souvent demandé lequel des deux faisait la cour à l'autre, car à la plupart de ces soirées il avait remarqué qu'ils bavardaient beaucoup ensemble. Elle était déjà prête à repartir, et il décela sur son visage une expression d'impatience cependant qu'elle attendait la fin de la danse, car Dick et Molly continuaient de tournoyer avec entrain. Il avait passé un bras autour de la taille de Molly et l'autre autour de celle d'une jeune femme en uniforme. Il était évident qu'ils s'amusaient. Cela le réjouissait de voir Molly se divertir, car cette jeune fille vivait dans une vraie cage. Il aurait aimé qu'elle fût un peu plus jeune ou Dick un peu plus âgé, ou encore que Dick fût un peu plus grand et elle un peu plus petite. Encore que quatre années de différence, qu'est-ce que c'était ? Cela se remarquait moins en tout cas que les cinq centimètres qu'il y avait entre eux. Il était vraiment dommage que ce garçon n'ait jamais voulu pousser; et ce n'était plus à son âge que l'on pouvait espérer le voir grandir.

Quand la musique s'arrêta, la rangée de danseurs à laquelle Dick et Molly s'étaient joints se défit tout près de lui, et Dick, comme entraîné par son élan, fit tournoyer les deux jeunes femmes qu'il enlaçait encore jusqu'à ce qu'ils s'arrêtent tous trois devant lui dans un éclat de rire.

— Est-ce que vous vous amusez bien ? (Abel avait posé la question à Molly.)

— Oh oui ! Quelle soirée magnifique ! répondit-elle le visage illuminé par la joie.

Abel tourna alors son regard vers Dick, qui avait lâché la jeune femme et riait à gorge déployée; puis celle-ci attira son attention : elle avait cessé de rire et le regardait droit dans les yeux, la bouche grande ouverte, les yeux plissés; puis, comme si elle venait de faire une découverte — ce qui était bien le cas —, elle dressa soudain son index et s'exclama :

— Je vous connais. Je suis sûre que je vous connais.

Le visage d'Abel se crispa, et il répondit d'une voix posée :

— Ah oui ? Eh bien, vous m'avez sans doute déjà rencontré quelque part.

— Vous ne vous souvenez pas de moi ? Pas du tout ? (Elle avait posé cette question sur un ton perché.)

— Non, je regrette. Tout en parlant, il s'était aperçu qu'Hilda les avait rejoints, suivie du révérend Gilmore.

— Le bateau sur la rivière ! (Tout animée, la jeune femme s'était approchée d'Abel qu'elle continuait à dévisager.)' Je suis Daphné. Vous vous rappelez ? Ma mère et son bateau. Et... et ne me dites pas (elle se retourna vers Dick), vous devez être... Mais oui ! Vous savez, tout à l'heure j'avais l'impression de vous avoir déjà vu... (Elle secoua la tête.) C'est incroyable ! Après tant d'années !

Le visage de Dick s'était également durci, et ses épaules commençaient à s'agiter. Il fouillait sa mémoire et recherchait l'image floue de Daphné; il n'arrivait pas à la retrouver dans cette jeune fille bien charpentée.

Sans avoir besoin de l'observer, Abel sentait le regard d'Hilda le transpercer comme une flèche; et il évita de lever les yeux vers elle quand il demanda :

— Comment va votre mère ?

— Oh ! (La jeune fille éclata de rire.) Elle a fini par pêcher un homme; mais si je me souviens bien elle a mis quelque temps pour vous oublier. Je me rappelle aussi que le matin où vous nous avez quittées elle a fait faire demi-tour au bateau et elle a coupé court à nos vacances. Que faites-vous à présent ? Vous habitez dans les environs.

Ce n'était pas vraiment une question, mais il approuva d'un hochement de tête; puis il se retourna enfin vers Hilda, et il dit :

— Voici ma femme.

— Je suis enchantée de faire votre connaissance.

La jeune fille tendit la main, mais il s'écoula une longue seconde avant qu'Hilda ne lui donnât la sienne. Et elle ne fit aucun commentaire quand la jeune fille déclara :

— Il faudra que nous nous voyions et qu'on discute toutes les deux de votre mari... Vous savez, il aurait pu être mon beau-père. (Elle laissa retomber sa main; puis elle regarda Abel avec insistance.) Quel dommage que vous ne le soyez pas devenu, dit-elle. (Puis, se retournant vivement vers Hilda, elle ajouta :) Sans vouloir vous offenser. (Personne ne dit mot, et elle conclut d'une voix faible :) Eh bien, à une autre fois. Je... je viens souvent ici; nous sommes en garnison plus loin sur la route. A bientôt, n'est-ce pas ?

Elle s'était adressée à eux quatre; puis elle fit deux pas à reculons avant de leur tourner le dos et de traverser la piste vide en direction du buffet.

— Je vais chercher mes affaires, dit Molly d'une petite voix.

Dick la suivit. Le révérend Gilmore, le visage solennel, se tourna vers Hilda et lui dit sur un ton semblable à celui qu'il employait lorsqu'il prêchait :

— Bonsoir, ma chère, et merci encore pour votre gentille aide; je me demande ce que nous aurions fait sans vous.

Hilda semblait avoir du mal à accuser le choc, car elle ne répondit absolument rien; elle se contenta d'incliner la tête, alla rapidement à la porte, écarta le rideau de black-out et se glissa dans l'ombre du porche où elle attendit.

L'instant d'après, quand Abel la rejoignit, elle dirigea immédiatement sa lampe voilée vers son visage et lui dit :

— Qu'est-ce que c'est que cette histoire ?

— Tu as bien entendu. (Sa voix était légèrement lasse.)

— Eh bien, d'après ce que j'ai entendu, il semblerait que tu aies eu une aventure avec la mère de cette fille sur un bateau.

— Je n'ai pas eu d'aventure avec cette femme. Elle nous avait offert un passage en échange de mes services.

— Et alors, tu l'as aidée ?

— Oui, oui, je l'ai aidée. J'ai fait passer une écluse au bateau, j'ai nettoyé les ponts, j'ai fait tout ce que fait normalement un homme d'équipage. De toute façon, je n'ai travaillé que trois jours pour elle.

— Vraiment ! (Elle avait eu de la peine à prononcer ce mot.) Alors, tout ce que je peux dire, c'est que tu as dû travailler très rapidement.

— Non; c'est elle qui était rapide. Et maintenant écoute la suite. (Il siffla à voix basse :) Elle voulait que je l'épouse. Elle... elle n'était pas la seule à avoir des dispositions pour le mariage à cette époque, n'est-ce pas ? N'est-ce pas, Hilda ?

Avant qu'elle n'ait eu le temps de rétorquer, la porte s'ouvrit dans leur dos et deux personnes sortirent. Un homme dirigea sa torche vers eux :

— Oh, bonsoir. C'est vous, madame Gray. C'était une belle soirée, n'est-ce pas ?

Elle se racla la gorge; il semblait hésiter à quitter le porche et ajouta soudain à voix basse :

— J'ai été désolé d'apprendre le chagrin de votre sœur. C'est dur de se faire avoir comme ça. Cette guerre ! Oh, cette guerre !... Allez, bonsoir.

Il y eut un temps de silence. Abel faisait une moue perplexe; puis il la saisit fermement par le bras, se pencha vers son visage et regardant fixement sans la voir il demanda :

— Qu'est-ce qu'il a voulu dire à propos du mari de ta sœur avec son « se faire avoir comme ça » ?

Comme elle ne répondait pas, il se mit à la secouer et souffla :

— Tu veux dire qu'il est arrivé quelque chose à Peter Ford et que tu ne m'en as jamais rien dit ?

La porte s'ouvrit de nouveau derrière eux, et Dick et Molly sortirent.

Sans lui lâcher le bras, Abel conduisit Hilda jusqu'à la camionnette. Il y eut quelques éclats de torche, et ils prirent tous place dans le véhicule sans échanger une parole...

Dans le garage, Molly, Abel et Hilda se dirent au revoir sans rien ajouter d'autre. Dick, sans un seul mot, tourna les talons et sortit avec Molly pour l'accompagner jusque chez elle.

Revenu dans la cour, après avoir rangé la camionnette et refermé à clef les portes du garage, Abel hésitait. Il consulta sa montre : les aiguilles lumineuses indiquaient onze heures moins cinq. Il hésita encore un instant, puis se rua dans la cuisine. Hilda n'y était pas. Il la trouva dans le corridor : elle était en train de défaire ses cheveux devant la glace, et sans le moindre préambule il lui dit :

— Je te le demande une nouvelle fois, qu'est-il arrivé à Peter Ford ?

Elle lui fit face, hérissée par la colère.

— Il a coulé avec son bateau, il y a trois semaines, si tu veux le savoir. Et pourquoi je ne te l'ai pas dit ? Tu as eu la réponse ce soir; cette fille qui t'a rappelé l'aventure que tu as eue avec sa mère sur ce bateau... et l'autre qui t'avait soi-disant enchaîné. Tu es obsédé par les femmes. Tu n'es qu'un obsédé.

Il la regarda intensément un moment, la bouche grande ouverte, puis c'est d'une voix étrangement calme qu'il répliqua :

— Et toi, tu sais ce que tu es, Hilda ? Tu es d'une jalousie maladive et tu as l'esprit complètement tordu. Tu n'as jamais pu rendre qui que ce soit heureux, moi encore moins que les autres. Tu es jalouse de ta sœur parce qu'elle est... (Les yeux clignotants et la bouche agitée, il cherchait le mot qu'il finit par trouver :) ...ton antithèse. Oui, oui, oui. (Il avait appuyé chaque « oui » d'un mouvement de tête, et il reprit d'une voix forte :) Elle est complètement l'opposé de ce que tu es : elle aime et elle est aimée, et même si elle devait avoir vingt hommes dans sa vie, elle resterait plus pure que tu ne l'es toi.

— Oh ! Oh ! (Sa bouche tremblait, ses yeux étaient emplis de larmes, et c'est dans un sanglot qu'elle s'écria :) Tu vois... Tu vois, tu te découvres. Il y a une autre raison pour laquelle je ne t'avais rien dit : c'est parce que tu aurais aussitôt filé là-bas.

— Tu as raison, et c'est ce que je vais faire à l'instant; je vais filer là-bas. Voilà ! Tu n'as plus qu'à t'asseoir, à te faire du souci, et à prier. Mais oui, c'est ça, tiens, prie donc. Prie pour qu'il n'arrive rien entre elle et moi.

Et, alors qu'il faisait demi-tour, traversait la cuisine et sortait en claquant la porte, elle ferma les yeux comme pour ne plus rien entendre.

Le poste n'était qu'à cinq minutes de marche. Il franchit le préau de l'école, entra dans le bâtiment et arriva dans la pièce qui servait de salle de garde pour les surveillants de la défense aérienne. Il y avait quatre hommes dans le local; l'un d'eux écrivait à un bureau, l'autre préparait du thé et les deux derniers discutaient, assis dans un coin. Ils levèrent tous la tête vers lui et dirent :

— Salut, Abel.

— Salut ! répondit-il. (Puis il alla jusqu'au bureau et, se penchant vers Henri Blythe, le potier, il lui demanda :) Est-ce que tu penses que tu peux me libérer une demi-heure, Henri. Je viens d'apprendre que le bateau de mon beau-frère a été coulé, et je voudrais faire un saut jusque chez elle ?

— Mais bien sûr, Abel. Il n'y a rien de spécial à faire cette nuit, du moins pour le moment. (Il fit une grimace.) De toute façon, si les sirènes se mettent en route, tu n'as qu'à te dépêcher de revenir. C'est loin d'ici ?

— Non, à moins de cinq minutes à pied.

— Alors, ça va. Prends ton temps. Ça ne dérange personne. Tu aurais juste pris les appels. Et depuis au moins quinze jours tu es là tous les soirs. Tu n'as rien pour le four ?

— Si, j'ai deux ou trois pièces, mais je travaille surtout sur ces petits canards. Le propriétaire de la boutique de Cable Street m'a dit qu'il pouvait en vendre autant que je pouvais en fabriquer, mais il n'a pas l'air de vouloir autre chose que des canards.

Ils éclatèrent tous de rire.

— Il a peut-être raison, parce qu'ils ont l'air vraiment vivants. Si tu les faisais plus gros, tu pourrais les vendre comme oiseaux de leurre.

— A tout à l'heure.

Abel leur fit un signe de tête à chacun et sortit; puis il courut presque de l'école jusqu'à Brampton Hill.

Et si elle était déjà couchée ? Mais non, elle ne le serait pas; il était onze heures à peine passées, elle serait plutôt sortie. Il remonta rapidement l'allée et fit le tour de la maison en direction du jardin. Mais il s'arrêta avant d'atteindre la porte-fenêtre. Il aurait dû passer par le vestibule et sonner. Il allait peut-être lui faire peur en frappant aux carreaux. Il n'y avait pas la moindre lumière. Peut-être dormait-elle après tout ?

Il se dirigea à pas lents vers les portes-fenêtres, et lorsqu'il entendit le son affaibli d'une musique il poussa un profond soupir. La radio marchait. Il tendit lentement la main et frappa au carreau.

Il attendit, mais il n'y eut pas de réponse. Il refrappa, cette fois un peu plus fort. Il sut aussitôt qu'il avait été entendu, car la musique cessa.

— Qui est là ?

— C'est moi, Abel

Puis, plus rien; le rideau de black-out ne bougea pas, la porte resta fermée. Aussi répéta-t-il :

— Florrie, c'est moi, Abel.

L'instant d'après, le rideau glissa et une main apparut qui tourna la clef dans la serrure, la porte s'ouvrit, et il se faufila derrière le rideau. Il se retrouva tout près d'elle, tandis qu'elle remettait la tenture en place.

Il ne l'avait pas vue depuis plus d'un an et demi, en fait depuis le début de la guerre. Un jour, ils s'étaient rencontrés par hasard dans la rue, et elle lui avait demandé sur un ton enjoué :

— Comment allez-vous ?

Il lui avait répondu :

— Pas trop mal. Et vous ?

— Cela va très bien; je me suis mariée la semaine dernière.

Il s'était contenté de la regarder en silence, et elle avait ajouté en riant :

— Ne prenez pas cet air étonné, cela arrive.

Il lui avait alors répondu stupidement :

— Oui, bien sûr, je devrais le savoir. Comme vous me l'avez dit une fois, je souhaite que vos vœux se réalisent.

Comme elle était restée silencieuse à l'observer, il avait ajouté :

— Et j'espère que vous serez heureuse.

— Oh ! je vais être heureuse. Ne craignez rien, je vais l'être. Je le suis déjà. (Elle avait haussé ses maigres épaules et elle avait pris congé de lui en disant :) Allez, à bientôt Abel, et bonne chance.

Elle s'était éloignée alors qu'il continuait à la regarder...

Elle avait bien changé depuis; elle paraissait malade. Elle avait toujours été maigre, mais maintenant il ne lui restait plus que la peau et les os. Il lui demanda d'une voix douce :

— Vous n'êtes pas bien ?

— Oh si, assez bien. (Elle s'était détournée et en se dirigeant vers la cheminée elle lui dit par-dessus son épaule :) Qu'est-ce qui vous amène ici, et à cette heure de la nuit ?

— Je viens d'apprendre il y a moins d'une demi-heure pour... eh bien, à propos de votre mari.

Elle le regarda bien en face.

— Vous ne le saviez pas ?

— Non.

— Mais... Hilda était au courant.

— Oui, c'est pourquoi je ne l'ai appris que ce soir.

— Mon dieu ! Cette Hilda ! (Elle secoua la tête.) Parfois, je me demande si elle est humaine, et pourtant...

Il s'avança vers elle et prit ses mains dans les siennes en disant doucement :

— Je suis désolé, Florrie, je suis sincèrement désolé. D'après ce que j'ai entendu, je crois que c'était... un bon compagnon.

Elle retira ses mains et s'assit sur le divan, puis elle se pencha et ferma le dernier bouton de son peignoir.

— Oui, c'était un bon compagnon, il était charmant. Je ne pense pas que l'on puisse être plus gentil que lui, dit-elle.

Il lui demanda d'une voix redevenue normale :

— Etait-il en mission ?

— Oui. (Elle fit un signe d'assentiment.) Pour deux jours seulement. Il... il était sûr qu'ils ne l'auraient jamais, son bateau, je veux dire. Il avait déjà accompli une dizaine de missions, et il avait toujours eu de la chance. (Elle leva les yeux sur lui :) Cela m'a étonnée que... vous ne soyez pas revenu.

Il avala sa salive d'émotion, secoua la tête et expliqua :

— Je ne serais même pas encore au courant si quelqu'un ne lui avait pas dit ce soir au... au bal de la paroisse — je l'ai entendu par hasard —, que c'était regrettable ce qui... ce qui était arrivé à votre mari.

Elle poussa un profond soupir, hocha légèrement la tête, puis elle murmura :

— C'est une étrange créature. Elle a accouru aussitôt après mon coup de téléphone... et elle m'a dit qu'elle était désolée. Elle est revenue la semaine suivante, mais depuis je ne l'ai plus revue. Et... et elle ne m'a jamais demandé d'aller lui rendre visite. Je n'irai jamais là-bas sans invitation, vous le savez bien, mais... mais (elle haussa les épaules), je pensais qu'elle vous avait mis au courant.

— Elle est jalouse de vous, dans tous les sens du terme; on doit avoir pitié d'elle.

— Mon dieu, mon dieu ! Je ne lui ai jamais donné aucune raison de me jalouser, n'est-ce pas ?

Ils se regardèrent, et il lui répondit :

— Non, aucune.

— Oh, seigneur Dieu ! Elle se réadossa au divan et, cachant son visage dans ses mains, elle éclata en sanglots.

Il s'approcha d'elle aussitôt, la prit dans ses bras, attira sa tête contre son épaule et il lui caressa les cheveux en la consolant.

Quand elle s'arrêta de pleurer, elle se dégagea de son étreinte, sécha ses larmes, le regarda et murmura :

— Merci.

Il ne répliqua rien, se contentant de l'observer.

— Je me sens si misérable, Abel, ajouta-t-elle.

— C'est fatal; cela prend du temps.

— Si misérable... (elle ferma les yeux pendant quelques instants avant de poursuivre) pas dans ce sens-là; je veux dire méprisable, insignifiante...

— Enfin ! Vous n'êtes ni l'un ni l'autre, Florrie.

— Vous croyez ? (Elle se tourna légèrement vers lui et essuya son visage, puis elle reprit :) Vous vous donnez, vous donnez ce qu'il y a de mieux en vous à des propres-à-rien, et les gens bien vous traînent dans la boue, et lui c'était quelqu'un de bien... Peter. C'était le meilleur homme que j'aie jamais rencontré.

— Je suis sûr que vous lui rendiez sa bonté.

Elle secoua lentement la tête, et une note de timidité perçait dans sa voix lorsqu'elle répondit.

— Pas vraiment. Vous voyez... il m'aimait, il m'aimait d'amour et... de savoir que je ne l'aimais pas ne changeait rien pour lui. Je l'aimais bien, je l'aimais beaucoup, mais ce n'était pas de l'amour. Il disait qu'il m'aimait tant qu'il était impossible qu'un peu de son amour ne rejaillît pas sur moi, et il était prêt à attendre toute sa vie durant. Il n'était pas très loquace, il ne savait pas parler, vous voyez ce que je veux dire, mais quand il s'y mettait, eh bien, il avait une façon d'exprimer les choses que l'on aurait pu qualifier de poétique. (Elle s'arrêta un instant, regarda le feu, puis poursuivit d'une voix triste :) Il était persuadé qu'il était heureux, que les choses s'arrangeraient. Il... il avait organisé notre vie pour des années. (Elle ferma les yeux, inclina la tête et avala sa salive avant de murmurer :) Ses dernières paroles avant de partir furent qu'il ne voulait pas mourir avant de m'avoir entendue lui dire deux mots... (sa voix n'était plus qu'un chuchotement) deux mots : « Je t'aime, Peter. »

Elle pleurait à nouveau, plus doucement cette fois, mais il ne fit pas un geste, car il se sentait agité par des sentiments confus de désir, de solitude et de jalousie — par rapport à un mort ! se disait-il.

Elle pleurait encore quand elle reprit :

— Il n'a pas voulu que je l'accompagne jusqu'à l'autocar, il... il voulait garder l'image de moi dans cette pièce, mais il n'était pas plus tôt parti que le désir de le rattraper pour lui dire ces deux mots s'est emparé de moi. Cela ne me semblait pas très important qu'ils ne correspondissent pas tout à fait à la réalité. La seule chose que je voulais à ce moment-là, c'était le rendre heureux. Mais j'ai hésité trop longtemps. Quand je suis arrivée à la grille, il avait déjà sauté dans l'autocar; et lorsque j'ai hurlé il s'est retourné et m'a vue. Figé sur la plate-forme, il ne fit aucun signe de la main, et l'on aurait cru une statue suspendue dans les airs. Ce fut un moment étrange et angoissant.

Puis elle frissonna. Il se tourna vers le feu en train de tomber, remit un peu de charbon à l'aide des pinces qui se trouvaient dans le seau. Il fit ces gestes comme s'il les accomplissait depuis toujours. En reposant les pinces, il lui dit :

— Puis-je vous apporter à boire, une boisson chaude ?

— Je... je voudrais une tasse de thé. Mais vous ne trouverez jamais ce qu'il faut pour le faire.

Il l'arrêta d'un geste de la main :

— Restez assise, dit-il. J'ai l'habitude de me débrouiller.

Dix minutes plus tard, il revenait avec deux tasses de thé, et lui en offrant une il dit :

— J'ai mis une cuillerée de sucre dans la soucoupe. (Puis il lui demanda :) Est-ce que vous continuez de travailler ?

— Oh oui ! Je ne pourrais pas rester ici, je deviendrais folle. Pourtant, il y a deux mois, j'ai bien failli abandonner. Cela ne m'intéresse plus, on ne peut plus trouver de beaux tissus en ce moment.

Après avoir bu son thé, elle se tourna vers lui pour lui demander sur un ton de simple politesse :

— Et vous, comment allez-vous ? Cela fait quelque temps que je ne vous ai vu.

— Oh ! c'est le train-train, toujours la même chose. Mais c'est comme pour vous, les affaires tournent au ralenti, sauf pour les bicyclettes. Alors j'ai pris un mi-temps à l'usine.

Au bout d'un moment, il regarda sa montre et dit :

— Il faut que je m'en aille, Florrie. Je suis en retard.

— Oh ! Excusez-moi (elle se redressa sur le bord du divan), je ne voulais pas vous retenir.

— Ne dites pas de bêtises. Ecoutez, demain je ferai un saut jusqu'ici. Vous serez là vers quelle heure ?

— En général, je suis là le soir après six heures. Mais Hilda... je ne voudrais pas...

— Très bien. Je viendrai demain soir. Maintenant, allez vous coucher... Ne vous dérangez pas.

— Il me faut remettre le rideau en place.

203

Debout près du lourd rideau qui masquait la porte-fenêtre, ils se regardèrent, et elle dit d'une voix paisible :

— Merci, Abel; votre visite m'a fait du bien.

Il lui tourna le dos d'un mouvement brusque, et il sortit sans répondre.

Il s'arrêta un instant au bout de l'allée avant de s'engager dans la rue, et il se murmura :

— Il ne voulait pas mourir avant qu'elle ne lui ait dit qu'elle l'aimait.

Et lui, vivrait-il assez longtemps pour l'entendre dire un jour :

— Je t'aime, Abel ?

Dieu tout-puissant ! Sa vie était déjà assez bien compliquée comme ça. De plus en plus souvent, il lui prenait l'envie de tout quitter. Mais dans ces moments-là, il se souvenait qu'une fois déjà il l'avait fait, et pour trouver quoi ? Cependant il sentait que, s'il arrivait à faire prononcer à Florrie ces mots qu'elle n'avait pas dits à son mari, il n'hésiterait pas à ajouter un nouveau nœud au fil de son existence. Mais à elle, il raconterait tout avant.

CHAPITRE II

— Qu'est-ce que tu as l'intention de faire pour ce garçon ?

Abel savait depuis longtemps qu'Hilda était furieuse lorsqu'elle se mettait à appeler Dick « ton fils » ou « ce garçon ». Mais il savait également que ce n'était pas contre lui que sa colère était dirigée.

— Qu'est-ce que tu veux que je fasse ?

— Emmène-le chez le docteur. Ce n'est qu'une boule de nerfs; il commence même à bégayer.

— C'est seulement parce qu'il est excité à l'idée de passer devant le conseil de révision la semaine prochaine.

— Tu sais bien qu'on ne le prendra jamais s'il est dans cet état.

— Oui, je le sais, mais c'est à lui de s'en rendre compte. (Il était irrité et c'est d'une voix basse et rude qu'il lui dit :) Il a décidé de ne pas être objecteur de conscience; il ne veut pas faire comme moi. Il veut s'engager, alors laisse-le tenter sa chance.

Hilda le dévisageait, et elle lui dit sur un ton apparemment calme :

— Tu sais, tu n'as pas l'air de te préoccuper de sa santé. Depuis deux ans, ses nerfs sont de plus en plus atteints et tu n'as rien fait. Pourquoi as-tu refusé que je l'emmène chez un psychiatre quand je t'ai dit que j'étais sûre que quelque chose le tourmentait ?

Il lui tourna le dos et attrapa son pardessus sur le dossier d'une chaise, et tandis qu'il l'enfilait il lui répondit :

— Tous les adolescents traversent cette crise.

— Jamais sans raison. M. Gilmore...

Elle s'arrêta tout net, mais il s'était déjà dirigé vers elle en criant :

— Je ne veux pas connaître l'avis de M. Gilmore ! Tu

peux dire à M. Gilmore que le jour où j'aurai besoin de ses services, j'irai le voir, et, bon dieu, ça n'est pas pour demain.

Il attacha les boutons de son manteau en tirant sur les fils comme pour en éprouver la solidité. Puis, d'un geste vif, il s'empara de son chapeau mou et se dirigea vers la porte de la cuisine. Il l'avait déjà ouverte quand elle lui demanda :

— Où vas-tu ?

Il tourna la tête et la regarda fixement avant de répondre :

— C'est dimanche, ma demi-journée de repos, n'est-ce pas ? J'ai le droit d'aller où bon me semble. Le dimanche après-midi, je fais ce que je veux.

Son visage se crispa, ses lèvres se mirent à trembler, et elle lui cria :

— Ne me dis pas que tu vas te balader et que ça ne t'arrive pas souvent.

— Je ne t'ai jamais dit que j'allais me balader.

— Oh toi ! toi ! (Elle serra fortement les lèvres, puis elle se remit à crier :) Je sais où tu vas !

— Alors, pourquoi me le demandes-tu ?

— Tu es abject ! Voilà ce que tu es, et elle aussi. Vous devriez avoir honte.

Il referma la porte de la cuisine, revint sur ses pas, se planta devant elle, et il lui dit :

— Mets ton manteau et ton chapeau et viens avec moi. C'est ta sœur, elle est toute seule et elle a besoin de quelqu'un.

— Tou-te seu-le ! (Sa voix s'était brisée comme une pierre sur un rocher.) Elle ! Elle qui a tous les hommes de la ville et d'autres encore. Et maintenant, à peine cinq minutes après la mort de son mari...

— Ça fait six mois que son mari est mort, et après tes deux visites secrètes tu n'es jamais retournée la voir depuis. S'il n'y avait pas son père et moi, elle n'aurait personne.

— Oh ! mon... (Elle se retint de justesse de dire « dieu » en plaquant les mains devant sa bouche, et elle détourna la tête. Mais elle ramena vivement son regard sur lui et s'écria :) Tu sais ce que tu es, Abel Gray ? Un parfait égoïste et un misérable ingrat. J'ai tout fait pour toi et ton fils pendant des années, et toi, qu'est-ce que tu m'as donné en échange ?

Les rides de son front se creusèrent et il plissa les paupières.

— Ce que je t'ai donné en échange ? Simplement de douze à quatorze heures de travail par jour, à la très rare exception de quelques samedis et de mon dimanche après-midi. A part ça, j'ai essayé de te donner de l'amour, mais tu n'en as absolument pas voulu.

— De l'amour ! (Elle avait retroussé sa lèvre supérieure.) Tu appelles ça de l'amour. Rien que d'y penser, cela me rend malade.

— Oui, c'est vrai. (Il secoua la tête et, s'étant ressaisi, il poursuivit d'une voix calme :) Oui, je m'en suis rendu compte il y a déjà longtemps. Hilda, tu es le genre de femme, non, le genre de femelle que l'amour rend malade parce qu'il n'y a rien de féminin en toi. Tu ne peux pas comprendre ce que je vais te dire, mais tu sais, il y a des femelles et des femmes, des mâles et des hommes.

Elle fit deux pas en arrière en agitant la tête, et c'est d'une voix tremblante qu'elle lui dit :

— Tu crois être intelligent, n'est-ce pas ? Tu peux tenir des discours bien tournés, tu peux rendre noir ce qui est blanc, mais tu ne peux pas faire d'une prostituée une femme honnête, ou si tu veux, une femelle honnête, et elle en est une. Et toi, à ta façon, tu es comme elle. Parfaitement ! Toutes ces femmes, la femme du bateau et celle qui soi-disant t'a enchaîné. Et maintenant, je vais te dire une dernière chose, et je ne reviendrai pas là-dessus. Tu vas arrêter ou sinon...

Il l'observa un instant, puis faisant demi-tour il lui dit d'un ton froid :

— Eh bien, comme tu veux, Hilda, comme tu veux.

Dès qu'il fut parti, elle se prit le visage dans les mains, puis tituba jusqu'à la porte, s'y adossa, et elle se mit à pousser des gémissements en répétant :

— Pourquoi, mais pourquoi ?

Abel, la tête baissée sous la pluie battante, se posait la

même question. Pourquoi fallait-il qu'il fût si cruel envers elle ? Car il se rendait soudain compte de sa cruauté. C'était vrai qu'elle lui avait tout donné depuis le jour où il avait pénétré dans cette cour des années auparavant. Tout sauf une chose, la plus importante, parce qu'elle ne le supportait pas. Mais était-ce sa faute à lui ? Parce qu'il refusait de comprendre ce que c'était d'avoir vécu avec un vieillard qui n'avait pas voulu consommer son mariage ? Mon dieu, vint-il à penser, mais cela aurait déséquilibré n'importe quelle jeune fille et l'aurait rendue soit hystérique soit prude.

Et comment s'en sortir ?

Il pourrait commencer par lui dire la vérité dès demain. En fait, non, surtout pas. Il n'avait pas le droit d'ajouter encore à sa peine, parce que, aussi étrange que cela pût paraître, elle l'aimait. Elle l'aimait à sa manière aussi profondément que lui aimait Florrie. Et c'est pourquoi, parfois, il se prenait de pitié pour elle.

Son amour pour Florrie le tourmentait — être avec elle était une torture, ne pas être avec elle en était une autre. Sa passion était sur le point d'éclore, mais auparavant il faudrait lui dire la vérité.

Il était trempé jusqu'aux os quand il frappa à la porte-fenêtre, et, lorsqu'elle ouvrit, elle s'exclama en riant :

— Vous ressemblez à un rat d'égout, un rat de taille exceptionnelle.

— J'ai tout à fait l'impression d'en être un. Non seulement il pleut, mais il grésille.

— Donnez-le-moi, je le suspendrai dans la cuisine. (Elle l'aida à retirer son pardessus.) Je vais faire du thé... j'étais en train de cuisiner.

— Bonne idée. Qu'est-ce que cela sent ? demanda-t-il en humant l'air.

— Une tarte aux pommes, des pains au lait, cuits à l'huile de paraffine, faites votre choix... non, c'est impossible ! (Elle agita la main.) La tarte aux pommes est encore trop chaude pour être découpée.

Elle disparut dans la cuisine, et il alla jusqu'à la cheminée pour se réchauffer les mains. Puis il présenta son dos aux flammes. Dans cette pièce, il se sentait plus chez lui que n'importe où ailleurs. Peut-être était-ce parce qu'elle ressemblait à Florrie : élégante, chaude, colorée.

Colorée ? Non. Son visage était pâle et tiré — elle revenait en portant un plateau qu'il lui prit des mains. Quel âge avait-elle donc maintenant ? Quarante et un ans. Parfois, elle semblait avoir moins de trente ans, mais ce jour-là ce n'était pas le cas.

— Vous ne vous sentez pas bien ?

— Oh si ! dans un certain sens ! (Elle versait le thé et interrompit son geste.) J'ai eu le cafard ces jours-ci. Les... les hommes ne m'intéressent plus.

Elle éclata d'un rire hystérique et elle poussa Abel avec la paume de la main, renversant presque la tasse de thé qu'il venait de saisir. Elle s'excusa, riant encore. Puis elle reprit son calme et but son thé, tout en lui parlant avec tristesse.

— Avant, il était bien rare qu'il se passât une semaine sans que je fusse invitée d'un côté ou d'un autre, et maintenant, en guise d'invitation, je ne reçois plus que des coups de coude dans le noir de la part des hommes en uniforme. J'ai sans doute perdu mon charme.

— Jamais de la vie ! Pas vous !

— Oh ! j'oubliais ! (Elle eut un rire amer.) J'ai reçu une invitation la semaine dernière. C'était vraiment drôle. Il est entré dans la boutique, il m'a dit qu'il m'avait vue ces deux, trois derniers jours au Middleton, vous savez l'hôtel de l'autre côté de la rue. Il ne faisait que traverser, m'a-t-il dit... Il n'a pas voulu me révéler quel était son travail, c'était un secret, et il m'a proposé de passer une nuit en cachette avec lui. Il était aussi cynique qu'effronté, et il a eu l'air surpris lorsque je l'ai mis à la porte.

Elle reposa sa tasse sur la table, puis croisa les jambes et poursuivit d'une voix lente, un coude appuyé sur le bras du divan :

— Vous savez, Abel, autrefois j'en aurais ri, je m'en

serais moquée, mais pas cette fois-ci ; au contraire je me suis sentie vile, basse, honteuse. Vous savez ? (Elle se tourna lentement vers lui et le regarda.) Une fois qu'il est parti, j'ai pensé à Hilda et je me suis demandé si, après tout, elle n'avait pas raison, si je n'avais pas l'air d'une grue ?

— Taisez-vous. Ne soyez pas ridicule. (Il avait parlé d'une voix dure.) Vous avez autant l'air d'une grue que moi d'une tapette.

— Oh ! Abel ! (Elle eut un rire saccadé, mais plus naturel.) Vous, une tapette !

— Vous voyez ! Pas plus que vous une grue. C'est le genre de zèbre qui aurait aussi bien tenté sa chance avec Hilda en prenant des pincettes.

Tandis que leurs regards se croisaient, ils se mordirent tous deux la lèvre supérieure. Puis un grand rire les secoua. Ce fut peut-être la raison pour laquelle elle tomba dans ses bras, mais quand elle y fut il la serra fortement contre lui, et une grande bouffée de chaleur lui parcourut les veines lorsqu'il se rendit compte qu'elle l'avait enlacé et qu'elle lui rendait son étreinte.

Leurs rires s'évanouirent et ils se regardèrent avec sérieux. Toujours enlacés, ils s'adossèrent au divan. Ils restèrent ainsi sans parler de longues minutes, qui leur semblèrent une éternité. Puis il murmura son prénom.

— Oui, Abel, dit-elle simplement.

— Cela fait si longtemps, Florrie.

— Si, si longtemps, Abel.

— Depuis quand sais-tu ce... ce que je ressens pour toi ?

— Je ne sais pas. Je sais seulement depuis quand, moi, je le ressens pour toi.

— Florrie, c'est vrai ? c'est vrai ?

— Oui, Abel. Rappelle-toi cette nuit où Charles est arrivé. Nous parlions ensemble et nous étions si bien. Sa visite avait tout arrêté. En fait, il était venu me faire ses adieux définitifs, il partait pour les États-Unis avec sa famille. Mais alors, c'était trop tard, tu allais suivre mes conseils et épouser Hilda.

Le nom d'Hilda jeta une ombre sur son bonheur. Il

retira ses bras pour lui prendre les mains, et son regard plongé dans le sien, il lui dit :

— Il faut que je te parle; c'est une longue histoire. C'est l'histoire de ma vie, Florrie. Mais, avant de la commencer, je dois t'avouer quelque chose : je n'ai aimé qu'une seule femme, et cela n'a duré que très, très peu de temps. Parfois, il me semble que cela n'a été qu'un rêve et que je n'ai jamais connu que toi. Et laisse-moi te dire, je t'aime, Florrie; je t'ai désirée dès l'instant où je t'ai vue. Et avec les années, j'allais de plus en plus mal. Lorsque tu t'es mariée, j'ai pensé que cela s'arrangerait, mais je m'étais trompé. Je ne vais quand même pas te dire que je suis heureux que ton Peter soit mort. Mais maintenant je peux te le dire : je t'aime, Florrie, du tréfonds de mon cœur. J'ai quarante-huit ans, bientôt cinquante; les années auraient dû étouffer le feu qui me dévorait, et en fait elles n'ont fait que l'attiser. Et il ne brûle que pour toi. Et puis il y a encore autre chose, quelque chose qui risque de te scandaliser. (Il retira ses mains et s'écarta un peu d'elle.) Il y a quelques années, j'ai enfreint la loi sans avoir à comparaître en justice; mais cela m'a rongé de plus en plus, je ne sais pas pourquoi. De toute façon, laisse-moi commencer par le début.

Il entreprit donc de lui faire le récit de sa vie. Il lui parla de ses idéaux de jeunesse, lui raconta comment il avait connu Lena, et la façon dont il s'était dégoûté de tout jusqu'à sa rencontre avec Alice. Après lui avoir expliqué comment celle-ci était morte, il s'arrêta un long moment; puis il reprit :

— Après cela, il a fallu que je parte, car, en dépit de mes convictions pacifistes, je ne me faisais plus confiance depuis que j'avais frappé Lena. Lorsque j'ai découvert qu'elle avait écrit au mari d'Alice, l'envie d'en finir une bonne fois pour toutes avec elle s'est emparée de moi. C'est alors que j'ai su qu'il valait mieux pour tout le monde que je la quitte.

Il continua par le petit épisode du bateau et lui raconta comment la jeune fille l'avait reconnu quelques mois auparavant. Ce ne fut que lorsqu'il arriva à l'histoire de Mlle Mathilde et qu'il lui expliqua pourquoi il avait changé de nom que Florrie parut troublée; elle porta alors la main à sa bouche et secoua la tête en signe d'incrédulité.

Puis il acheva :

— Je n'avais pas vraiment le choix : ou bien je faisais ma place dans cette confortable maison et je gardais mon travail, ou bien... Ce qui importait, c'était d'offrir un toit à mon fils. Je peux dire en toute honnêteté qu'à ce moment-là ce fut ma seule préoccupation. S'il n'avait tenu qu'à moi, tu vois, il y a bien longtemps que je serais parti. Mais, par un fait étrange, plus mon fils restait dans cette maison, plus son aversion pour la marche grandissait; et, à présent, il ne fait plus un pas s'il a la possibilité de prendre un moyen de transport. Je... je ne cherche pas des excuses, Florrie; je ne veux que t'expliquer la situation dans laquelle je me trouvais. Et, bien sûr, il y avait toi. Il y avait surtout toi. Je savais que, si pour une raison quelconque il me fallait partir, je t'aurais perdue de vue. (Il soupira, puis poursuivit :) Aussi ai-je contracté une sorte de mariage avec Hilda. Je suis resté intraitable sur un seul point : le mariage civil. Ainsi, cela me semblait moins grave.

Elle le regardait avec de grands yeux.

— Est-ce que cela te choque ?

— Non, cela ne me choque pas, mais je suis stupéfaite... et, aussi étrange que cela puisse paraître, je m'inquiète pour Hilda, car si elle vient à l'apprendre, étant donné ses opinions, cela la démolira.

Il y eut un silence et il appuya sa tête au dossier du divan. Puis il dit comme s'il se fût parlé à lui-même :

— Je ne sais pas. De temps à autre, je me demande quelle serait sa réaction si elle l'apprenait, et de toute façon je ne peux imaginer qu'une chose puisse la démolir parce que, tu sais, Florrie, ce petit bout de femme est... comment dire, protégée par une sorte de blindage.

Après quelques secondes, elle lui demanda :

— Lui as-tu dit que tu ne voulais pas d'autre enfant ?

— Oui.

— Penses-tu que cela soit juste ?

— C'est mieux que de mettre un bâtard au monde, car c'est ça qui l'aurait tuée.

— Mais elle a toujours voulu un enfant. La seule fois où nous avons échangé des confidences, elle m'a dit qu'elle en voulait un.

— Alors, pourquoi a-t-elle épousé M. Maxwell ? Si elle voulait un enfant, elle ne pensait certainement pas qu'avec...

Elle l'interrompit :

— Oui, là tu as raison. Mais je crois qu'elle voulait beaucoup de choses. Disons que c'était pile ou face, et elle a préféré le 3 de Newton Road et pas d'enfant à Bog's End et plein d'enfants. Mais, Abel, j'espère qu'elle ne l'apprendra jamais, non seulement pour son bien, mais pour le tien également. Tu... tu pourrais aller en prison.

— Oh ! j'y ai pensé, bien sûr; encore que parfois je croie que cela serait préférable à la vie que je mène, car après, au moins, je n'aurais plus ce fardeau sur les épaules... ni de remords à cause de Dick.

— De Dick ?

— Oui.

— Oh, bien sûr, il ne peut qu'être au courant.

— Il sait tout. Et tu imagines sûrement les pressions que j'ai dû exercer sur lui pour lui faire oublier que sa mère était en vie. Cela me préoccupe vraiment beaucoup parce qu'il est en train de le payer.

— Dans quel sens ?

— Ce n'est qu'un paquet de nerfs; il a un tic à l'épaule et il s'est mis à bégayer. Il croit qu'il va pouvoir s'enrôler dans les forces aériennes, mais vu son état je suis certain qu'ils ne le regarderont même pas; et il va me le reprocher. Je le surprends parfois à m'observer comme s'il se demandait quel genre d'homme je suis au fond. Mais je crois que son opinion est déjà arrêtée.

— Pourtant je me souviens qu'il te portait aux nues. Il était toujours sur tes talons, et cela agaçait Hilda. Elle disait que ce n'était que « oui, papa », « non, papa », du matin au soir.

— C'était sans doute vrai, il y a quelques années, mais récemment son attitude a changé. Je sais qu'il ne comprend pas vraiment comment je vis, et lorsqu'il rit trop fort ou qu'il s'enferme dans des silences mortels, comme

213

il a de plus en plus tendance à le faire, j'ai envie de le prendre par les épaules et de lui hurler : « Très bien ! Très bien ! Qu'est-ce que tu veux que je fasse. Que je parte et que je me débrouille tout seul ? Tu peux gagner ta vie maintenant, et il n'y a plus rien qui me retienne ici, sauf... »

— Oui, sauf...

Elle hocha lentement la tête, et il répéta ses paroles :

— Oui, sauf... (Puis il ajouta :) Parfois, je suis si triste à cause d'elle. Lorsqu'elle se trouve dans un de ses rares jours de bonne humeur et qu'elle est aux petits soins pour nous, je me dis que je devrais tout lui raconter, que je devrais mettre les choses au clair. Je pense qu'elle comprendrait. Mais tout à coup elle dit quelque chose, elle parle de quelqu'un — peut-être de ce damné pasteur —, insiste avec dégoût sur un méfait insignifiant, et je sais qu'il vaut mieux que je me taise.

— Oh, Abel !

Elle s'était assise au bord du divan, les mains croisées sur les genoux, le corps penché en avant.

— Tu dois penser que je suis un être horrible, un salaud de la plus belle espèce.

Elle releva la tête, et c'est d'une voix lente et hachée qu'elle lui répondit :

— Ne... sois pas... idiot ! Je regrette seulement que tu ne me l'aies pas raconté le premier soir. Mais... mais par ailleurs, tu sais, la pire chose que tu puisses faire serait de le lui dire.

— Mais oui, je le sais bien, soupira-t-il. Mais que faire d'autre ? Continuer comme ça le restant de mes jours ou attendre que l'on me démasque ?

Sa réponse fut indirecte :

— Tu as une dette envers elle. Et de plus... eh bien (elle baissa les yeux), je connais Hilda, elle a besoin de quelque chose, de quelqu'un. Je me souviens de l'une de nos querelles : elle me prodiguait ses conseils, me disait qu'il fallait que je change ma façon de vivre. Cela me portait tellement sur les nerfs que j'ai répondu que la seule personne dont elle avait besoin, c'était Dieu, qu'elle l'avait déjà trouvé en la personne de M. Maxwell et que j'espérais qu'il la satisfaisait. Elle est sortie en pleurant, et j'ai compris alors qu'il y avait en elle un vide que ni M. Maxwell ni Dieu n'allaient combler. C'est drôle cette histoire de Dieu. (Elle le regarda de nouveau.) Peter était croyant. Il n'appartenait à aucune Église, mais il croyait profondément en Dieu. Il avait un précepte : « Dieu est en toute chose. » Je n'ai jamais très bien compris ce qu'il voulait dire, mais c'était ce qu'il pensait.

Ils se turent jusqu'à ce qu'il reprît la parole d'une voix douce :

— Tu sais, Florrie, que tu le veuilles ou non, je crois que tu l'as aimé ?

Elle réfléchit quelques instants avant de répondre :

— Oui, peut-être bien. Mais il y a tellement de façons d'aimer. Ce n'était pas le même amour que celui que je ressens pour toi depuis des années, et je le regrette, car c'était un homme qui méritait d'être aimé.

Il s'abstint de répliquer banalement : « Et pas moi ? », car il savait ce qu'elle lui répondrait aussitôt, et un démenti trop hâtif eût pu sembler manquer de sincérité. Il n'aurait pu supporter l'idée qu'elle eût une piètre opinion de lui; mais au fond, malgré son amour, comment le jugeait-elle ? Au mieux, elle devait le prendre pour un être faible. Et, tout bien pesé, elle avait raison. Car de quelque façon qu'il se regardât il se trouvait faible. Ce n'était que très récemment qu'il l'avait admis; dans sa jeunesse, il avait eu le courage de défendre ses opinions et de souffrir pour elles. Il avait eu assez de force pour quitter Lena; mais maintenant il n'en avait plus assez pour quitter Hilda. S'il partait, ce ne serait pas avant qu'elle lui en donnât l'ordre. D'autre part, la pensée de vivre avec elle le restant de ses jours tout en continuant d'aimer Florrie jetait déjà le trouble dans son esprit.

Puis son inquiétude s'estompa : Florrie avait passé les bras autour de son cou et lui disait en riant avec le fort accent du Tyne :

— Ben, Abel Gray ou Mason, peu importe comment tu t'appelles, tu es un sale type, tu sais. Tu es un sale type, et si j'avais le choix tu sais ce que je ferais ?

Il lui rendit son sourire en lui disant que non, et il

215

s'attendit à ce qu'elle reprît sa voix habituelle et qu'elle lui chuchotât : « Je t'aimerais », car ses paroles étaient écrites sur son visage. Mais elle lui répondit en riant :

— Je vais te préparer un bon steak et un pudding aux rognons.

Lorsqu'il l'attrapa brusquement par la taille, elle se serra contre lui, et, le visage enfoui dans son épaule, elle murmura doucement :

— Chaque fois que tu auras besoin de moi, Abel, je serai là.

— Oh ! Florrie, mais j'ai tout le temps besoin de toi ! Parfois, je me sens épuisé, tant ce besoin est intense.

Sa tête encore cachée dans son épaule, ils restèrent immobiles; puis se dégageant de son étreinte elle se leva, marcha lentement jusqu'aux portes-fenêtres et ferma à clef. Lorsqu'elle se tourna vers lui, son regard plongea dans le sien; elle lui tendit une main, et elle attendit qu'il la conduisît jusqu'à la chambre.

Quand cela avait-il été aussi intense ? Jamais. Même pas avec Alice. Il n'aurait pu expliquer ce qu'il ressentait alors, car il n'en avait plus le souvenir, mais ça, il s'en souviendrait jusqu'à la fin de ses jours, Si cela ne devait plus jamais se reproduire, l'émerveillement, non l'é-blouissement que lui avait donné le corps de Florrie répondant à chacune des vibrations du sien resterait profondément gravé dans sa mémoire.

Ils n'avaient pas échangé une seule parole. Et ils restèrent encore un certain temps sans rien se dire.

— Tu crois que je ne suis pas trop vieille pour avoir un enfant ? finit-elle par demander.

— Comment ? dit-il en sursautant.

— Je te demande si je suis encore assez jeune pour avoir un enfant ? Je veux un enfant, Abel. Je le désire tant. Je pensais que j'en aurais un avec Peter. (Elle se mit sur le côté.) Cela ne te fait pas de peine que je parle de lui, n'est-ce pas ?

Il se tourna lui aussi et passa un doigt autour de ses yeux, puis le glissa sur l'arête de son nez jusqu'à ses lèvres, et il en suivit le dessin avant de répondre :

— La seule chose qui pourrait me faire de la peine, Florrie, ça serait que tu ne veuilles plus de moi. Et, veux-tu que je te dise ?

Elle le regarda simplement dans les yeux.

— J'ai entendu des gens déclarer qu'ils étaient heureux au point de vouloir mourir, et j'ai toujours considéré cela comme de la sensiblerie ou comme une simple façon de parler, mais, en ce moment, c'est exactement ce que je ressens. Je ne voudrais pas aller plus loin, car chaque minute à venir me fera retomber dans la réalité.

Elle prit sa joue dans le creux de sa main et lui dit d'une voix douce :

— La réalité, c'est ça, et elle peut durer aussi longtemps que tu le souhaiteras.

— Alors cela durera longtemps, Florrie.

— Cela ne sera jamais assez long pour moi, Abel. Mais revenons à ce que j'ai dit; est-ce que cela t'ennuierait si j'avais un enfant ?

— Non, si c'est moi le père. Mais... mais as-tu pensé au nom que tu lui donneras ?

— Que m'importe, encore qu'il pourrait être gêné plus tard, on ne sait jamais. Mais j'espère que je serai assez bonne mère pour que cela ne lui pose pas de problème. Et je suis sûre que cela ne lui fera rien d'apprendre un jour que c'est son oncle Abel qui est son papa.

Elle éclata de rire, et il lui dit :

— Je serai un vieillard lorsqu'il entrera dans sa dixième année.

Son rire devint taquin, et elle conclut :

— Quel que soit ton âge, tu resteras le même don juan...

— Comment ! (Il reprit un air sérieux.) Tu me prends donc pour un don juan ?

— Oh ! ce n'était qu'une plaisanterie ! Encore qu'en y repensant je trouve que tu es assez don juan. Regarde toutes ces femmes que tu as avoué avoir connues.

Il la contemplait, le visage toujours sérieux. Il avait connu tant de femmes ? Lena et les années de dispute sans amour passées avec elle ! Alice, cette tendre passion trop éphémère venue éclairer sa terne existence ! Puis les

217

incidents, le bateau d'abord, la grange ensuite, et enfin Hilda. En fait, que savait-il des femmes ? Quel plaisir en avait-il reçu ? Aujourd'hui seulement il avait connu le plaisir qui lui avait toujours manqué. Mais Florrie aurait-elle pu toutefois l'aimer comme elle l'avait fait sans son expérience des hommes ? S'il l'avait connue elle, au lieu de Lena, est-ce que leur amour aurait eu cette intensité ? Elle lui avait avoué une fois n'avoir connu que trois hommes; en ajoutant Peter, cela faisait quatre. Ils avaient eu le même nombre d'expériences, mais de qualité sûrement différente.

Il allait bientôt avoir quarante-huit ans, et qu'avait-il fait jusque-là ? Rien. Il n'avait laissé sa marque sur rien ni personne. Bien que cela ne fût peut-être pas tout à fait vrai pour les personnes. Il avait poussé Lena à la haine et Hilda à la jalousie. Quel souvenir laisserait-il à Florrie ? Un souvenir plein d'amour, espérait-il. Cependant, cet amour-là devrait rester clandestin, ils ne pourraient s'aimer qu'à la dérobée, et cela risquait de durer des années et des années. Mais il se sentait incapable de le supporter; il voulait être auprès de Florrie à tout instant, et pas seulement dans le lit. Il voulait son visage face au sien pendant qu'il mangerait, il la voulait à ses côtés pendant qu'il se promènerait. La première fois qu'il avait posé les yeux sur elle, c'était en 1932, il y avait neuf ans. Et depuis lors il se mourait d'amour.

Il se serra soudain contre son corps chaud, et comme il posait ses lèvres sur les siennes des larmes jaillirent de ses yeux. Lorsqu'elles coulèrent sur son visage, elle se dégagea de son étreinte en s'exclamant :

— Mais qu'est-ce qui se passe ? Je ne parlais pas sérieusement, je te taquinais seulement. Qu'est-ce que j'ai donc dit ? Je t'ai dit...

Il secoua la tête et ravala ses larmes :

— Cela... cela n'a rien à voir... ça vient de moi, un moment de faiblesse. Je pleure lorsque je suis très troublé. Mais... mais je n'aurais pas cru que cela pût m'arriver lorsque j'étais heureux, et je le suis jusqu'à l'extase.

— Abel ! (Elle le prit dans ses bras.) Tu es si différent des autres. Je n'ai jamais connu un homme qui pleure, et c'est pour cette raison que je t'aime.

CINQUIÈME PARTIE

LE CHÂTIMENT

CHAPITRE I

— Tu sais, quand, après avoir attendu une année, ils m'ont réformé, j'ai eu envie de me jeter à l'eau, et pas seulement parce que l'armée de l'air m'avait refusé, mais parce qu'ils étaient persuadés que je ne voulais pas m'engager, et même que je ne voulais pas faire la guerre du tout. Je me vois encore chez ce médecin. Je ne sais ce qui m'avait énervé à ce point, si ce n'est que j'avais dû attendre presque trois heures, dont la moitié tout seul dans une pièce. Tu sais, Molly, je suis certain que l'on m'observait sans que je le sache, mais je n'y ai pensé subitement que lorsqu'ils m'ont flanqué dehors en me disant qu'ils m'écriraient. A ce moment-là, j'ai hésité entre retourner là-bas pour tout casser et aller me jeter à l'eau.

— Tu aurais dû venir me chercher; ainsi, nous y serions allés tous les deux. Moi aussi, j'ai souvent pensé à le faire, mais je voudrais que quelqu'un me tienne par la main et saute avec moi. Si jamais je changeais d'idée, je pourrais alors grimper sur ses épaules et sortir de l'eau !

— Oh ! Molly !

Il avait les coudes posés sur la table, la tête appuyée dans les paumes de ses mains, et ses épaules étaient secouées par le rire. Mais elle lui demanda, depuis l'évier où elle faisait la vaisselle :

— As-tu déjà souhaité la mort de quelqu'un ?

Il reprit brusquement son sérieux, leva la tête et la regarda fixement.

— Comment ? Pourquoi me poses-tu cette question ?

Elle tourna la tête vers lui :

— Pour rien; je me le demandais simplement. N'as-tu jamais souhaité la mort de quelqu'un ? Eh bien, qu'est-ce que tu as ? Pourquoi rougis-tu comme ça ?

221

— Je rougis ? (Je n'avais pas l'impression de rougir.) Je ne rougis pas, hein ?

— Écoute, tu es assez rouge.

— Oh ! tu ferais rougir n'importe qui avec les choses que tu sors.

— Il n'y a pas de quoi rougir, non ? Je te demandais simplement si tu as déjà souhaité la mort de quelqu'un. Je cherchais à comprendre mes idées noires, avant que nous allions nous jeter dans la rivière. (Elle lui fit une grimace.)

— Tu souhaites la mort de quelqu'un, toi ?

— Bien sûr, sinon je ne t'aurais pas posé cette question.

Il la regarda d'un air sérieux et demanda :

— Ta mère ?

— Oui, ma mère. (Elle tourna le dos à l'évier et essuya ses mains avec un torchon; puis elle le secoua et ajouta :) Il est trempé, je ferais mieux de le changer. Alors qu'elle en sortait un sec d'un tiroir, il lui demanda :

— Ça te préoccupe vraiment ?

— Plus autant qu'avant. (Elle vint se glisser sur une chaise en face de lui.) Surtout depuis que je sais que je ne suis pas la seule. (Elle lui sourit et ajouta :) Ça va mieux maintenant, cela me prend juste de temps en temps quand elle me fait enrager. Cependant, il y a quelques années, quand j'avais seize ou dix-sept ans et que je voyais les autres filles prendre du bon temps, aller au cinéma avec leurs petits amis ou passer devant la grille, le dimanche, bras dessus, bras dessous pour aller se balader dans la campagne, alors à ce moment-là, oui, je ne souhaitais qu'une chose, c'était qu'elle meure ! Je passais la moitié de mes nuits à me tourner et à me retourner dans mon lit en proie à des cauchemars angoissants. Chaque fois je me retrouvais en prison, et presque toujours me réveillaient ses propres paroles tintant à mes oreilles : « Après tout ce que j'ai fait pour toi! ». Elle continue à me dire ça : « Après tout ce que j'ai fait pour toi. » Et qu'est-ce qu'elle a donc fait pour moi ? Elle a fait de moi une vieille fille avant l'âge... enfin presque.

— Ne dis pas de bêtises. Une vieille fille. Quelle blague !

222

— Qui veux-tu assassiner ?

— Assassiner ? (Il resta bouche bée, et il haussa si haut les sourcils que la peau autour de ses yeux se tendit.)

— Dis-moi de qui tu souhaites la mort.

Il détourna la tête, se mordilla la lèvre et bégaya en haussant les épaules :

— Per... per... personne en pa... particulier.

— Personne en particulier ? Tu souhaites la mort de tout le monde alors ?

— Non, non; ne le prends pas au pied de la lettre. (Il agita nerveusement la tête de gauche à droite et bredouilla :) Eh bien, il y avait quelqu'un. Je... je pensais que, s'il était mort, les choses s'arrangeraient.

— Quelles choses ?

— Oh ! juste quelque chose qui est arrivé.

— A qui... à toi ?

— Non. Enfin ce que je veux dire... Oh ! là là ! (Il se leva.) Tu veux savoir, Molly ? Tu n'es qu'une petite curieuse.

— Oui, je sais; c'est mon seul passe-temps. Mais je ne le suis qu'avec les gens que j'aime.

Elle se leva vivement et allait saisir une tasse sur l'égouttoir pour l'essuyer quand le mugissement des sirènes éclata soudain au-dessus de la ville, et elle ferma les yeux en soupirant :

— Oh non ! Encore ! C'est la troisième fois, cette semaine.

— Vas-tu la faire descendre ? demanda-t-il d'une voix différente, nerveuse.

— Oui, probablement.

— Je peux t'aider ?

— Oui, ça me ferait plaisir; mais il va y avoir du grabuge.

— Ecoute, si elle s'en prend à moi, je la jetterai sous la table, dit-il en ricanant. Au fait, est-ce que c'est prêt ?

— C'est toujours prêt; je laisse le matelas sous la table en permanence maintenant. Viens.

Mme Burrows était déjà assise sur le bord de son lit quand ils entrèrent dans la chambre.

— Tu as pris ton temps !

— La sirène vient à peine de s'arrêter, mère.

— Ce n'est pas ça qui va empêcher les bombes de tomber, n'est-ce pas ?... Qu'est-ce que vous voulez ? (Elle regardait Dick d'un air furieux.)

— Je suis venu vous aider à descendre l'escalier, répondit-il avec douceur.

— Elle peut s'en occuper.

— Oh ! bien sûr; elle n'a pas le choix.

— Ça va ! ça va ! (Mme Burrows s'était levée, et ils la soutenaient tous deux. Elle jeta un regard à Dick et lui dit sur un ton sarcastique :) Vous êtes un petit champion, n'est-ce pas ? Mais, si vous vouliez vraiment m'aider, vous auriez dû prendre un escabeau.

— *Mère* !

— Oui, ma fille ?

Molly ne dit rien. Elle se contenta de pousser un profond soupir. Sur le palier elle les mit en garde d'une voix qui ne ressemblait vraiment pas à celle d'une invalide :

— Attention à ce que vous faites, vous allez me faire descendre la tête la première. Nous ne pouvons pas descendre à trois de front. Passez devant, vous !

D'un brusque mouvement du coude, elle faillit faire tomber Dick dans l'escalier. Tendant la main pour se rattraper, il baissa la tête et se mordit fortement la lèvre pour ne pas laisser échapper la méchante réplique qui lui était venue à l'esprit.

Cette femme était un vrai démon. Comment Molly pouvait-elle la supporter ? Désirer sa mort ? S'il avait été à sa place, il aurait réalisé son souhait depuis longtemps. Une telle ingratitude et un tel égoïsme lui paraissaient inimaginables. Il lui était difficile d'admettre qu'il pût y avoir sur terre des gens comme elle, bien qu'il ait appris très jeune qu'il en existait. La douleur qui lui traversait encore l'oreille de temps à autre éveillait en lui le souvenir d'une certaine personne qui lui ressemblait fort... Non, sa mère n'avait pas pu être aussi méchante que Mme Burrows. Et puis celle-ci n'avait aucune raison de se plaindre de Molly, alors que sa mère, elle, avait de vrais griefs. Ces derniers temps, cette pensée le tourmentait très souvent et, ainsi que ses autres soupçons, elle faisait naître en lui un sentiment de colère.

— Voilà, ça y est. Attention !

Il aida Mme Burrows à s'installer sur le matelas qui était sous la table; tandis que Molly la calait sur des oreillers, il voulut lui étendre les jambes.

— Ne me touchez pas, cria-t-elle en l'écartant d'un geste de la main.

— Mère, c'est pour t'aider.

— Je n'ai pas besoin de l'aide de cette demi-pomme.

Molly se remit alors vivement sur ses pieds, attrapa Dick par le bras et le poussa devant elle hors de la pièce. Ils traversèrent le couloir et entrèrent dans la cuisine. Quand elle eut fermé la porte, il se tourna vers elle et lui dit en riant :

— J'ai compris pourquoi tu souhaites sa mort, mais qu'est-ce qu'elle a contre moi ? Ça doit faire des mois que je ne l'avais pas vue.

Molly alla tirer le rideau de black-out devant la fenêtre, et elle lui répliqua :

— Rien de plus que ce qu'elle a contre tout le monde.

Il se tut un instant, puis déclara :

— Bon, il vaut mieux que je traverse; mais si papa est là je reviendrai aussitôt et je resterai avec toi, au cas où la soirée serait mouvementée.

Sans répondre, elle se dirigea vers la porte de service, et elle en écartait déjà le lourd rideau quand il prononça des paroles qui arrêtèrent son geste. Elle resta ainsi un certain temps avant de se retourner, les yeux écarquillés et la bouche entrouverte. Il répéta alors :

— Molly, je t'aime. Il fallait que je finisse par te le dire. L'autre nuit, quand les sirènes se sont mises en route et que les bombes ont presque tout de suite commencé à tomber, j'ai pensé que nous allions peut-être mourir l'un et l'autre et que tu ne saurais jamais ce que j'éprouve vraiment pour toi; alors j'ai décidé que la prochaine fois que je viendrais ici, je... je te le dirais, pour le cas où nous n'en réchapperions pas. Et ce n'est pas la peine de me répondre qu'il y a quatre ans et quelque cinq centimètres qui nous séparent. Je sais tout ça, il y a assez longtemps que je me le suis enfoncé dans le crâne. Mais les années et les centimètres n'ont rien à voir avec les sentiments. Molly, je... je ne me souviens pas d'avoir cessé de t'aimer, ne serait-ce qu'une seconde. Mais je ne veux pas que ce que je viens de te dire t'embête, parce que je sais... je sais bien que, pour toi, je ne suis qu'un bon copain.

— O...h, toi ! Dickie Gray. Quel sot tu es ! (Elle penchait la tête vers lui, ses lèvres tremblaient, et c'est d'une voix un peu altérée qu'elle lui dit :) Pourquoi, mais pourquoi crois-tu (elle désigna la porte de la cuisine d'un mouvement vif du pouce) qu'elle ne te supporte pas ? Hein ? C'est... c'est parce que... eh bien, c'est parce qu'elle sait très bien ce que j'ai ressenti pour toi dès notre première rencontre. Mais j'avais quatre ans de plus que toi; j'étais alors une grande sœur, et puis lorsque je suis devenue une jeune femme tu étais encore un écolier. Maintenant, je suis presque une vieille fille et tu es un jeune homme, un jeune homme très attirant...

Ils tombèrent dans les bras l'un de l'autre. Sans parler, sans s'embrasser, ils se tinrent ainsi enlacés. Puis ils s'écartèrent doucement, ils se regardèrent dans les yeux, et ce fut leur premier baiser, presque timide, un doux baiser, lèvres fermées, un peu comme deux enfants qui ont peur de ce qu'ils sont en train de faire. Soudain une voix querelleuse les rappela à la réalité :

— Molly ! Molly !

— Quel poison ! dit-elle en riant.

Et ils s'embrassèrent à nouveau, mais c'était un vrai baiser cette fois, tandis que la voix de plus en plus forte appelait :

— Tu m'entends ? Mon dos me fait mal. Molly ! Molly !

Elle le repoussa et, un large sourire éclairant son visage, elle lui dit :

— Reviens aussi vite que tu pourras.

Il resta là un instant, très droit, à la regarder sans ciller, puis, sans prendre les précautions d'usage, il écarta brusquement le rideau et sortit...

Hilda était dans la cuisine. Elle tourna la tête vers lui, l'air désappointé.

— Où est ton père ? lui demanda-t-elle.

— Je pensais... je pensais qu'il serait là. Il était de garde jusqu'à neuf heures seulement.

Elle s'installa dans le fauteuil en bois sur les bras duquel elle se mit à pianoter, puis elle dit comme si elle se fût parlé :

— Il a sûrement été retenu.

— Pourquoi ne descends-tu pas dans l'abri ?

— Je supporte mal les petits espaces.

— C'est moins dangereux.

Elle lui jeta un bref coup d'œil :

— Tu crois que ça sera moins dangereux si une bombe tombe sur la maison ? (Puis elle ajouta :) Descends, toi, si tu veux.

— Moi ! (Il avait parlé sur un ton aigu.) Il n'est pas question que je descende là-dedans.

Il vint s'asseoir en face d'elle, et après avoir posé sur lui un regard pénétrant elle lui demanda :

— Qu'est-ce qui t'arrive ? Tu as l'air bien satisfait ? As-tu finalement reçu un avis différent de l'armée de l'air ?

— Non, pas du tout. (Il secoua la tête et une nouvelle bouffée de bonheur l'envahit quand il se rendit compte qu'elle était contente qu'il n'ait rien reçu; avec un air un peu honteux, il avoua alors :) Je pense... je pense qu'il vaut mieux te le dire, tante Hilda. Je suis... je suis amoureux de Molly.

— Mon dieu !

Elle se mit à rire, doucement d'abord, puis de plus en plus fort. Cela faisait longtemps qu'il ne l'avait pas entendue rire aussi spontanément; légèrement vexé toutefois, il lui demanda :

— Tu trouves que c'est drôle ?

— Mais non, Dick. Je ne trouve rien de drôle au fait que tu sois amoureux de Molly, mais je trouve comique que tu me dises quelque chose que je sais depuis des années. Tu l'as affiché sur tous les murs, tu aurais tout aussi bien pu l'écrire sur des panneaux de réclame.

— Enfin, tante Hilda ! Tu exagères. Je n'aurais jamais...

227

Elle brandit une main vers lui, et, toujours riant, elle lui dit :

— C'est pourtant ce que tu as fait. S'est-il écoulé une seule journée sans que tu files chez elle dès que l'occasion se présentait ?

— Non, c'est vrai. (Il se mit à rire lui aussi.) Mais je croyais... je croyais que tu pensais que nous étions seulement de bons amis.

— De bons amis, quelle blague ! Toujours est-il que tu es amoureux, et elle ?

Il se mordilla l'ongle du pouce avant de répondre d'une voix douce :

— Ça me semble incroyable, mais elle éprouve les mêmes sentiments.

— Eh bien, tout cela, j'aurais pu le dire depuis longtemps.

— Tu n'as rien contre, n'est-ce pas ?

— Qu'est-ce que tu veux que j'aie contre ? (Son visage était redevenu sérieux.) Je suis heureuse. Je suis vraiment heureuse pour toi. Tu as quelques années de moins qu'elle, je le sais bien; mais c'est ce dont tu as besoin, Dick. Il te faut quelqu'un de mûr, de solide.

— Oui, je crois que c'est vrai.

— Dis-moi. (Elle se pencha vers lui, les mains croisées sur les genoux.) Depuis longtemps je voulais te poser une question : y a-t-il quelque chose qui te tourmente, je veux dire, en dehors du problème de ton engagement dans la guerre et de Molly ? Y a-t-il quelque chose qui t'inquiète ?

Il tressaillit, ses paupières clignotèrent, et il se leva pour lui répondre :

— Mais non, rien d'important. Reste-t-il encore du lait ? J'en boirais bien une tasse.

— Dick (sa voix le fit se retourner), je ne te crois pas ! Je suis sûre qu'il y a quelque chose qui te tracasse et qui provoque ta nervosité. Ecoute, je... je ne t'ai jamais parlé d'elle, de ta mère.

Son agitation devenait manifeste : ses épaules se soulevaient l'une après l'autre, puis toutes les deux à la fois. Hilda aussi s'était dressée, et elle lui demanda :

— C'est à cause de ta mère, n'est-ce pas ?

Des gouttes de sueur coulaient sur ses sourcils et le long de ses joues, et il murmura :

— Oui. Oui, dans un certain sens.

— Qu'a-t-elle donc fait qui te mette dans cet état ?

— Oh ! (il baissa les yeux et secoua la tête), elle avait simplement mauvais caractère et... elle avait la manie de me frapper sur les oreilles...

— ... Mon dieu !

Ils s'étaient précipités l'un vers l'autre et se tenaient agrippés; toute la maison s'était mise à trembler.

Elle ne se rendait pas compte qu'elle criait, et il lui dit :

— Tout va bien, tout va bien. (Puis il tendit l'oreille avant d'ajouter :) C'est fini; ils ont dû bombarder le centre de la ville. Les coups de canon de la défense antiaérienne viennent de là.

Lorsqu'il la lâcha et se dirigea vers la porte, elle s'écria :

— Non, non ! Ne pars pas tout de suite, Dick, pas tout de suite. (Puis, portant la main à sa bouche :) En voilà une autre !

Et il répéta :

— Ne crains rien, cela doit être en ville.

— Et encore une ! Oh, seigneur Dieu, seigneur Dieu !

— Descends dans l'abri !

— Non, pas question ! (Elle secoua la tête d'un air farouche, puis elle murmura :) Abel, où peut-il donc être ?

— Il doit être au poste ou dans les environs. La première bombe est tombée de l'autre côté, très loin du poste; alors ne t'en fais pas. Écoute, assieds-toi, je vais te préparer du thé.

Elle se laissa guider jusqu'à une chaise, et elle se tint assise comme une petite fille, les mains jointes sur les genoux, se balançant légèrement d'avant en arrière.

Il venait à peine de lui tendre une tasse de thé lorsqu'il entendit crier son nom. Avant qu'il n'ait eu le temps de bouger, Molly ouvrit brusquement la porte et bondit dans la cuisine. Puis elle la claqua derrière elle, et s'y adossa. Hilda et Dick vinrent la soutenir et ils lui demandèrent en chœur :

— Qu'est-ce qui se passe ? Qu'est-il arrivé ? Elle n'est pas tombée chez toi ? Ils n'ont pas bombardé si près que ça.

— Non, non. (Elle fit un signe de négation et s'éclaircit la voix :) C'est sans doute à cause du choc.

— Quel choc ? (Hilda la secouait.)

Molly s'écarta de la porte, puis se frotta la bouche un instant avant de répondre :

— Elle est morte. Ça s'est passé juste après le bombardement. Elle... elle a crié, puis elle s'est relevée d'un bond et sa tête a heurté le dessous de la table. Je... je croyais qu'elle s'était assommée, mais... mais elle n'est pas revenue à elle et... (Elle se tut, ferma les yeux, puis ajouta :) Son cœur ne battait plus.

— Allons-y; tu t'es peut-être trompée, elle a sans doute une simple commotion et son pouls est trop faible pour qu'on puisse le sentir. Allons-y.

A l'instant où il allait ouvrir la porte, Hilda lui cria :

— Attends deux secondes; je vais laisser un message pour Abel afin qu'il sache où nous sommes.

Elle saisit dans le buffet un bloc de papier sur lequel elle griffonna quelques mots et le posa en évidence devant le réveil. Puis ils partirent au pas de course et arrivèrent chez la mère de Molly...

... Ils se relevèrent, et Hilda, se tournant vers Dick, lui ordonna d'un ton pressé :

— Va chercher ton père. Ramène-le aussi vite que possible.

Le long des rues vides qui le conduisirent à l'école, il ne fut interpellé qu'une seule fois par un garde qui lui cria :

— Avez-vous besoin d'aide ?

— Non, non merci. Je vais... je vais seulement au poste de surveillance, celui de l'école de Bower Road.

Il leva la tête sans s'arrêter de courir. Il y avait des lueurs rouges dans le ciel du côté de la vieille ville de Bog's End, et des lueurs encore plus vives sur sa droite à une moindre distance.

Deux hommes se tenaient dans la salle de garde. Il connaissait l'un d'entre eux, un certain M. Blythe, qui lui demanda en raccrochant le téléphone d'un geste vif :

— Ce n'est pas tombé chez vous ?

Il répondit en reprenant son souffle :

— Non, c'est vers Swanson Terrace, je crois. J'ai vu des flammes dans cette direction. Mais... mais nous avons eu très peur. (Il parcourut la pièce du regard.) Est-ce... est-ce que mon père est ici ?

— Non.

— Où... où est-il ?

— Je ne saurais le dire, Dick; il a été relevé il y a presque une heure.

Dick réfléchit un instant, puis remercia et s'élança vers la porte. Mais M. Blythe l'arrêta :

— Il a dû entrer boire une canette de bière quelque part, si jamais il a eu assez de veine pour trouver un pub qui en ait.

— Oui, sans doute. (Il lui adressa un signe de tête en guise de salut.)

Une fois dans le préau de l'école, il observa autour de lui : les flammes du côté de Swanson Terrace semblaient plus hautes; elles illuminaient le ciel, et, vers les docks, il aperçut une longue rangée de lumières; elles n'étaient pas très vives, mais c'étaient certainement des flammes là aussi. Depuis plusieurs nuits, ils essayaient de bombarder les docks, et ils avaient dû finir par atteindre leur cible.

Où pouvait donc être son père ? Il traversa rapidement la cour, mais une fois la grille franchie il s'arrêta pour regarder d'un côté, puis de l'autre. Allait-il rentrer et dire à Hilda que son père n'était plus de garde, mais qu'il était parti prêter main-forte aux pompiers ou allait-il prendre l'autre direction et monter chez sa tante Florrie ?

Puis il fut submergé par un sentiment qui était bien proche de la colère noire, et il se mit à courir vers Brampton Hill, une pensée fixe lui martelant la tête à chaque foulée. Depuis quelque temps, il avait compris ce qui se passait; il n'était pas idiot, quoique son père dût le prendre pour un imbécile. Un jour, il l'avait vu aider tante Florrie à descendre de la camionnette et lui tenir la main jusqu'à la grille de sa maison.

Son père ne l'avait aperçu que lorsqu'il était revenu à la camionnette. Et quand il l'avait rejoint il lui avait expliqué sans aucune gêne :

— J'ai rencontré ta tante Florrie qui faisait des courses, et je l'ai reconduite.

Il s'était alors retenu de lui répliquer : « Elle a sans doute perdu son sac ou ses paquets en cours de route. »

Et ses sorties du dimanche après-midi ! Son père n'allait plus se promener dans les collines. Une fois il l'avait même vu prendre cette direction, puis changer brusquement de chemin après Wardle Drive. Et pour aller où ?

Lorsqu'il parvint au niveau du numéro 46, il s'arrêta un moment et s'accrocha aux grilles. Puis il dirigea sa torche vers l'allée et se remit à courir. Devant la porte d'entrée, il se redressa, boutonna son manteau et tira ses cheveux en arrière; il traversa le vestibule, le corridor et se retrouva face à la porte de l'appartement sur jardin.

Il dévisagea un instant la femme qui lui avait ouvert, pensant que ce n'était pas sa tante Florrie. Puis, lorsqu'il la reconnut, il attribua sa méprise au fait qu'elle se trouvait sous une lampe électrique, recouverte d'un abat-jour vert foncé. Elle s'exclama d'une voix sourde :

— Oh ! c'est toi, Dick.

Elle le fit entrer et referma la porte. Il comprit alors pourquoi il l'avait trouvée changée. Sa tante Florrie avait toujours été mince comme un fil et à présent elle était grosse, du moins elle avait un ventre rond. Elle était enceinte, cela sautait aux yeux. Il détourna vivement la tête et regarda son père qui se tenait au bout du corridor. Il avait son pardessus et, de toute évidence, il s'apprêtait à partir. Dick s'avança vers lui d'un pas rapide, et Abel lui demanda d'une voix âpre :

— Qu'est-ce que tu viens faire ici ?

— Je pourrais te poser la même question.

— Regardez-moi ça; mais voyons, mon garçon.

— Ne m'appelle plus comme ça. (Son attitude aussi bien que sa façon de parler étaient agressives.) Je ne suis plus ton garçon. J'ai cessé de l'être le jour où j'ai arrêté de dire tout le temps : « Oui, papa; non, papa. » Et cela fait déjà longtemps.

— S'il vous plaît, s'il vous plaît. (Florrie avait étendu les bras entre eux, comme si elle avait voulu les séparer.) Entrez, entrez, les implora-t-elle. (Elle les précéda dans le salon, et c'est elle qui prit l'initiative de parler :) Écoute, essaie de comprendre, Dick, à propos de ton père et de moi...

Mais, détournant la tête, Dick l'interrompit d'un brusque geste de la main :

— Je ne veux rien entendre, tante Florrie. De toute façon, ce n'est pas à moi qu'il faudrait donner des explications.

— Écoute donc...

— C'est tout ce que vous savez dire ? (Tout en parlant, Dick s'étonnait de son intrépidité; puis il ajouta :) Tante Hilda m'a envoyé te chercher. Mme Burrows est morte d'une commotion pendant le bombardement. Les bombes sont tombées à côté. Elles auraient pu nous atteindre. (Son regard alla de l'un à l'autre, puis il remarqua :) C'est dommage que ça ne soit pas arrivé, n'est-ce pas ? Cela aurait résolu vos problèmes.

Tandis qu'il se dirigeait vers la porte, il devina qu'elle retenait Abel. Il était déjà presque au bout du couloir quand il entendit son père dire :

— Ne te fais pas de souci; tout se passera bien.

Abel le rattrapa dans le hall d'entrée, et ils longèrent en silence l'allée couverte de graviers. Parvenus à la grille, ils faillirent se heurter à une petite silhouette et s'emmêlèrent les jambes dans deux laisses au bout desquelles deux chiens se mirent à aboyer.

— Espèce de bougres ! Regardez donc où vous mettez les pieds !

Même si Abel n'avait pas, à la lumière de sa torche, aperçu l'hirsute M. Donnelly, il l'aurait reconnu à sa façon de parler.

Les chiens glapissaient et le vieil homme les fit taire d'un « fermez vos gueules » retentissant. Puis, dirigeant sa torche sur Abel et Dick, il s'exclama :

— Oh ! mais c'est vous !

— Y a-t-il quelque chose qui ne va pas ?

M. Donnelly répondit en criant :

233

— Quelque chose qui ne va pas ? Pensez-vous ! J'ai seulement perdu cette satanée maison. Toute cette sacrée rue a écopé, et moi, j'y serais passé aussi si j'avais été là. Ils ont voulu m'installer dans l'école avec toute une troupe de femmes hurlantes. Je leur ai dit d'aller se faire voir. (La voix se fondit presque en un murmure pour conclure :) Bande de scélérats ! Ça m'a fait un choc de voir tout c't endroit disparaître. De toute façon (il éleva la voix), Florrie me prêtera son divan pour cette nuit.

— Il y a toujours une chambre libre chez nous, si vous êtes err panne, Fred.

— Ah ! merci beaucoup; on verra ça plus tard. Je m'en occuperai demain; pour l'instant, j'suis tout sens dessus dessous.

Sans un mot de plus, il s'éloigna, et eux aussi reprirent leur marche.

Au bout d'un certain temps, Abel annonça :

— Il faut que je te parle.

— Ce n'est pas la peine; j'ai des yeux pour voir, et ce soir j'ai appris tout ce que je voulais savoir.

— Tes yeux peuvent te tromper. (Abel l'avait empoigné par les épaules, et ils s'affrontèrent du regard. Puis il siffla entre ses dents :) A cause de *qui* me suis-je retrouvé dans cette situation ? Réfléchis. T'es-tu jamais posé la question ? Crois-tu donc que je me serais laissé prendre dans ce piège si tu n'avais pas été là ? Je l'ai fait pour t'épargner la misère.

— Tu ne t'en tires pas trop mal. Ma tante Hilda a été vraiment bonne avec toi.

— Ta tante Hilda n'a pas été bonne avec moi; tu ne connais rien à tout cela, mon garçon.

Dick se dégagea de l'étreinte d'Abel :

— Arrête de m'appeler « mon garçon ».

— D'accord, mais toi, cesse de te conduire comme un enfant.

— Je suppose que, si je t'approuvais d'avoir deux femmes et une maîtresse, tu me traiterais comme un homme.

— Seigneur Dieu ! (Il y avait eu un tel accent de désespoir dans la voix de son père que Dick resta silencieux. Puis Abel reprit :) Je vais te dire quelque chose. J'ai aimé ta tante Florrie dès l'instant où je l'ai vue et je n'ai appris que très récemment qu'elle avait immédiatement ressenti la même chose pour moi.

— Quoi ! Avec tous les hommes qu'elle a connus depuis ?

Le coup manqua son but et dévia sur le côté de sa tête; puis Abel l'attira contre lui et, l'étouffant presque, il lui dit :

— Oh, mon dieu; qu'est-ce qui nous arrive ? Excuse-moi, excuse-moi.

Après un lourd silence, Dick repoussa son père et dit d'une voix légèrement brisée :

— Ne lève plus jamais la main sur moi; sinon tu en recevras autant, aussi fort que tu sois, je te préviens... Et maintenant écoute-moi : tu viens de me dire que tu es tombé amoureux d'elle dès que tu l'as vue; eh bien, dans ce cas, je trouve que tu as eu bien vite fait d'oublier Alice, Alice qui était si merveilleuse, Alice à cause de qui l'on s'est retrouvés sur les routes. Une année ne s'était même pas écoulée que la grande romance était oubliée.

Abel ne répondit pas aussitôt. Il évita de répliquer sur le même ton, mais s'efforça de prendre une voix calme :

— Oui, on pourrait croire que les choses se sont passées de cette façon, je te l'accorde. Mais c'est une erreur. Tu le comprendras. Un jour, tu le comprendras. (Puis quelque peu méfiant, il ajouta :) Est-ce... est-ce que je peux te demander de ne rien raconter à Hilda ? Il y a longtemps que j'ai l'intention de tout lui expliquer, mais... mais ce n'est pas le moment.

Ils se remirent en marche dans un silence pesant. Lorsque la maison fut en vue, Dick prit finalement la parole, comme si leur conversation s'était poursuivie :

— Ce ne sera jamais facile, ce ne sera jamais le bon moment de tout lui expliquer; je ne vois pas ce qui pourrait atténuer le choc que tu vas lui causer, tu le sais très bien.

— Mais oui, je le sais.

— Peu importe sa façon d'agir, elle t'aime... et elle est bien bête.

Abel ne répliqua rien, il en était incapable, tant la blessure que son fils venait de lui faire était profonde. Que Dick puisse un jour le rejeter était bien la dernière chose qu'il serait allé imaginer; son fils qui l'adorait, son fils qui était un homme maintenant, et qui venait de le montrer. Une parcelle de son esprit s'enorgueillissait que cette chair qui était sienne s'opposât résolument à ce qui était immoral. Lui-même s'était élevé contre l'immoralité, celle d'une nation, celle du meurtre, mais celle contre laquelle son fils se dressait était d'une nature, disons, plus commune. Il se révoltait contre le mal qu'une personne fait à une autre. Et lorsque son fils décrétait qu'un acte était un péché, il ne se référait pas au code social, mais pensait à la peine infligée à un autre être humain.

Il eut l'envie soudaine de lui dire : « Je vais tout raconter à Hilda. » Mais cela aurait impliqué de lui révéler que non seulement elle n'était pas sa femme, mais qu'en plus il était le père de l'enfant que sa sœur allait avoir... Mon dieu ! Non, pas ça ! Son fils avait raison, il était impossible d'atténuer la brutalité de cette révélation. Et Hilda ne méritait pas qu'on la détruisît.

CHAPITRE II

— Écoute, ma chérie. (Dick posa un bras autour des épaules de Molly.) Cela devait arriver un jour ou l'autre; elle avait le cœur faible. Et tu ne peux rien te reprocher. Après tout ce que tu as fait pour elle et tout ce que tu as dû endurer !

Molly retira les mains de son visage, et, les yeux perdus dans le vague, elle demanda :

— Est-ce que tu te souviens de ce dont nous parlions la nuit dernière ?

— Mais oui; nous parlions du fait de souhaiter la mort de quelqu'un. Nous aurions pu tout aussi bien en parler la semaine dernière ou même l'année dernière, et cela ne t'aurait pas affectée. Mais voilà, nous en avons parlé hier, et à présent tu prends plaisir à te culpabiliser.

— Je prends plaisir !

Elle avait sursauté, et il lui dit en plongeant ses yeux dans les siens :

— Oui, c'est bien ce que j'ai dit, tu prends plaisir.

Molly lui rendit son regard sans rien répondre. Au cours des dernières vingt-quatre heures, il avait changé. Avec une autorité qu'elle n'aurait cru possible que de la part d'Abel, il s'était occupé de l'enterrement, il avait dirigé les hommes qui avaient conduit sa mère au cimetière, et il y avait maintenant dans sa voix une note de maturité qu'elle ne lui connaissait pas.

Tout en l'observant, une pensée étrange lui traversa l'esprit : elle était certaine qu'il ne rirait jamais plus de sa petite taille, et il était probable qu'il se battrait si quelqu'un s'avisait de lui faire une remarque à ce sujet, même en plaisantant. Cependant il avait raison à propos de ses sentiments de culpabilité. Elle se complaisait dans ses tourments. C'était évidemment stupide de sa part, car elle n'avait rien à se reprocher quant à sa conduite envers sa mère. Elle lui avait servi de bonne à tout faire depuis le jour où elle avait commencé à trottiner. Et personne n'aurait pu l'aimer; pas même un saint n'aurait supporté ses criailleries quotidiennes. Malgré tout, elle aurait voulu... elle aurait tant voulu qu'ils n'eussent pas parlé comme ils l'avaient fait la nuit précédente. Après le départ de Dick, elle était restée près de la porte de la cuisine, et lorsque sa mère avait crié « Est-ce que tu m'écoutes, Molly ? », elle avait songé comme la vie serait merveilleuse sans cette créature geignarde allongée sous la table. Et voilà qu'elle se retrouvait seule, et rien n'était merveilleux, car la culpabilité et le remords la rongeaient.

— Allons, viens ! Tante Hilda nous a préparé le dîner. (Il lui sourit :) Tu sais, on dirait qu'elle attend toujours le moment du repas. Elle aime sa cuisine, et cela commence à se voir : elle est vraiment en train de grossir. Elle passe son temps à grignoter. On dit que c'est... »

Il s'empêcha d'ajouter : « ... un signe de frustration ou de compensation. » Se souvenant de l'algarade avec son père, la nuit précédente et de l'état de sa tante Florrie, il lui apparut plus clairement que jamais que chez elle — il la considérait comme sa mère — il y avait un vide qu'elle ne pouvait combler qu'en mangeant.

— Viens. (Il l'attrapa par la main; puis avant d'ouvrir la porte il la prit dans ses bras et lui dit :) A partir d'aujourd'hui, notre vie sera comme un voyage sur une mer calme; quoi qu'il advienne autour de nous, toi et moi nous serons heureux.

Elle contempla son visage si familier. Elle eut l'impression qu'il avait vieilli de plusieurs années en une seule nuit, et elle se contenta de hocher la tête, sans rien ajouter. Mais lorsqu'il posa sur ses lèvres un baiser passionné, elle pensa avec ironie : « Chacun sa façon de trouver ses compensations. » Sa tante Hilda, elle, aurait dit : « Les Voies du Seigneur sont impénétrables. » Que Dick l'aimât tenait du prodige, il lui suffisait de se regarder dans une glace pour s'en persuader. Et le fait qu'il pensât que c'était lui qui avait de la chance rendait ce prodige encore plus étonnant.

Sur le seuil, il s'arrêta pour dire :

— Nous allons couper par le champ. Ton champ; est-ce que tu réalises ?

— J'espère que ce sera bientôt le nôtre, répliqua-t-elle en lui jetant un regard en biais.

— Oh ! Molly ! (Il fit un signe de dénégation.) Je ne pensais pas du tout à ça.

— Je le sais bien, mais (elle se pencha vers lui avec un petit sourire de connivence) je parie que cela n'a pas échappé à l'attention de ta tante Hilda.

— Tu as raison, je le parierais également. Mais c'est ton terrain et tu en feras ce que tu voudras.

— Nous verrons ça plus tard.

Ils passèrent par l'arrière des bâtiments, et alors qu'ils arrivaient dans la cour un bruit de voix en colère, qui provenaient de la cuisine, les arrêta et leurs regards se croisèrent.

Après avoir écouté un instant, Dick observa :

— Ce n'est pas papa; allons-y... Regarde ! (Il désignait deux chiens attachés au tuyau de descente des eaux de pluie.) M. Donnelly, chuchota-t-il.

Lorsqu'ils ouvrirent la porte de la cuisine, Hilda et le vieil homme leur jetèrent un regard perçant, et, presque aussitôt, M. Donnelly se tourna contre Dick. Brandissant le doigt dans sa direction, mais continuant à regarder Hilda il s'écria :

— Tu peux les héberger, donner un abri à n'importe quel clochard, mais que cela arrive à ton propre...

— ... Tais-toi.

— Tu n'as pas à me dire de me taire, jeune fille.

Comme le vieil homme titubait vers la table pour y prendre appui, Dick se rendit compte que, bien qu'il ne bredouillât pas, il avait beaucoup bu. Il se remit à hurler :

— Ne me dis pas de me taire. Tu sais ce que tu es ? Tu n'es qu'une sale ingrate. Tu l'as toujours été. (Il fit volte-face et, prenant Dick et Molly à témoin, il cria :) Tout ce que je demandais, c'était un abri, un toit pour quelques nuits, et qu'est-ce qu'elle m'a répondu ? Non, pas dans sa maison. Elle me propose ce trou de rat au-dessus du garage; mais attention ! rien que pour quelques jours...

— Ce sont... ce sont de très jolies pièces, monsieur Donnelly, intervint Dick d'un ton posé. On y était très bien. Nous... nous y avons vécu...

— ... Ne me dites pas combien de temps vous y avez vécu. Je le sais très bien, jeune homme. Elle avait tout prévu. Mais c'est quoi maintenant ? Des ateliers, du moins c'est ce que c'était lorsque j'y suis monté pour la dernière fois.

— Il n'y a qu'une pièce qui sert d'atelier, monsieur Donnelly.

— Eh bien, moi, j'y mettrai pas les pieds. Si vous trouvez ça bien... vous avez qu'à y aller et moi je dormirai dans votre lit... Mais oui. C'est-y pas une bonne idée, ça ?

Sans laisser à Dick le temps de répondre, Hilda s'écria :

— On ne changera rien. Tu ne cherches qu'à... qu'à me mettre en colère. Tu as plein de vieux copains qui peuvent te loger... Et puis il y a Florrie.

— Florrie ? (Il se retourna vers elle.) Cette chère Florrie m'hébergerait avec plaisir si elle le pouvait, mais elle n'a qu'une chambre, et tu en as quatre au premier étage. (Il désigna le plafond du doigt.) Et quand son ventre se sera vidé le mois prochain, elle aura besoin de toute la place qu'elle pourra trouver chez elle. Elle m'a laissé dormir sur le divan du salon la nuit dernière, avec mes chiens et tout le bataclan, et c'est ton mari qui m'a dit :

— Si tu veux un lit, Fred, viens chez moi. Hein qu'il l'a proposé ? demanda-t-il à Dick. Vous l'avez entendu, vous étiez près de chez elle.

— Qu'est-ce que c'est ? Où ? (Hilda se déplaça lentement de la cheminée jusqu'au bout de la table; ce n'est pas le vieil homme qu'elle regardait, mais Dick, et elle lui demanda :) Qu'est-ce que ça signifie ? Tu étais chez Florrie la nuit dernière ?

Il avala sa salive.

— Rien qu'un instant, répondit-il.

— Rien qu'un instant ? répéta-t-elle. Tu es allé au poste de garde chercher ton père, si j'ai bonne mémoire.

Et s'il était au poste de garde, comment pouvait-il être chez Florrie ?

— Il est juste allé lui rendre visite pour voir si tout allait bien.

Le visage d'Hilda s'empourpra, et elle se retourna vers son père :

— Qu'est-ce que tu entends par... (Elle hésita, et Fred Donnelly grasseya :) Allez, répète-le. Salis ta bouche, jeune fille, salis-la. J'ai dit quand son ventre sera vide et que le gosse sera né.

Dick la vit s'agripper à la table, et il se prit soudain de haine pour le vieil homme, mais surtout, il sentit grandir encore le mépris qu'il éprouvait pour son père.

— Tu ne savais pas ? Bien sûr, tu ne pouvais pas le savoir (il hurlait encore), tu ne vas jamais voir ce qui se passe chez elle. Pour toi, elle représente la lie de la société, mais tu n'es même pas digne de cirer ses chaussures. Tu m'entends ? Tu n'es même pas digne de cirer ses chaussures. Et elle a ce que tu ne pourras jamais avoir; malgré son âge, elle y est arrivée.

— Sors d'ici ! Sors d'ici tout de suite ! (Elle fit glisser ses doigts le long de la table comme si elle eût cherché quelque chose à quoi se cramponner, et elle lui hurla à nouveau :) Sors d'ici. Tu m'entends ? Mon dieu ! je ne sais pas, mais vraiment pas, comment ça se fait que tu sois mon père. Dehors !

Ses cris révélaient sa fureur. Elle tendit le bras, le doigt pointé vers la porte, mais le vieil homme ne broncha pas; il resta penché sur la table, appuyé sur ses mains, puis il se redressa et l'on aurait dit qu'il avait pris de la taille. Curieusement, il semblait dégrisé, et il parla d'une voix qui trahissait une colère profonde :

— Dans ce cas, jeune fille, je vais soulager ton cœur en t'apprenant quelque chose, car je vais te l'apprendre. Écoute bien : tu n'as aucun lien de parenté avec moi; pas plus que moi j'en ai avec ces deux-là. Tu comprends ? aucun lien. Qu'est-ce que t'as à répondre à ça ? Cela te réjouira peut-être, jeune fille, de savoir que tu n'es qu'une bâtarde. Tu es née bâtarde et tu resteras bâtarde. Fichtre ! Si jamais quelqu'un a dit la vérité, c'est bien moi.

Il se tut. Puis, en lui adressant un sourire terrifiant, il reprit :

— Tu perds tes couleurs, jeune fille. Si j'étais toi, je m'assiérais, car ce n'est pas tout.

Hilda ne s'assit pas, mais s'éloigna de la table à reculons comme si elle se fût trouvée face à un reptile, et quand ses talons heurtèrent le garde-feu elle s'arrêta. Les lèvres écartées, les yeux grands ouverts, elle le regardait avec effroi comme un lapin hypnotisé, tandis qu'il continuait à discourir sur le même ton épouvantable. Il raconta sa vie amoureuse sans en omettre un seul détail sordide; puis c'est d'une voix presque mouillée de larmes qu'il lui dit :

— Je t'ai aimée comme si tu étais mon amour perdu; je t'ai consacré toute ma vie. Rien n'était trop beau pour toi; les autres pouvaient bien aller en enfer, mais toi, il fallait que tu ne manques de rien. Et l'ironie du sort, c'est que tu ne m'as jamais aimé. (Fichtre, j'ai souvent pensé que Dieu l'avait voulu pour me punir). Depuis le jour où tu t'es mise à trotter, tu ne m'as jamais accordé le plus petit brin d'affection; tu aimais Annie, et Annie seulement. Il n'y avait qu'elle qui comptait pour toi. A ce moment-là, je t'avais dans la peau, et je ne pouvais pas faire autrement parce que tu étais tout le portrait de ta mère. Mais, aujourd'hui (sa voix s'enfla brusquement), je sais que si je l'avais épousée elle aurait été une aussi grande garce que toi, parce que tu as bien hérité cette qualité de quelqu'un. Encore que tu l'aies peut-être héritée de celui qui a fait le coup avec elle. Et Dieu seul sait qui c'était, sans doute un parmi d'autres. Mais, jeune fille, au lieu de chercher un appui à tâtons, je crois que tu ferais mieux de t'asseoir.

— Laissez-la tranquille, monsieur Donnelly. (Dick s'avança vers Hilda.) Je crois qu'il serait préférable que vous partiez.

— Fichez-moi la paix ! Ne commencez pas, jeune homme, sinon je vais m'occuper de vous. Je ne m'en irai que quand j'aurai terminé, vous m'entendez ? Et pas avant. Seulement quand j'aurai terminé.

Hilda ne s'assit toujours pas et repoussa la main de Dick. Puis elle se racla la gorge, en tendant le cou à deux ou trois reprises avant de prendre la parole. Et c'est le corps penché vers le vieil homme qu'elle déclara :

— Veux-tu savoir ? Voulez-vous que je vous dise, *monsieur Fred Donnelly* ? C'est la meilleure nouvelle que j'aie apprise depuis des années; c'est même la meilleure chose que j'aie jamais entendue de toute ma vie. (Elle hurlait.) Vous croyiez m'abattre avec les histoires que vous venez de me cracher à la figure, n'est-ce pas ? En fait, vous m'avez fait un bien énorme. Vous m'entendez ? Je me sens propre depuis que je sais que vous n'êtes pas mon père. Et maintenant, je vous le répète pour la dernière fois : « *Sortez d'ici. Sortez de chez moi; je ne veux plus jamais vous revoir. Jamais.* »

Le vieil homme ne bougea pas. Ses mâchoires s'agitaient et l'on entendait ses dents grincer. Puis il bondit vers la porte, l'ouvrit, s'arrêta pour détacher ses chiens et il traversa la cour à toute vitesse, d'un pas titubant.

Dick le regarda partir avant de se tourner vers Molly, qui était restée muette tout ce temps. Il lui fit signe d'aller auprès d'Hilda qui s'était retournée et se tenait appuyée, les bras levés, au manteau de la cheminée, la tête enfouie dans ses mains. Il murmura :

— Je vais chercher mon père.

Abel se trouvait à l'autre bout du garage où il travaillait sur le tour. Il aperçut Dick qui lui adressait de grands gestes pour qu'il arrêtât la machine.

— Qu'est-ce qui se passe ? lui demanda-t-il.

— Tout, pour ainsi dire. (Dick parlait sur le même ton que la nuit précédente, lorsqu'ils étaient revenus ensemble de chez Florrie.)

— Qu'est-ce que tu veux dire par « tout » ?

— M. Donnelly est venu. Il l'a pris au pied de la lettre lorsque tu lui as déclaré qu'il y avait une chambre pour lui, ici. Tante Hilda avait d'autres idées à ce sujet, et elle le lui a dit. Il était ivre, du moins, il l'était quand je suis arrivé; mais je crois que maintenant il est dégrisé. Il... il lui a fait une révélation qui, croyait-il, allait l'abattre. Eh bien, selon toute apparence, l'effet a été le contraire. Mais ce n'est peut-être qu'une apparence...

Abel demanda avec vivacité tout en s'essuyant les mains avec un chiffon :

— Quelle révélation ? Qu'a-t-il dit ? Continue.

— Oh ! ne t'inquiète pas. (Le visage de Dick était fermé). Il lui a annoncé que Florrie attendait un enfant, mais il n'a pas mentionné l'homme qui... Il a dû oublier de le faire.

— Assez ! Ne recommence pas avec ça. Qu'est-ce qu'il est venu dire ?

— Apparemment, il n'était pas venu dans l'intention de raconter quoi que ce soit; il voulait simplement rester ici; mais, lorsqu'elle a refusé, il lui a révélé qu'elle n'était pas sa fille. Il lui a parlé en long et en large d'une femme qu'il a aimée et qui a épousé son frère. Quand ce dernier est mort — il a eu un accident dans la mine —, elle est partie et s'est retrouvée enceinte de quelqu'un d'autre.

Abel porta alors une main à son front et murmura :

— Seigneur Dieu ! Non, pas ça.

Et Dick marmonna :

— Tu étais au courant ?

— Cela fait très longtemps que je le savais.

— Qu'elle... qu'elle n'était pas la fille du vieux Donnelly, ni... ni la sœur de Florrie ?

— Oui, oui.

— Comment l'as-tu appris ?

— Oh ! un jour, j'ai surpris une conversation entre Florrie et Fred; mais je ne savais pas de quoi ils parlaient. Et puis, plus tard, Florrie a laissé échapper la vérité.

— Et tu n'en as rien dit ?

Abel se retourna brusquement vers lui et murmura entre ses dents :

— Qu'est-ce que tu crois que j'aurais dû faire ? Aller lui raconter qu'elle n'était pas sa fille ?

— Non, non. (Dick secouait la tête.) Excuse-moi. Tout arrive en même temps, ajouta-t-il en passant une main dans les cheveux.

— Oui, tout arrive en même temps.

Sa haine s'était effacée quand il dit en regardant son père :

— Elle est dans un état... elle a besoin de réconfort, mais... pas du mien.

Abel baissait la tête; puis au bout d'un moment il grommela :

— Rentre, je vais y aller.

— Papa (cela faisait des mois qu'il ne l'avait pas appelé ainsi, et Abel releva la tête pour le regarder), comme je te l'ai expliqué, elle est au courant pour tante Florrie, mais... si elle t'en parle, tu ne lui diras pas la vérité, n'est-ce pas ? Je ne pense pas qu'elle pourrait en supporter davantage aujourd'hui. Ça lui tournerait sûrement la tête.

Abel resta un instant les yeux dans le vague, puis d'une voix sèche et gutturale il répondit :

— Ne t'inquiète pas, j'ai... j'ai l'habitude de mentir. Je m'y entends très bien.

Dick sortit du garage à pas lents, et le regard d'Abel tomba sur le morceau de câble qu'il tenait toujours dans les mains. Il le serra violemment et eut alors le souvenir fugace des chaînes qui l'avaient retenu prisonnier autrefois, dans cette grange.

Abel se dirigea vers la maison. Il espérait au fond qu'il n'aurait pas à lui mentir, qu'elle aurait déjà tout deviné, et qu'elle le mettrait à la porte exactement comme elle l'avait fait avec son père, car ainsi tous ses problèmes seraient résolus.

A cet instant-là, il avait complètement oublié qu'il était son époux.

CHAPITRE III

Durant les six semaines qui suivirent ce fameux samedi, Hilda ne fit aucune allusion à Florrie ou à sa grossesse. Elle savait, sans avoir besoin de se l'entendre dire, qui était le père du futur bébé; mais elle savait aussi que, si elle en discutait ouvertement, Abel irait vivre avec Florrie. En parler aurait été une façon de le libérer, et elle ne pouvait pas supporter l'idée de vivre sans lui, bien que leur vie ne fût faite que de questions, de réponses et de tensions pendant le jour et d'un gouffre béant pendant la nuit.

Elle passait ses nuits allongée à côté de lui, à écouter sa respiration tranquille et profonde et à se retenir de pleurer pour ne pas le réveiller, car elle savait que s'il se réveillait il ne ferait pas un mouvement vers elle, ajoutant ainsi à son humiliation. Elle désirait ardemment qu'il se tournât vers elle et qu'il la prît doucement dans ses bras pour l'apaiser, mais depuis des années il ne le faisait plus. La toute dernière fois qu'il s'était tourné vers elle, son étreinte et ses caresses étaient vite devenues ce qu'il appelait faire l'amour, et elle avait protesté avec une énergie aussi grande que celle qu'il déployait lui-même :

— Je suis fatiguée, j'ai eu une dure journée et... et je ne veux pas de ça. Tu es incapable de te conduire comme un être humain pendant cinq minutes.

Cette phrase avait été comme le dernier clou de son cercueil, car maintenant elle était littéralement morte pour lui.

D'une façon à la fois lente et terrifiante, elle sentait grandir en elle un être nouveau : un être qui posait des questions, un être anti-religieux, un être anti-révérend Gilmore. Cet être se demandait si elle ne se serait pas épargné bien des années de malheur en jetant un regard différent sur ce que son esprit lui désignait comme sale. Ou bien si elle l'avait vu comme le voyaient les femmes dans la Bible ? M. Gilmore lisait ou citait souvent des passages relatifs aux femmes, et au fond qu'étaient-elles ? Une bande de Marie-Madeleine, une bande de prostituées. Mais étaient-elles plus mauvaises pour autant ? Le Christ ne les avait pas condamnées, alors pourquoi s'était-elle mise en tête d'être meilleure qu'elles ?

De plus en plus souvent, elle faisait grief à M. Maxwell et à ce pasteur de l'avoir poussée à cette association, à ce pseudo-mariage qui n'avait rien eu d'un mariage. Si elle avait été initiée aux choses de l'amour dès le départ, cela aurait pu tout changer. Cet être nouveau lui demandait ce qu'elle ferait à présent, si Abel lui donnait une nouvelle chance. Si une nuit il se rapprochait d'elle et la prenait dans ses bras, que ferait-elle ? L'autre, celle avec qui elle avait vécu si longtemps, détourna la tête et répondit :

— Je ne sais pas.

Elle trouvait une consolation dans le soutien que Dick lui apportait. Sa récente querelle avec son père l'étonnait. L'enfant, le tout jeune adolescent, puis l'adolescent avait toujours adoré son père, mais le jeune homme avait coupé court à cette adoration, et l'homme de dix-neuf ans le méprisait. Elle en pressentait la raison. Dick avait dû apprendre la liaison d'Abel et de Florrie, et il s'y était sans doute opposé avec effronterie. Peut-être après tout était-ce là l'origine de son état nerveux. Mais non, il y avait autre chose, puisque sa nervosité était apparue vers l'âge de seize ans.

Parfois elle se demandait ce qu'elle deviendrait sans lui et sans Molly, qui était la gentillesse même. Ils avaient décidé de se marier l'année suivante, et le plus tôt serait le mieux, pensa-t-elle, car il était vraiment étrange de voir comment une fille laide se mettait soudain à plaire aux hommes, dès lors qu'ils savaient qu'elle possédait une grande maison, un bon morceau de terre, et quelques milliers de livres.

Les hommes sont fourbes, roublards, intéressés. Ils sont prêts à sauter sur la première occasion à même de leur procurer une vie agréable. C'étaient sa maison confortable et son affaire qui avaient intéressé Abel; il ne l'avait pas épousée par amour, il ne l'avait jamais aimée, elle le savait à présent. En fait, elle l'avait toujours su, mais elle, elle l'avait aimé... Mais peut-on aimer sans l'autre chose ? Il avait dit que c'était impossible, que cela faisait partie d'un tout. La vie n'est qu'un enfer.

Eh ! Il fallait qu'elle se surveillât. Elle utilisait des termes qui l'eussent fait s'agenouiller quelques années auparavant. Deux fois cette semaine, elle s'était surprise à s'exclamer « Bon dieu ! » Et la veille, elle avait dit « zut », lorsque le lait s'était sauvé. Elle changeait; elle s'en rendait compte, ce qui tout à la fois l'effrayait et l'attristait; car ces changements qu'elle notait en elle survenaient trop tard pour qu'ils pussent modifier les sentiments d'Abel.

Lui aussi, il avait changé ces dernières semaines, du moins son attitude envers elle. Ses manières s'étaient adoucies, il se montrait plus attentif. Il avait cessé de passer tout son temps libre dans son atelier où il partait trafiquer ses petits animaux, parfois même au milieu du repas. Récemment, par deux fois, elle avait eu la surprise de trouver les tasses de thé lavées et la table mise à son retour de réunions paroissiales. Elle n'avait fait aucune remarque de peur de dire : « C'est pour mettre du baume sur ta conscience », comme sa mère avait coutume de le faire. Sa mère... elle n'allait pas recommencer à penser à elle, car quelle qu'ait été l'attitude qu'elle avait prise le jour où Fred lui avait jeté la vérité à la figure, elle avait été profondément meurtrie, et cette blessure-là ne s'était pas encore refermée.

Elle regardait à présent les troupes armées qui défilaient devant la cour. On était dans la troisième année de guerre, cela ne pouvait pas s'éterniser. Une fois qu'elle serait terminée, les gens voudraient à nouveau des voitures, ils voudraient partir en vacances, les affaires pourraient reprendre. Mais est-ce que cela l'importunerait si elles ne reprenaient pas ? Non, si Abel n'était plus avec elle.

Qu'allait-il faire à la naissance du bébé ? Pourrait-il ne rien dire ? Il serait bien obligé de se trahir... et que se passerait-il alors ? Allait-elle faire une scène et lui donner ainsi l'occasion de partir ? Où allait-elle s'abaisser à lui dire : « Ne me quitte pas, Abel. Tu peux les voir, elle et l'enfant, mais ne me quitte pas. »

Elle s'écarta de la fenêtre, traversa la cuisine et le vestibule, puis monta l'escalier pour regagner sa chambre. Assise sur le bord du lit, elle cacha son visage dans ses mains pendant quelques instants. Mais lorsqu'elle sentit sa gorge se serrer elle se leva avec précipitation en murmurant : « Non, ne pleure pas, ne pleure pas », car il était certain que si jamais il entrait et lui demandait la raison de ses larmes une querelle éclaterait.

Elle alla jusqu'au miroir et commença de se détailler. Elle avait trente-sept ans, et pas une ride, pas un cheveu blanc. Elle paraissait beaucoup plus jeune que son âge, et l'on pouvait dire qu'elle était encore jolie. Mais le problème, c'était sa silhouette. Elle avait pris du poids ces derniers temps, et avec sa taille elle ne pouvait pas se le permettre. Si seulement elle avait pu s'arrêter de manger ! Elle approcha son visage tout contre le miroir et se tapota les joues. Sa peau était mieux conservée que celle de leur Florrie. Elle secoua la tête avec impatience. Pourquoi fallait-il toujours qu'elle l'appelât *leur* Florrie ? Ce n'était pas plus sa sœur que cet horrible gnome n'était son père.

Tout en interrogeant son miroir, ses pensées retournèrent à ce qui l'obsédait : pourquoi tombaient-ils tous amoureux d'elle ? Mais qu'avait-elle donc ? On ne pouvait pas dire qu'elle était belle, et elle n'avait aucune forme; elle ressemblait à une planche à pain... alors pourquoi ?

La seule réponse qu'elle trouvait, c'était « le sexe ». Elle sortit de la pièce en hochant la tête, comme pour chasser cette explication de son esprit.

Le bébé de Florrie était né vers minuit un jeudi, mais Abel ne le vit que vingt-quatre heures plus tard, ce qui voulait dire qu'il ne l'avait pas vue, elle, depuis quarante-huit heures environ. Florrie était en pleine forme quand il l'avait quittée le mercredi après-midi. On n'attendait pas l'enfant avant une semaine, et elle lui avait dit en plaisantant qu'elle ne s'était jamais sentie aussi bien de sa vie, si l'on exceptait ce léger embonpoint qu'elle avait pris et dont il fallait qu'elle s'occupât.

Il était entré comme de coutume par la porte-fenêtre. Il l'avait entrouverte, s'était faufilé derrière le rideau de black-out et s'apprêtait à le faire glisser pour le remettre en place quand il fut arrêté par un bruit de pleurs. C'étaient des pleurs de tout petit bébé. Ses lèvres s'écartèrent et ses yeux s'agrandirent. Puis Fred Donnelly sortit de la cuisine, un plateau dans les mains. Ce fut le vieil homme qui rompit le silence avec une de ces phrases dont il avait le secret :

— Vous avez pris votre temps, dit-il.

— Elle... il est né ?

— Qui diable croyez-vous qui crie ? Mes whippets ne sont pas là, vous ne pouvez pas les accuser. (Sa plaisanterie le fit sourire à pleines dents.)

— Co... comment va-t-elle ?

— Ce n'est pas en restant planté là que vous le saurez.

Abel ferma un instant les yeux, sourit faiblement, puis se précipita dans la chambre. A peine entré, il reprit son calme et regarda Florrie assise dans le lit, adossée aux oreillers, et le bébé qui hurlait dans son berceau à côté d'elle. Son regard allait de l'un à l'autre, et c'est elle qui le tira de son immobilité par ces mots :

— Si tu entres, entre vraiment; il y a quelqu'un qui veut te voir.

Sans s'occuper du nouveau-né, il s'avança lentement et s'assit sur le bord du lit; puis il se pencha et la prit dans ses bras. Quand, un peu plus tard, il s'écarta d'elle, il lui demanda en la regardant dans les yeux :

— Comment vas-tu ?

— Parfaitement bien. (Elle redressa le menton.)

— Quand... quand ?

— A minuit, hier soir.

— Pourtant... pourtant tu allais bien quand je t'ai quittée ?

— Oui, mais tu n'étais pas parti depuis cinq minutes que j'ai senti quelque chose se préparer. J'ai téléphoné à Mme Kent qui est venue directement ici; un peu plus tard, le docteur est arrivé. Il a dit que c'était l'accouchement le plus rapide qu'il ait fait depuis des années.

— C'était dur... douloureux ?

— Je ne voudrais pas recommencer cette semaine.

Il rit et appuya la tête contre son front. Elle lui demanda alors :

— Ça ne t'intéresse absolument pas ce que nous avons fait ?

— Oh ! Florrie !

Il se leva avec précipitation, contourna le lit, se pencha sur le berceau, et il contempla le petit visage fripé, aux lèvres tremblantes, aux yeux clos, qui avait une petite touffe de cheveux sur le sommet du crâne.

Puis il reporta les yeux sur Florrie.

— C'est quoi ? demanda-t-il.

— Un bébé, dit-elle d'une voix un peu moqueuse. (Puis elle ajouta doucement :) Une fille.

— Une fille. (Son sourire s'élargit.) Je suis heureux. Oh ! Que je suis heureux. Et toi ?

— Bien sûr. Je n'aurais pas été déçue si ç'avait été un garçon. Mais je suis... je suis heureuse que ça soit une fille.

Il refit le tour du lit pour s'asseoir à côté d'elle, puis il lui demanda d'un air anxieux :

— Comment te débrouilles-tu ? Tu vas demander à Mme Kent de rester ?

— Ne t'inquiète pas; elle vient chaque jour; et papa... eh bien, (elle indiqua la porte du menton) il a été merveilleux. Evidemment il choque toutes les oreilles, mais néanmoins il a été merveilleux. J'ai été contente qu'il soit là, Abel, ajouta-t-elle sans sourire.

— Bien sûr, bien sûr, je m'en doute... C'est moi qui aurais dû être là.

— Il vaut mieux que tu n'y aies pas été.

— Il vaut mieux ? Pourquoi ?

— Tu vois, tu serais resté toute la nuit et ça aurait fait des histoires; tu sais ce que je veux dire.

— Oh, Florrie ! (Il l'enlaça à nouveau, et les lèvres dans ses cheveux il dit :) Comment vais-je le supporter ?

251

— Ça finira bien par s'arranger. Ne t'inquiète pas, on trouvera une solution.

Il releva la tête et lui lança un regard soutenu :

— Tu ne voudrais pas que je reste avec toi tout le temps ?

— Oh ! Ne dis pas de bêtises. (Elle baissa la tête et murmura :) Ne me demande pas de préciser. C'était déjà difficile avant, mais depuis qu'il y a eu cette querelle entre papa et elle... Abel (elle redressa la tête et le regarda bien en face), je ne pourrais pas supporter la pensée qu'elle reste toute seule, je veux dire complètement seule. Etre privée d'abord de sa famille, puis de son mari, il y a de quoi vous rendre fou ! (Elle passa les bras autour de son cou.) Abel, j'ai envie que tu sois là, que tu sois là tout le temps. Mais je me connais bien et... je ne pourrais pas être vraiment heureuse avec l'idée que je l'ai complètement privée de toi. Je... je sais que tu es à moi, tout entier, aussi ça n'est pas trop dur de te dire « ne l'abandonne pas », et je sais que c'est difficile pour toi de rester là-bas. Laissons les choses telles qu'elles sont pour le moment, parce que je n'ai jamais été aussi heureuse et satisfaite de toute ma vie. Mon bonheur est si grand que je commence à avoir peur que quelque chose ne le brise. Ça n'a rien à voir avec toi ou avec moi. Je ne sais pas ce que c'est. Je suppose que c'est normal, quand on tient un grand bonheur, d'avoir peur de le voir disparaître. En tout cas, ne t'en fais pas; tu verras, tout s'arrangera. Tu sais, allongée là aujourd'hui, je pensais qu'il était étrange que tous les désirs finissent par se réaliser. C'est comme si la vie était découpée dans un patron. Et je crois qu'elle l'est. Je pense que, depuis le début, nos vies sont découpées comme deux pièces de tissu, et qu'un jour nous serons cousus ensemble comme ça (elle prit sa main et enlaça ses doigts aux siens), et, ce jour-là, rien ni personne ne pourra plus nous découdre.

CHAPITRE IV

C'était la première série de canards en miniature qu'il apportait à la boutique depuis des mois. Les heures qu'il consacrait à sa fille lui laissaient peu de temps pour travailler dans son atelier. Mais, la semaine précédente, la lenteur avec laquelle ses modelages avaient progressé lui avait fait prendre conscience qu'il devait travailler plus. Le besoin d'augmenter ses économies motivait son ardeur, car, s'il n'y avait pas lieu d'entretenir la mère, il était fermement résolu à prendre en charge les dépenses occasionnées par sa fille. Il avait décidé de lui offrir ce qu'il y avait de mieux, et les prix du marché noir étaient élevés, même pour tout ce qui concernait les bébés. Il était surtout poussé par l'idée fermement ancrée en lui, et qui le tenaillait, qu'il ne pourrait rien faire sans argent.

Donc, ce jour-là, il poussa la porte de la boutique d'art de Roger Lester. C'était l'hiver, et les rafales de neige succédaient aux rafales de grêle ou de grésil. On trouvait autrefois dans ce magasin toutes sortes d'objets d'art depuis les porcelaines de Chine représentant des scènes de Newcastle ou de Durham jusqu'au cristal taillé de Sunderland. Mais à présent, M. Lester ne vendait plus que ce qui lui tombait sous la main, et le nombre des étagères vides indiquait que son commerce n'était guère florissant. C'est pourquoi il accueillit Abel avec chaleur.

— Bonjour, dit-il. Que je suis heureux de vous voir ! Où étiez-vous donc ? J'ai cru que vous aviez disparu dans un bombardement. Ha, ha ! (Il appuya un doigt sur la boîte plate qu'Abel tenait.) Faites-moi voir ce que vous avez là-dedans.

— Je n'ai pas grand-chose cette fois, je regrette, mais je suis en train de m'y remettre.

Une fois la boîte ouverte sur le comptoir, M. Lester

sortit l'un après l'autre les oiseaux et les animaux de leur nid de coton.

— Il est nouveau, celui-là. Un merle ?

— Non, un corbeau freux.

— Eh bien, cela ne fait pas grande différence, ils sont tous les deux noirs. Et un cygne. Charmant, charmant ! Mais il n'y en a que deux ? Ah non, voilà les canards. (Il en sortit deux et les déposa dans le creux de sa main en disant :) Vous ne pouvez pas faire mieux que ça. On croirait que ce petit bonhomme est en train de retirer ses puces. (Il promena son doigt sur la figurine.) Du travail d'art, cela. Je l'ai toujours dit, n'est-ce pas, du travail d'art. Vous auriez dû faire cela en grand au lieu de vous occuper de voitures et de bicyclettes.

— Je le ferai peut-être bien un jour.

— Ça serait une bonne idée. En tout cas, je peux vous affirmer qu'ils ne resteront pas longtemps sur les rayons, mais je vais en réserver quelques-uns pour des clients particuliers. On ne trouve plus rien pour faire un beau cadeau de nos jours; les gens sont prêts à payer n'importe quel prix pour ça. A propos, il s'est passé quelque chose de drôle il y a une heure. Vous connaissez mon petit-fils, Stéphane ? Eh bien, je lui ai donné un canard de votre dernier lot — celui qui lisse ses plumes — et il l'emmène partout avec lui; son père m'a dit qu'il ne s'en séparait jamais, même pour dormir. Stéphane, donc, se trouvait dans le magasin, il n'y a pas une heure comme je vous l'ai déjà dit, lorsqu'une femme est entrée; elle devait être de passage, car c'était la première fois que je la voyais par ici, et elle ne parlait pas notre jargon. Elle voulait du papier à lettres, et Stéphane était en train de jouer avec le canard comme s'il avait été un avion — vous savez bien comment sont les enfants. Et qu'est-ce qu'elle a fait ? Elle le lui a arraché des mains et l'a examiné. Puis elle m'a dit : « Est-ce que vous les vendez ? » et j'ai répondu : « Oui, lorsque j'en ai. » Et elle : « Est-ce que c'est vous qui les fabriquez ? », et j'ai répondu en riant : « Moi ? Non, non ! Je n'ai pas les doigts assez habiles. » Puis après quelques instants, elle m'a demandé : « Mais alors, qui les fabrique ? » Et moi : « C'est un homme qui vit à l'autre bout de la ville. » Et, sur ce, elle a ajouté : « Oh ! c'est sans doute un certain monsieur... » Je crois qu'elle a dit « Mason », et j'ai rectifié : « Non, il s'appelle Gray. » Elle a alors retourné l'objet plusieurs fois entre ses doigts en l'examinant, et je suis absolument certain qu'elle l'aurait mis dans sa poche, si Stéphane ne lui avait dit : « Rendez-moi mon canard. » Elle a ensuite voulu savoir si vous aviez une boutique, et j'ai répondu que non, que vous aviez un garage... Qu'est-ce qui se passe ? Qu'avez-vous ?... Là... Qu'est-ce qui ne va pas ? Asseyez-vous. Asseyez-vous sur cette chaise.

— Non, non, dit Abel en secouant la tête. Comment... comment était-elle ?

— Plutôt mince, la quarantaine, je dirais, convenablement habillée, le visage blanchâtre, des traits fins, l'air un peu hargneux, il m'a semblé.

— Vous avez dit qu'elle était venue à quelle heure ?

— Oh ! il y a environ une heure.

Abel se dirigea précipitamment vers la porte, et M. Lester l'interpella :

— Et nos comptes ?

— Je reviendrai plus tard.

— Comme vous voulez. C'est toujours la même chose avec vous.

Dans la rue, il se retint de courir. Seigneur Dieu ! Lena ! Après toutes ces années, Lena était là ! Cela ne pouvait être qu'elle. Qui d'autre aurait pu reconnaître ses canards de cette manière ?

Lena ! Que devait-il faire ? Que pouvait-il faire ?

Il traversa la rue, en courant cette fois, et sauta dans un bus. Son esprit bouillonnait, des questions et des réponses, des réponses désespérées se bousculaient dans sa tête. Il savait qu'il ne lui aurait sûrement pas fallu plus de deux minutes pour associer les noms de Mason et de Gray. Et Hilda ! Hilda ! Si seulement il lui avait tout expliqué ! Mais cela lui aurait infailliblement tourné la tête, comme Florrie le disait. Hilda se conduisait bizarrement ces derniers temps; il était certain qu'elle était au courant pour le bébé, et il n'arrivait pas à comprendre pourquoi elle n'en parlait pas ouvertement. Mais Florrie disait qu'elle savait pourquoi; qu'à sa place elle agirait exactement de la même manière. Elle se comportait ainsi parce qu'elle avait peur qu'il disparût. Disparaître ? Mon dieu ! Si seulement il pouvait disparaître.

Il descendit du bus deux arrêts avant la maison et resta immobile sur le trottoir jusqu'à ce qu'il se fût éloigné. Il se sentait malade d'inquiétude. Il savait que ce n'était pas la peine d'espérer que le caractère de Lena se fût adouci. Elle allait se montrer impitoyable et tirer plaisir de sa vengeance.

La peur panique qui l'envahissait le faisait transpirer; des gouttes de sueur coulaient de la racine de ses cheveux jusque dans ses yeux. Quand il descendit du trottoir, le conducteur d'un camion klaxonna avec fureur, et sortant la tête par la portière il lui cria :

— Pourquoi ne pas attendre une bombe, mon vieux ?

Une fois de l'autre côté de la route, il resta sans bouger pendant trois bonnes minutes; puis il redressa le buste, tira son cou hors du col de sa chemise, défroissa les poches de son pardessus croisé et se mit en marche, d'un pas de plus en plus vif. Il traversa rapidement la cour et entra dans la cuisine : sa femme était là...

Lena avait à peine changé, si ce n'était qu'elle paraissait plus petite; elle était encore mince, mais il n'y avait plus sur son visage aucune trace de la femme qu'il avait épousée. Chacun de ses traits révélait celle qui avait hurlé des insultes lorsqu'il avait franchi la porte du cottage quelque douze années auparavant.

— Bonjour, Abel ! dit-elle.

Sa voix ressemblait plus aux aboiements des chiens lorsqu'on sonne la curée qu'aux miaulements d'un chat qui taquine une souris. Et si jamais il y avait un cerf aux abois, c'était bien lui.

— Elle ne veut pas me croire. (Lena désigna du pouce Hilda qui se tenait assise dans le grand fauteuil en bois, et qui le regardait avec effroi comme si elle eût été paralysée.) Elle a à peine ouvert la bouche; cela l'a rendue muette. Tu n'es qu'un sale type, Abel. Te marier avec une autre femme alors que tu en avais déjà une... Au fait, où est mon fils ?... Bon sang ! (Elle eut une espèce de bref rire triste.) Vous êtes tous devenus muets ? Oh ! tu es en train de te demander comment je t'ai retrouvé, n'est-ce pas ? Eh bien, tu n'aurais pas dû continuer à fabriquer ces petits canards; personne ne peut modeler des canards comme les tiens. Alors, qu'est-ce que vous allez faire de moi ? Hein ? Hein ?

Quand, brusquement, il se précipita vers elle, elle prit un air interloqué. Mais il annonça d'une voix grave et ferme :

— Voilà ce que je vais faire : je vais te mettre à la porte, et tu agiras comme tu voudras. Je t'ai quittée il y a douze ans, parce que je ne te supportais plus et je n'ai pas changé.

Elle tourna rapidement la tête de l'un à l'autre et cria :

— Eh bé ! t'es devenu sacrément nerveux. Tu es parti parce que tu ne me supportais plus ? C'est ce que tu as dit ? Mais ça n'est pas vrai. En vérité, tu as fui Hastings lorsque la femme avec laquelle tu avais une liaison a été assassinée par son mari, et je viens de tout lui raconter. (Elle désigna encore Hilda du doigt, mais celle-ci ne broncha pas.) Et si tu n'étais pas parti ses frères se seraient occupés de toi, et il y aurait eu un autre meurtre. Tu m'as laissée pour échapper aux conséquences de tes saloperies.

— Sors d'ici ! Tu m'entends ? Sors d'ici ! Parce que je n'ai pas beaucoup changé en douze ans et mes menaces tiennent encore.

Lorsqu'il fit un nouveau pas dans sa direction, elle recula jusqu'à la porte et cria :

— Oh ! ne crois pas que tu vas t'en sortir aussi facilement, Abel Mason ou Gray; tu vas aller en prison et je danserai la gigue le jour où l'on t'y mettra. Je vais te faire un procès et je leur raconterai tout ce que j'ai enduré depuis que tu m'as abandonnée, ce que j'ai souffert d'avoir été privée de mon fils durant toutes ces années. Je vais aller droit à la police, en sortant d'ici; alors prends garde et n'essaie pas de fuir encore une fois.

Le bras tendu et le doigt menaçant, il lui cria :

— Va-t'en ! Va à la police; je suis tout à fait prêt à rester très, très longtemps en prison pour être sûr de ne jamais te revoir. Et maintenant, va-t'en !

Il passa derrière elle et ouvrit la porte, et elle traversa la cour à reculons en hurlant encore :

— Tu vas avoir ce que tu mérites. Par dieu ! Je vais faire savoir à tous ce que tu es; ton nom sera dans tous les journaux.

Il claqua la porte et s'y adossa; puis il regarda Hilda qui était encore assise, telle une statue, aussi incapable de parler que de bouger.

Plusieurs minutes s'écoulèrent avant qu'il ne s'avançât lentement vers elle. Puis, assis sur ses talons, il tendit les mains pour prendre les siennes; mais lorsque ses doigts la frôlèrent elle écarta sa main comme si elle avait reçu une décharge électrique. Elle continua de le regarder en silence, l'air terrorisé, et il se mit à lui parler avec douceur pour l'apaiser.

— Hilda ! Hilda, écoute-moi. Je sais que je me suis mal comporté; cela fait des années que ça me pèse sur la conscience; je n'ai jamais réellement connu une minute de paix. Et, crois-moi, pour rien au monde, je n'aurais voulu que cela t'arrive. Peu importe comment je me suis conduit envers toi, je ne voulais pas te blesser ainsi. J'aurais pu partir depuis longtemps, mais je savais que tu ne l'aurais pas voulu; alors je suis resté. Bien qu'au fond de mon cœur j'eusse la certitude qu'un jour ou l'autre tu l'apprendrais. Mais... mais pas de cette façon. J'aurais dû tout te raconter, mais... cela t'aurait privée de quelque chose, d'une famille; et tu as besoin d'une famille... Dis quelque chose, Hilda. S'il te plaît ! S'il te plaît, dis quelque chose !

Elle ne dit rien, mais d'un geste brusque elle écarta son fauteuil. Puis elle se leva avec lenteur tout en gardant les yeux fixés sur lui; elle le contourna, recula vers la porte et sortit. Il l'entendit monter l'escalier d'un pas lourd; on aurait dit qu'elle s'arrêtait à chaque marche.

Lorsqu'il se laissa tomber sur une chaise, il s'aperçut qu'il portait encore son manteau et son chapeau, mais il ne fit aucun effort pour les retirer. Qu'allait-elle faire ? La réponse lui fut donnée presque aussitôt.

Il entendit un bruit sourd et se précipita dans le vestibule : une valise se trouvait au pied de l'escalier. Puis il en dégringola une autre qui vint rejoindre la première. Il resta à les contempler un instant; et, comme il se penchait pour les ramasser, un flot de costumes, de chaussures, de chemises, de cravates et de sous-vêtements se déversa sur lui. Puis cela cessa.

Après le mutisme d'Hilda, sa soudaine agitation était effrayante, mais il ne proféra aucune parole de protestation. Il ne put que ramasser tout le linge et l'entasser dans les valises. Une fois qu'elles furent toutes deux pleines, il restait encore sur le sol de quoi en remplir deux autres.

Ce fut au moment où il empilait le reste des vêtements sur la table de la cuisine que Dick fit son entrée. Il venait de terminer son travail et avait les mains et le visage tachés de graisse.

Avant de refermer la porte, il s'arrêta pour regarder son père, mais celui-ci se contenta de lui jeter un coup d'œil et de repartir dans le vestibule pour rapporter les deux valises.

— Qu'est-ce... qu'est-ce qui se passe ?

— Tu as besoin d'une explication ?

— Mais... (Dick regardait d'un air perplexe l'amas de vêtements qui se trouvait sur la table.)

— Ta mère est venue.

— Non ! Oh ! Mon dieu !

— Tu peux le dire.

Abel s'arrêta de fourrer des sous-vêtements dans une chemise dont il avait noué les manches pour en faire un sac et il dit d'une voix lente :

— Dans un certain sens, je pourrais dire que je suis heureux, si ce n'était l'effet que cela a eu sur elle. (Il leva les yeux vers le plafond.) Reste ici et occupe-toi d'elle, veux-tu ?

Dick le regarda fixement, sans répondre. Puis il demanda :

— Ma maman ? (Ce mot sonna d'une façon étrange à ses oreilles.) Comment... comment est-elle ?

— Te rappelles-tu le jour où nous sommes partis de Hastings ?

— Oui... un peu, vaguement.

— Eh bien, tout ce que je peux te dire, c'est qu'elle ne s'est pas améliorée depuis; c'est toujours une teigne.

— Qu'est-ce qu'elle va faire ?

— Elle m'a menacé de tout faire pour m'envoyer en prison.

— Mon dieu !

Abel saisit Dick par les épaules, et il lui dit d'un ton grave :

— Ne t'en fais pas. Je savais qu'un jour cela arriverait, et, aussi étonnant que cela puisse paraître, je suis soulagé. Je paierai, quel que soit le prix. Il le faut, je n'ai pas le choix. Ensuite... ensuite j'aurai Florrie.

— Qu'est-ce qui va se passer pour elle ?

Cette fois, c'était Dick qui désignait le plafond d'un mouvement de tête. Et, en guise de réponse, Abel lui montra la table et les valises sur le sol. Puis il dit :

— Elle n'a même pas voulu m'écouter, elle n'a rien voulu me dire. Si elle avait eu un geste vers moi, je me serais senti moins coupable. Je me fais du souci à son sujet. Aussi, je voudrais bien que tu ne la laisses pas seule.

— Tu vas chez Florrie ?

— Oui, que voudrais-tu que je fasse d'autre ?

— Et si maman revient ?

— Je crois que tu n'as pas à t'inquiéter pour ça. De toute façon, elle désire te voir. Elle dit que tu es son enfant. En tout cas, quand tu la verras et que tu l'entendras, je pense que tu comprendras mieux pourquoi je l'ai quittée.

— Il y a longtemps que je l'ai compris. Ce que je n'ai jamais saisi, c'est pourquoi tu avais déçu tante Hilda de cette manière.

Abel se pencha alors vers Dick, et lui dit :

— Ta tante Hilda désirait être déçue; je ne lui ai jamais demandé de m'épouser, c'est elle qui l'a voulu. Je peux te le dire à présent, je lui ai même proposé de vivre avec elle. J'aurais préféré ça, cela va de soi. Mais avec ses idées religieuses elle a refusé d'en entendre parler. J'ai dû me battre pour ne pas me marier à l'église. Cela me semblait moins grave de l'épouser simplement à la mairie.

— Je suis désolé, papa.

— Je le sais, mon garçon; mais, tant que les choses sont claires entre toi et moi, je trouve que tout ne va pas si mal. Je peux aussi bien te l'avouer, je me suis aperçu trop tard de la tournure qui prenaient les événements.

— Moi aussi.

— Écoute, je vais mettre les affaires dans le garage. Il va falloir que je fasse deux voyages. Mais, une fois que ça sera fait, je pense que ce serait mieux que tu téléphones au Dr Cole. Tu peux lui dire ce qui s'est passé, il saura ce qu'il faut lui prescrire.

— D'accord... papa.

Tandis qu'Abel saisissait la chemise gonflée de linge, Dick, bégayant à nouveau de façon évidente, demanda :

— Est-ce... est-ce ... qu'... qu'ils vont venir te chercher. Je... je veux dire, qu'est-ce qui va se passer dans ce cas ?

— Je ne sais pas. J'ignore tout autant que toi comment ça va se terminer. Mais on ne tardera pas à le savoir, tu ne crois pas ? (Il grimaça un sourire; puis le paquet dans une main, de l'autre il attira Dick contre lui et le serra sur sa poitrine en disant :) Ne t'inquiète pas pour moi, reste ici et occupe-toi des affaires... et d'elle.

CHAPITRE V

L'inspecteur frappa à la porte de l'appartement sur jardin, et c'est Abel qui lui ouvrit.

— Je cherche M. Mason.

— C'est moi.

— Ah bon ! Je suis l'inspecteur Davidson. C'est votre fils qui m'a indiqué où je pourrais vous trouver.

— Entrez.

L'inspecteur entra et se mit de côté pendant qu'Abel refermait la porte sans aucune hâte. Et c'est également sans se presser qu'il le conduisit jusqu'au salon. Il désigna Florrie assise sur le divan, le bébé dans les bras, et il la lui présenta :

— Mme Ford.

L'inspecteur inclina la tête, et Florrie, laissant sa fille dans un coin du divan, se leva et lui proposa :

— Voulez-vous vous asseoir ?

— Si cela ne vous fait rien, je préférerais rester debout, je n'en aurai pas pour longtemps. (Il se tourna alors vers Abel et dit :) Vous savez pourquoi je suis là ?

— Oh ! oui, je le sais !

— Une certaine Mme Mason a déposé une plainte, en appuyant ses dires avec un certificat de mariage. Elle soutient qu'elle est votre femme, et (l'inspecteur détourna un instant son regard, puis le reposa sur Abel qu'il observa fixement) nous avons établi, après vérifications, que le certificat qu'elle avait produit concordait avec ses déclarations. D'après les mêmes déclarations, nous avons pu établir également qu'un dénommé Abel Gray, nom sous lequel vous êtes connu actuellement, avait épousé Hilda Maxwell.

La façon de parler et le ton correspondaient tout à fait avec l'allure du personnage et, après qu'Abel eut accrédité ses allégations d'un simple mouvement de tête, il reprit :

— Je dois vous signaler que vous n'êtes pas obligé de parler, mais tout ce que vous direz pourra être retenu contre vous devant le tribunal.

Abel soupira, et l'inspecteur continua :

— Je vous serais reconnaissant de bien vouloir me suivre jusqu'au commissariat pour y subir un interrogatoire.

Abel se retourna vers Florrie. Son visage était de marbre; seuls ses yeux disaient ce qu'elle ressentait.

Quelques minutes plus tard, Abel était prêt, et il avait déjà ouvert la porte qui donnait sur le vestibule quand il s'arrêta soudain :

— Juste une seconde, j'ai oublié quelque chose.

Il revint à toute vitesse dans le salon, ferma la porte derrière lui et prit Florrie dans ses bras. Après lui avoir donné un rapide baiser sur les lèvres, il lui murmura :

— Ne te fais pas de souci. Ce qui devait arriver est arrivé. Souviens-toi seulement d'une chose : il n'y a rien qui puisse nous séparer.

Sans dire un mot, elle tint un instant son visage serré entre ses mains...

Sur le chemin du commissariat, les manières de l'inspecteur se modifièrent, et c'est sur un ton presque amical qu'il lui demanda :

— Avez-vous un avoué ?

— Non.

— Eh bien, plus vite vous en prendrez un, mieux ça vaudra !

— Merci pour votre conseil. Je ne l'oublierai pas.

— Connaissez-vous la procédure dans laquelle vous êtes engagé ?

— Non, absolument pas.

— Alors, si vous prenez un avoué, je vous conseille de plaider non coupable.

Abel se retourna brusquement vers l'inspecteur.

— Mais je suis coupable, dit-il. Je suis bigame. Je suis on ne peut plus coupable.

— Peut-être, mais si vous plaidez coupable, on peut vous garder en prison cette nuit, et si, demain matin, vous continuez à plaider coupable devant le juge, on peut vous garder en prison jusqu'au jour du jugement.

— C'est donc possible de ne pas aller en prison ?

— Oui, si vous plaidez non coupable.

— Ah ! (Abel hocha la tête, puis avec un sourire forcé il demanda :) Si j'accepte, on me laissera en liberté jusqu'au jugement ?

— C'est ainsi que cela se passe.

... Et c'est ainsi que cela se passa. Au commissariat, on lui posa les mêmes questions que dans le salon de Florrie; seule l'ambiance était différente. Et, à la fin de l'interrogatoire, on lui demanda de se présenter devant la Cour le lendemain matin.

Il était en état de choc lorsqu'il redescendit l'escalier. Il resta là un moment à réfléchir pour savoir quel avoué il allait prendre. Il n'en avait jamais eu. Hilda en avait un, mais il ne pouvait pas aller le voir. Il se rappela soudain qu'une fois Florrie lui avait dit que dans Cuthbert Street un grand immeuble abritait les bureaux de plusieurs avoués et de plusieurs avocats. Mais elle, elle n'avait pas fait appel à un avoué à Fellburn, car son affaire était enregistrée à Newcastle.

Lorsque, cinq minutes plus tard, il vit la plaque en cuivre bien astiquée — Thomas Gay et Compagnie. Avocats et Avoués —, il consulta la liste des noms qui y étaient inscrits. Le premier était Roscommon. Mais, au fond, cela importait peu, ils devaient tous savoir ce qu'il serait bon de faire.

Il entra dans l'immeuble, gravit l'escalier et arriva devant une porte en verre sur laquelle était indiquée : « Cabinet Thomas Gay et Compagnie ». Abritée derrière un bureau protégé par une vitre, une jeune fille à l'air pincé lui demanda :

— C'est pourquoi ?

— Je voudrais... je voudrais voir M. Roscommon, s'il vous plaît.

— Est-ce que vous avez un rendez-vous ?

— Non.

— Bon. Laissez-moi regarder. (Elle se pencha sur un carnet.) Samedi à trois heures, est-ce que cela vous conviendrait ?

Il la regarda fixement pendant quelques secondes avant de dire :

— Je veux le voir aujourd'hui.

Elle lui rendit son regard et haussa les sourcils.

— J'ai bien peur que cela ne soit impossible. M. Roscommon a tous ses rendez-vous pris jusqu'à samedi.

— Et l'un des autres ?

— Ils sont tous retenus. (Elle remua lentement la tête, puis elle se pencha en avant comme si elle avait parlé à un enfant, et tout en le scrutant du regard elle lui dit :) Si vous voulez voir un avoué, il vous faut prendre un rendez-vous.

— Mademoiselle Wilton !

La jeune fille tourna la tête vers le vieil homme qui l'avait interpellée. D'un geste de la main, il la fit venir, et si Abel ne pouvait entendre ce qu'il disait, il saisissait parfaitement ses paroles à elle.

— C'est fait, répondit-elle. M. Blackett veut poursuivre.

Puis Abel entendit le vieil homme prononcer assez distinctement et d'une voix ferme :

— Laissez-moi m'occuper de M. Blackett.

Sur ce, la jeune fille répondit d'un air indigné :

— Eh bien !

Il regarda ensuite Abel à travers la vitre de séparation et lui demanda :

— Votre nom, monsieur ?

— Gray... Mason... Abel Gray Mason.

— Je vous en prie, asseyez-vous, monsieur.

— Merci.

Abel prit une chaise et le suivit du regard tandis qu'il disparaissait par une porte. Puis il observa Mlle Wilton qui lui jeta un coup d'œil peu aimable. En d'autres occasions, l'expression de la jeune fille l'aurait amusé, mais à ce moment-là il se demandait quand il aurait envie de rire à nouveau.

Environ cinq minutes plus tard, le vieil homme revint, et avec les mêmes manières affables il lui dit :

— Si vous voulez bien me suivre, monsieur.

Abel sentit que la jeune fille surveillait sa sortie, et

pendant qu'ils longeaient un étroit couloir le vieil homme lui expliqua :

— Cette jeune dame est nouvelle dans le métier, mais, dans un sens, elle avait raison; habituellement, il faut prendre rendez-vous.

— Je m'en rends compte, mais j'ai... j'ai absolument besoin de conseils immédiats.

— Je comprends cela, monsieur. C'est par là.

Ils traversèrent ensuite un grand bureau où quatre dactylos, qui frappaient frénétiquement sur les touches de leurs machines, levèrent un bref instant la tête pour le regarder. Puis ce fut à nouveau un corridor dans lequel le vieil homme ouvrit une porte, et l'introduisit dans une pièce chichement meublée.

— Monsieur Gray Mason, monsieur Roscommon.

L'homme qui était assis derrière le bureau se leva lentement; il arrivait à peine à la hauteur des épaules d'Abel. Sans un mot, il lui désigna un fauteuil, et, aussitôt installé, Abel commença :

— Excusez-moi de vous déranger ainsi de façon impromptue, mais... mais je ne pouvais pas faire autrement, monsieur; je dois comparaître devant le tribunal demain matin. Et tout... tout s'est passé tellement vite. Je ne connais pas la... la procédure.

Le petit homme trapu ferma les yeux un instant et dit :

— Doucement, monsieur Mason. Reprenez votre calme et commençons par le commencement. Expliquez-moi votre cas.

Avec un petit mouvement d'épaules, Abel balbutia :

— Je suis bigame.

— Bigame. (M. Roscommon n'avait absolument pas eu l'air surpris.) Combien de fois bigame ?

— Oh ! (Abel grimaça un sourire.) Une fois seulement.

— Une fois seulement. (L'avoué se pencha sur son bureau, écarta des papiers, trouva finalement une feuille blanche et dit à nouveau :) Bien, maintenant commençons par le début.

Abel raconta donc son histoire et, vingt minutes plus

tard, M. Roscommon cessa de prendre des notes et posa sa première question :

— Où habite votre femme à présent... votre femme légitime ?

— Je ne sais pas.

— Vous ne savez pas ? Alors il va nous falloir le découvrir, vous ne pensez pas ? (Il regarda la pendule.) Onze heures et demie, et nous aurons sûrement bien d'autres choses à trouver avant demain. Comment la femme... heu, la femme avec laquelle vous vivez maritalement a-t-elle pris la chose ?

— Très mal.

— Il n'y a aucun espoir qu'elle vous soutienne ?

— Aucun.

— ... Et vous plaidez non coupable ? (Il tapotait son stylo sur son bloc-notes.) Oui, bien sûr, sinon vous ne seriez pas là. Eh bien, voyez-vous, monsieur Mason, ce qu'il y a de plus mauvais dans votre cas, ce n'est pas tellement que vous soyez marié deux fois, encore que ce soit ce que l'on vous reproche, mais la raison pour laquelle vous avez quitté votre première femme; car si l'on se place du point de vue du juge, aussi malheureuse qu'ait été votre maîtresse avec son mari, sans vous elle serait encore en vie. Dois-je vous en dire plus ?

Non, cela lui suffisait. Et il n'avait jamais pensé à Alice comme à sa maîtresse. Dans son milieu, on ne les appelait pas ainsi — l'on disait « sa bonne amie ».

— Bon, votre femme à présent. Elle va sûrement vous attaquer parce que vous ne l'avez pas entretenue... Je suppose que vous ne savez pas comment elle a vécu, je veux dire, si elle a dû pourvoir seule à ses besoins ?

— Non, je ne sais pas.

— Il y a beaucoup de choses que nous devons découvrir, remarqua M. Roscommon dans un soupir.

— Qu'est-ce qui va se passer demain matin, monsieur ?

— Vous allez comparaître devant les magistrats. (Il fit une pause, puis poursuivit :) Voyons... Qu'est-ce que j'ai demain matin ? Est-ce que je vais pouvoir aller avec vous ? (Il rapprocha son agenda, le feuilleta et dit :)

267

Hum, hum ! Oui, ça ira. Ce sera sûrement de bonne heure. Ah ! et maintenant (il regardait à nouveau Abel), ce qui va se passer ? Bon, vous allez plaider non coupable, et je demanderai la liberté provisoire jusqu'à ce que toutes les pièces de votre dossier soient envoyées au procureur général. Ainsi resterez-vous en liberté jusqu'au moment de l'instruction.

— C'est le jugement ? Il sera rendu dans combien de temps ?

— Non, non; ce n'est pas le jugement, c'est une sorte de... préparation, et elle aura lieu dans trois ou quatre semaines. Après, vous devrez passer devant une cour d'assises. On ne peut pas encore savoir où elle se tiendra. Ce sera dans la ville la plus proche de la localité où l'instruction se déroulera. C'est-à-dire soit Newcastle, soit Durham.

— Pouvez-vous me donner une idée de la durée des peines habituellement infligées pour ce genre de choses ?

— Vous risquez jusqu'à sept ans de prison, mais tout dépend du juge et de l'accusation. Hé oui ! de l'accusation ! Si l'accusation a un avocat qui vous noircit complètement, ce sera à nous de vous en fournir un qui, inversement, vous blanchisse complètement. Mais n'allez pas croire que cela puisse être aussi catastrophique. (L'avoué souriait pour la première fois.) J'ai même connu des cas semblables où le juge avait tout simplement acquitté l'inculpé. Cela peut arriver, si c'est un juge qui a eu des ennuis avec sa propre femme.

Il se mit à rire à gorge déployée, mais Abel le laissa rire seul.

M. Roscommon se renfonça dans son fauteuil en cuir et, tout en faisant tourner son stylo entre ses doigts, il lui demanda :

— A quoi ressemble votre femme ? Est-elle attrayante, d'une façon ou d'une autre ?

— Non, absolument pas. Pour moi, c'est une mégère, et elle en a tout l'air.

— Ah ! bien sûr ! (Il hocha la tête.) Elle vous semble être une mégère à cause du différend qui vous oppose. Mais vous ne devez pas oublier que tous les hommes, et ceux de la Cour en particulier, ne la verront sûrement pas avec vos yeux; c'est l'allure qu'elle aura qui fera pencher la balance d'un côté ou de l'autre. En tout cas (il se leva soudain), ce n'est pas le travail qui va me manquer avec votre cas; aussi, je vous dis au revoir et à demain matin.

L'avoué l'accompagna jusqu'à la porte et, en lui serrant la main, il ajouta gaiement :

— Il y a une chose qui jouera en votre faveur, c'est que nous sommes en guerre; les mentalités ont changé, les gens ont des idées plus larges. Les pouvoirs en place ont des problèmes un peu plus importants sur les bras que les affaires de famille. Et, qui sait, le juge peut penser que vous serez plus utile pour le pays dans une usine que dans une prison. Vous travaillez en usine à mi-temps, et vous vous occupez également d'une petite entreprise de réparation de véhicules, m'avez-vous dit ?

— Oui.

— Eh bien, c'est drôle, mais il y a pas mal de gens que cette guerre arrange bien ! Passez une bonne journée.

— Vous aussi.

C'est dans une sorte de brume qu'Abel longea les couloirs, traversa la salle des dactylos, puis la pièce d'accueil où Mlle Wilton semblait l'attendre, et il se retrouva dans la rue.

On était en guerre. Il l'avait complètement oublié. Il avait oublié qu'il avait passé la plus grande partie de la nuit à déblayer lentement, presque brique par brique, pour éviter que les derniers pans de murs ne s'écroulent, les ruines d'une maison dans la cave de laquelle étaient ensevelis une femme et son chien. Il avait oublié également que c'était lui qui avait empêché l'un des pans de mur de s'écrouler en le calant avec une poutre, et que c'était encore lui qui avait dû arracher le chien des bras de la vieille femme avant de la hisser vers la sortie, alors qu'elle pleurait à cause de son animal. Il avait ensuite remonté délicatement le chien dont les pattes arrière avaient été complètement écrasées, et il doutait qu'il ait survécu bien longtemps. On l'avait tiré de là juste à temps, et lorsque, quelques secondes plus tard, le mur s'était effondré, il avait eu un malaise.

Et tout à coup ce malaise recommença. Il se sentait épuisé et, mon dieu, il eut envie de pleurer. Il fallait absolument qu'il rentre, qu'il rentre chez Florrie.

CHAPITRE VI

La maison était silencieuse... comme une tombe. Dick dormait encore. Il n'était que cinq heures et demie du matin. La ville ne s'était pas encore éveillée, mais même quand elle le serait, la maison continuerait à sembler morte.

Elle mit la bouilloire sur le gaz pour chauffer l'eau de l'inévitable premier thé de la journée; puis, pendant qu'il infusait, elle enleva les ronds du fourneau, disposa délicatement quelques boulets de charbon sur les braises encore chaudes et secoua la grille pour faire tomber les cendres. Ensuite elle se servit une tasse de thé et s'assit sur une chaise près de la table — elle ne s'asseyait jamais plus dans le grand fauteuil en bois.

Elle but son thé à petites gorgées en regardant le châssis du rideau de black-out fixé devant la fenêtre de la cuisine. Elle laissait son esprit vagabonder d'une chose à l'autre, comme elle avait pris l'habitude de le faire depuis quelque temps, en évitant de penser au procès. Cela faisait trois semaines qu'il n'y avait pas eu d'alerte. C'était dommage, pensait-elle, parce qu'elle ne souhaitait qu'une chose : qu'une bombe réduisît la maison en miettes à un moment où elle serait seule à l'intérieur, car elle ne trouvait plus aucune raison de se raccrocher à la vie. Tout le monde autour d'elle semblait avoir de bonnes raisons de vouloir vivre, mais elle, elle n'en avait pas. Dick essayait toujours de ne pas lui montrer sa joie.

Que serait-elle devenue au cours de ces dernières semaines sans sa présence ? Et sans celle de Molly ? Ils avaient été merveilleux tous les deux. Mais c'était Dick qui l'avait soutenue la nuit durant les quinze jours où elle avait eu ses crises de larmes. Sans lui, on l'aurait emmenée. On avait voulu l'envoyer en traitement. Et maintenant, quand elle sentait la tension monter en elle, le souvenir de toutes ces nuits, où tantôt elle sanglotait, tantôt elle était agitée par un rire nerveux, l'aidait à se maîtriser. Elle ne savait pas ce qui avait été le pire, les larmes ou le rire. Le médecin avait dit que ses crises étaient dues au choc. Quand elles avaient cessé, elle était retombée dans un étrange abattement : elle passait des heures et même parfois des jours entiers complètement étrangère à tout. Son esprit lui posait sans cesse la même question : « Qu'est-ce que la vie lui avait donné ? » Et invariablement elle se répondait... « rien », parce que personne ne l'avait vraiment aimée. Elle excluait son faux père, car ce n'était pas elle qu'il avait aimée; il s'était contenté de chérir à travers elle l'image de sa mère. Quoiqu'il lui semblât bizarre qu'un aussi affreux petit bonhomme ait pu aimer avec une telle intensité.

C'était cela même qui avait manqué à son propre amour : l'intensité. Elle avait aimé Abel, mais sans passion, du moins quand elle l'avait épousé et durant toutes les années stériles qui avaient suivi; car, maintenant, le sentiment qu'elle éprouvait pour lui la dévorait. Elle aurait dû le haïr, et elle ne le haïssait pas. Bien au contraire, elle avait besoin de lui, elle le désirait, elle s'était mise à l'aimer avec une telle passion, à présent ! Pour la première fois de sa vie, elle comprenait ce qu'était l'amour, et que cela n'avait rien à voir avec tout ce qu'elle avait pu ressentir au cours de son existence. Elle l'aimait tant qu'elle aurait voulu qu'il vécût là, avec elle, dans la maison, même s'il ne devait jamais plus s'approcher d'elle; cela montrait bien ce qu'elle était prête à accepter pour qu'il restât avec elle. Et elle repensait alors à ce qu'il entendait, lui, par « aimer ».

Elle se leva et alla rajouter du charbon dans le feu, puis elle se versa une seconde tasse de thé et se rassit. Aujourd'hui, c'était le grand jour; son dernier jour de liberté, probablement le dernier. A combien allaient-ils le condamner ? Est-ce que ce qu'elle avait fait pourrait minimiser sa peine ? Elle avait demandé à Dick d'apporter la lettre à son avoué. Il avait demandé, l'air hésitant :

— Ce n'est pas pour le charger, n'est-ce pas ?

Et elle avait simplement répondu :

— Non, je crois que cela pourra l'aider, au contraire.

Elle sentait qu'il lui faudrait lutter de toutes ses forces pour ne pas se rendre au tribunal de Newcastle; elle aurait tant voulu le voir une dernière fois, mais l'idée de revoir cette femme ou leur Florrie lui était insupportable... Encore que si leur Florrie était un peu avisée, elle ne s'y rendrait pas non plus. Ce genre de pensée la ramenait à son ancien personnage, à Hilda l'autoritaire, Hilda la bien-pensante. Mais ses sentiments à l'égard de Florrie avaient changé également. Pendant la période des crises de larmes, elle s'était imaginée maintes fois courant chez Florrie, la jetant à terre et la battant à mort; puis, un jour, elle avait pris conscience qu'il y avait l'enfant, et elle avait cessé d'imaginer cette scène — mais son esprit avait continué à en oblitérer une autre : celle de la naissance. A présent, elle avait entouré Florrie d'une sorte de cocon, et c'était comme si elle n'eût plus existé. Elle ne pensait même pas comme avant : je suis heureuse parce qu'elle va souffrir; peut-être se rendait-elle pleinement compte que sa souffrance, comparée à la sienne, serait brève. Elle ne durerait que tant qu'il serait en prison.

Sa réflexion fut brusquement interrompue par l'arrivée de Dick. Elle se tourna vers lui et remarqua :

— Tu t'es levé bien tôt.

— Oui, ça fait déjà un moment que je suis réveillé; je t'ai entendue descendre.

— Je viens juste de faire du thé. (Et comme elle allait se lever il l'arrêta :) Ça va; je vais me servir.

Après avoir rempli sa tasse, il alla s'asseoir en face d'elle, de l'autre côté de la table. Mais avant de commencer à boire, il regarda Hilda, qui soutint son regard. Il tendit alors vers elle une main dans laquelle elle déposa les siennes, et quand il les lui pressa avec force elle baissa la tête et se mordit violemment la lèvre.

— Essaie de ne pas y penser. Tu ne peux rien faire; plus personne ne peut rien faire. D'autres le tiennent en leur pouvoir.

CHAPITRE VII

M. Justice Hazeldean parcourut la salle d'audience du regard. Il espérait que son esprit resterait fixé sur le cas qui l'occupait. Mais un sentiment presque irrépressible de soulagement, de joie même, l'envahissait, à tel point que seule sa longue expérience empêchait un large sourire d'illuminer son visage; elle l'empêchait également de partir et de se ruer chez lui pour prendre sa femme dans ses bras, parce qu'elle devait encore être sous le coup de l'émotion.

Hier encore, ils étaient sans enfant; ils l'étaient depuis qu'ils avaient appris que leur fils unique était porté disparu, présumé mort. Et aujourd'hui, ce matin très exactement, on les avait informés qu'il était prisonnier de guerre. Quand son avion s'était écrasé, il avait été blessé, et depuis il se trouvait à l'hôpital. Ils ignoraient la gravité de ses blessures, mais il était vivant.

Il reporta son attention sur l'affaire qu'il traitait. Le vieux Benbow était en pleine forme ce matin : l'avocat de la partie civile faisait sa plaidoirie sur un ton passionné; il souhaita pour le prisonnier que la défense de Collins fût aussi bonne. Ce cas n'était pas si simple cependant; il ne s'agissait pas seulement de bigamie. Il y avait surtout la raison pour laquelle cet homme avait abandonné sa première femme : ça, c'était une sale affaire. Et maintenant, c'était elle qui témoignait — c'était une petite chose, une sorte de fouine comme aurait dit Margaret. Oh ! là là ! oh ! là là ! Elle avait commencé assez calmement, comme une souris, mais à présent elle haranguait son mari en dépit des efforts de maître Benbow pour lui faire baisser le ton... Comment s'appelait-elle déjà ? Mason. Mme Mason. Eh bien, elle était en train de se montrer sous son vrai jour ! Hum ! Hum ! Chacun pouvait voir qu'il n'avait pas dû être facile de partager la vie d'une telle mégère... La défense protestait. Il lui donna gain de cause. Cette femme avait fait la lumière au moins sur un point.

Puis il regarda le prisonnier sur le banc des accusés. Ce grand gars costaud était sûrement porté sur les femmes, en tout cas il donnait cette impression. Si ce que sa femme légale venait de dire était vrai, il vivait à présent avec la sœur de sa femme illégale. Eh bien, cela faisait une bonne liste ! Une femme, une maîtresse, une femme illégale, une nouvelle maîtresse. Et ce n'était que ce que l'on savait, il se pouvait très bien qu'il y en eût d'autres. Pourtant, à le voir comme ça, on ne l'aurait pas classé dans la catégorie des don juans. Il était peut-être bien bâti et il avait une certaine allure, mais paraissait plutôt doux. Il était vêtu avec soin également. On aurait pu le prendre pour un cadre moyen se rendant à son bureau, mais c'était un ouvrier. C'était même un bon ouvrier : quatre femmes ou plus ! Blague à part, c'était un homme qui travaillait dur. Cette idée le fit rire.

Il aurait voulu que Benbow écartât cette femme de la barre; il ne pouvait plus supporter le son de sa voix. Elle tempêtait à présent à propos de toutes les années où il avait fallu qu'elle subvînt seule à ses besoins. Et voilà ! La défense s'interposait à nouveau. Il jeta un coup d'œil à sa montre. Combien de temps cela allait-il durer ? C'était le dernier procès de la matinée. Margaret devait venir le rejoindre au club. Il aurait voulu lui offrir quelque chose. Quelque chose de bien. Mais il trouverait peut-être le moyen de le faire. L'ami d'un ami d'Harisson faisait du marché noir, du marché noir de bijoux. Il rit à nouveau tout seul. Pourquoi pas ? Vraiment, pourquoi pas ? Il fallait fêter cet événement. Il faudrait qu'il le voie avant de quitter le tribunal.

Ha ! Voilà que ça redevenait intéressant ! Me Collins commençait sa plaidoirie avec un point fort : la lecture d'une lettre de la femme illégale de l'accusé. Ah bon ! ainsi le prisonnier n'avait pas désiré l'épouser; il avait apparemment fait tout ce qui était en son pouvoir pour l'éviter ! Il lui avait juste proposé de vivre avec elle, et c'était elle qui avait insisté pour qu'il l'épousât. Hum !

Hum ! Elle aurait épargné bien du tracas à tout un tas de gens si elle n'avait pas autant insisté. Et elle avait écrit également qu'il avait été un très bon mari et un père attentionné. Hum ! Hum !

Il regarda de nouveau le prisonnier. Il avait changé de couleur. Quelques minutes auparavant, il était d'un blanc cireux, et à présent il rougissait presque. Cet homme était sensible; on aurait pu dire qu'il avait plus l'air d'un prêcheur que d'un pécheur. Il semblait être ce genre de bonhomme que les femmes veulent materner. Elles aiment toujours materner les grands costauds. Quant à lui, il trouvait qu'en général les grands costauds avaient une cervelle d'oiseau. Et Arthur alors ? Arthur était grand et fort, et pourtant il n'avait pas une cervelle d'oiseau; non, Arthur, c'était un actif. Combien de missions avait-il accomplies cette dernière année ? De toute façon, pour lui, plus question de missions désormais. Mais il n'avait pas été tué. Non, il n'était pas mort, mais bien vivant, et il reviendrait bientôt. La fin de la guerre était en vue, et bien en vue... Ah ! L'accusé était à la barre à présent, et il ne plaidait plus non coupable, mais coupable ! Bon ! Bon ! Il ne semblait pas avoir grand-chose à dire pour se défendre. Heureusement que Collins mettait en relief toutes les autres raisons pour lesquelles il avait quitté sa femme légale ! C'était une femme hargneuse — oh ! ça, il voulait bien le croire ! —, paresseuse et cruelle envers son fils; la preuve en était que le jeune homme avait à présent une oreille détruite. Pourquoi Collins employait-il ce terme d'oreille détruite ? Dans le langage d'aujourd'hui, cela donnait à croire que son oreille avait été bombardée par l'ennemi. Il rit tout seul. Pourquoi Collins n'avait-il pas dit tout simplement que son ouïe avait été affectée ?

Il était en train d'expliquer que le prisonnier et son fils avaient vagabondé sur les routes pendant des semaines et que c'était surtout pour donner un abri durable à ce dernier qu'il avait accepté l'offre de Mme Maxwell. Oh, oh ! Cela n'avait pas l'air de plaire au prisonnier ce que disait Collins, et ce n'était pas maintenant que ce dernier allait lui donner la parole. Mon dieu ! Si seulement il pouvait abréger ! De toute façon, il savait déjà quelle sentence il allait prononcer.

Oh ! Ainsi la femme demandait une pension alimentaire, alors qu'elle vivait chez son cousin à North Shields ! Et ça y était ! La voilà qui se mettait à nouveau en travers, criant qu'elle lui servait de femme de ménage. En quoi cet homme avait-il besoin d'une femme de ménage avec un appartement de deux pièces ? C'était vraiment une sale bonne femme. Et ses propres paroles la trahissaient. Il avait envie de relaxer son mari juste pour l'embêter; il ne pouvait pas supporter ce genre de fouineuse. S'il avait été à la place du prisonnier, lui aussi, il l'aurait quittée. Elle avait dit qu'elle ne voulait pas divorcer; eh bien, si ce qu'on pouvait deviner à travers ce qu'elle racontait était vrai, lui, il pouvait maintenant demander le divorce, n'est-ce pas ? Qui était son avoué déjà ? Il compulsa ses notes. John Roscommon. Ah bien ! Roscommon ! Il n'avait pas commis trop d'erreurs, et il avait bien choisi son avocat. Collins avait fait du bon travail. Il avait parfaitement montré que l'on était en présence d'un cas particulier. Et il était exact que cet homme pouvait se montrer courageux, car n'avait-il pas été objecteur de conscience pendant la dernière guerre, et n'avait-il pas dû se battre avec toutes ces femmes ensuite ? Elles s'étaient comportées comme des furies, sans pitié, et elles l'avaient fait tourner en bourrique.

Mais il restait cette fameuse histoire de meurtre. C'était une sale affaire, peu importe comment ça s'était passé; et, comme cette petite fouine l'avait dit, il y en aurait eu un autre si la famille de la défunte n'avait pas été exterminée par une bombe. Il ne lui restait plus qu'à résumer les débats. Il allait lui falloir sermonner cet homme, mais il le ferait de façon mesurée, selon l'expression de Margaret.

S'adressant à l'accusé, il commença ainsi :

— Il me semble que toute cette affaire découle du fait que vous avez adopté l'attitude de la moindre résistance. Vous n'êtes pas le seul à avoir vécu avec une femme querelleuse; et nombre de ceux qui se trouvent dans ce cas aimeraient pouvoir quitter leur femme, mais les responsabilités qu'ils ont contractées envers l'Église et l'État lors de leur mariage les retiennent... N'oublions pas les motifs pour lesquels vous avez abandonné votre épouse. Je suis certain qu'il vous est arrivé de penser que cette femme serait encore en vie, si vous n'aviez pas eu de liaison avec elle. On peut évidemment argumenter sur son hypothétique bonheur; c'est un point discutable. Mais personne ne peut justifier un meurtre pour simple raison de malheur. Maintenant, venons-en à ce cas de bigamie. Il est un point en votre faveur : la femme avec qui vous avez contracté ce genre de mariage ne dit que du bien de vous; en fait elle souhaiterait prendre toute la faute sur elle, et elle souligne également le fait que vous avez refusé de l'épouser à l'église. Je suppose que, dans votre esprit, vous vouliez mettre les choses au clair, du moins avec la Divinité...

Il fit une pause et lança un regard d'avertissement à la Cour pour calmer les petits rires qui s'étaient élevés.

— C'est également tout à votre honneur que vous n'ayez pas cherché à tirer profit de cette association. Si j'ai bien compris, cette affaire est encore à son nom, vous ne receviez qu'un salaire hebdomadaire. Si vous aviez été un vrai chenapan au lieu d'un homme faible, il est certain que vous auriez essayé d'en obtenir de plus grands avantages. Vous auriez pu, par exemple, la convaincre de mettre l'affaire à votre nom, ou si jamais vous n'y étiez pas arrivé, à vos deux noms; mais vous n'avez fait ni l'un ni l'autre. Vous vous êtes contenté d'offrir à votre fils un endroit où il pouvait vivre en sécurité avec vous. Et, en échange, vous avez apporté à cette femme affection et gentillesse, puisqu'elle ne vous veut que du bien. Je... (Il parcourut la salle d'audience du regard en quête d'un visage, et il posa ses yeux une seconde sur Lena avant de poursuivre.) D'après l'audition du témoin, votre femme légale ne veut pas entendre parler de divorce. En fait, elle paraît déterminée à vous refuser toute liberté; mais, selon vos propres dires, vous ne retournerez jamais vivre avec elle, et, d'après ce que l'on a pu comprendre il semble que vous ayez de multiples raisons pour divorcer. Mais cela est une autre question. (Il savait qu'il n'aurait pas dû glisser cette parenthèse, mais le visage de cette femme lui déplaisait profondément. Il marqua une nouvelle pause, compulsa ses notes, puis il conclut en regardant Abel bien en face :) Il est inutile de rappeler que nous sommes en guerre et que vous seriez plus utile à la nation en liberté qu'en prison. Néanmoins, vous avez enfreint la loi et vous encourez une peine de détention de sept ans. Mais puisque, comme je l'ai déjà mentionné, je pense que vous êtes plus faible que malhonnête, je vous condamne à neuf mois de détention.

Qu'avait donc dit l'accusé ? Il restait figé et il avait remué les lèvres. Il supposa qu'il avait murmuré des remerciements. De toute façon, s'il se comportait bien en prison, il serait libéré dans six mois, et c'était le genre d'individu à bien se conduire.

A présent, il pouvait filer au club pour retrouver Margaret, Margaret qu'il allait voir sourire pour la première fois depuis des semaines. Cet homme ne le saurait jamais, mais sans les bonnes nouvelles qu'il avait reçues le matin même, guerre ou pas guerre, il l'aurait condamné à sept ans de prison.

Neuf mois ! Florrie regardait son père qui s'exclama en hochant la tête :

— Ça y est, il est tiré d'affaire. Il a eu une sacrée veine. Comme le zigue l'a dit, il aurait pu avoir sept ans. Et sa femme, si elle avait eu un mot à dire, elle lui aurait donné trente ans. Seigneur ! C'est une garce qui sort de l'enfer, si jamais il existe. Rien d'étonnant à ce qu'il l'ait quittée. Si elle était déjà comme ça il y a douze ans, moi je l'aurais assassinée. Elle s'est mis le juge à dos parce qu'elle n'arrêtait pas d'intervenir. Tu aurais dû voir ça !

Neuf mois ! Florrie serra un instant son bébé contre elle avant de le déposer sur le divan. Puis elle se dirigea vers la cheminée, appuya sa tête au chambranle, et demanda :

— Il m'a interdit d'y aller, mais ne crois-tu pas qu'après tout il espérait que j'y aille ?

— Mais non; ne t'attendris pas, cela n'aurait fait que compliquer les choses. De quoi aurait-il eu l'air ? Il a laissé sa première femme pour une autre, puis il s'est marié avec une troisième femme, et maintenant il vit avec la sœur de cette dernière, et c'est elle qui serait venue au procès ? On s'en serait aperçu; en tout cas, sûrement cette teigne, car elle sait tout; elle voulait même le raconter.

— C'est vrai ? (Elle se retourna vivement.)

— Oui, mais le juge l'a fait taire. Je te le dis, Abel a sacrément eu de la chance ce matin, car le vieux Hazeldean est surtout connu pour sa dureté. Quand j'ai vu que c'était lui qui siégeait, j'ai pensé qu'il en aurait pour deux ans. Voilà ce que je croyais.

— Mais neuf mois !

— Il n'en fera que six, et six mois, qu'est-ce que c'est après tout ? Allez, remonte-toi. Je vais te chercher un verre.

Alors qu'il se dirigeait vers le meuble, elle l'appela doucement :

— Papa.

— Oui, demanda-t-il sans se retourner.

— Je sais que tu vis maintenant dans un appartement agréable... mais est-ce que tu accepterais de rester ici pendant une ou deux semaines ? Je peux t'installer un lit et...

— N'en dis pas plus, fillette. J'ai déjà tout prévu; je resterai ici jusqu'à ce qu'il revienne.

— Merci, papa.

Après avoir servi deux whiskies, il lui tendit un verre :

— Assieds-toi. Il faut que je te parle.

Il attendit qu'elle soit installée pour commencer :

— Allez, bois donc une gorgée. (Elle le fit, et il poursuivit :) Tu n'as pas que le juge à remercier pour sa clémence; sans elle, les choses auraient mal tourné pour lui.

— Tu parles de... ?

— Je parle de Hilda.

Florrie s'avança sur le bord du divan, puis demanda :

— Elle était là ?

— Non, mais elle a donné une lettre.

— Une lettre ?

— Mais oui. L'avoué l'a lue. Et cette lettre disait

qu'elle l'avait pratiquement forcé à l'épouser et qu'il avait été bon avec elle. Elle précisait qu'il ne lui avait jamais réclamé le moindre sou, alors qu'il aurait pu prendre toute l'affaire à son nom. C'était quelque chose dans ce goût-là. En tout cas, j'ai cru qu'il s'agissait d'un miracle, je n'aurais jamais imaginé que Hilda puisse faire ça. Elle a dû changer.

Après quelques instants, Florrie dit d'une voix calme :

— Je lui dois beaucoup. Par ma faute... elle se retrouve dans une situation épouvantable. Je me sens coupable. J'y pense sans cesse.

— Ce n'est pas de ta faute, c'est elle qui l'a poussé; elle l'a forcé à l'épouser. Elle le reconnaît. Le juge a dit qu'Abel était un homme faible.

— Il n'est pas faible ! répliqua-t-elle avec véhémence. Il est bon, il est seulement trop bon.

— Écoute, pense ce que tu veux, mais moi je trouve qu'il s'est montré faible, et même sacrément faible, pour avoir accepté de passer par la mairie. En tout cas, c'est grâce à elle qu'il a été condamné à une peine aussi courte, parce que, jusqu'à ce que cette lettre soit lue, il n'avait vraiment rien pour se défendre. Et, crois-moi, l'accusation avait beaucoup plus à dire que la défense. Bon dieu ! Tu aurais dû voir comment ce type s'acharnait contre lui. On aurait cru qu'il s'agissait du procès de Hitler. Mais, tu sais, l'accusation ou la défense, c'est le même tabac, parce que, pendant que j'attendais dehors pour faire un signe de salut à Abel, ils étaient là, les deux avocats. Ils faisaient les cent pas en se racontant des histoires et ils se fendaient la pêche. Trêve de plaisanterie. Je parierais qu'ils avaient déjà tout décidé avant de commencer. (Il avala ce qui lui restait de whisky et ajouta, tout en reposant le verre sur la table :) Mais cela m'étonne encore qu'il n'ait eu que neuf mois.

Neuf mois... avec une chance de sortir dans six mois. Elle ne pouvait s'empêcher d'imaginer tous ces jours vides, sept jours par semaine et quatre semaines dans un mois. Vingt-quatre semaines avant de le revoir ! Elle pourrait aller lui rendre visite, bien sûr. Bien sûr ! A quoi pensait-elle donc ? Il y avait les visites. La dernière nuit, ils avaient parlé de tout, sauf du droit de visite en prison. Le matin même, alors qu'il la tenait serrée contre lui, ses dernières paroles avaient été :

— Quoi qu'il arrive, rappelle-toi qu'il n'y a que toi et qu'il n'y aura jamais que toi.

— Allons, jeune fille, allons. Suffit avec ça ! Tu dois t'occuper du bébé, la vie doit continuer. (Et en éclatant d'un rire tonitruant il ajouta :) En tout cas, tant que Hitler ne nous a pas balancé une bombe sur la tête...

CHAPITRE VIII

A son habitude, le révérend Gilmore se croisa les mains sur le ventre et déclara en se penchant légèrement en avant :

— Je dois vous parler, Hilda; c'est important, important pour nous deux. Si nous nous asseyions ?

— Je préférerais pas..., j'ai à faire.

Sans manifester la moindre surprise, le pasteur reprit aussitôt :

— Je comprends parfaitement ce que vous ressentez et ce que vous avez enduré au cours de ces derniers mois. Personne ne le sait mieux que moi, ni ne s'en préoccupe autant que moi, mais il faut que je vous parle franchement. (Il redressa légèrement le buste avant de poursuivre.) Vous savez que je suis votre ami depuis des années, vous avez toujours cherché conseil auprès de moi, et je vous l'ai toujours honnêtement donné, mais aujourd'hui je... eh bien, je ne suis pas venu ici pour cela, mais pour vous poser une question...

— ...Je préférerais que vous ne me la posiez pas, monsieur Gilmore.

— Et pourquoi ?

— Tout simplement parce que je ne veux pas l'entendre.

— Vous la connaissez donc ?

— Je la devine.

Elle se détourna, mais au même moment il la saisit soudainement par le bras et elle ne bougea plus. Puis, penchant la tête légèrement de côté, elle le regarda.

— Je vous demande de m'épouser, Hilda. Je vous offre un mariage honorable.

— Le même que celui que vous m'avez conseillé avec M. Maxwell ? lui demanda-t-elle sur un ton tranchant.

Il redressa le menton, adopta une pose rigide, et sans lui lâcher le bras il lui déclara d'une voix sifflante :

— Vous n'étiez plus tout à fait une jeune fille à ce moment-là, et vous saviez ce que cette proposition impliquait.

— Non, pas exactement. A vrai dire, je l'ignorais; j'étais une jeune fille innocente.

— Vous vous êtes trompée, vous avez déçu M. Maxwell, et vous avez été déçue aussi. Mais... mais à présent... Hilda.

Il voulut l'attirer à lui, et il ne put dissimuler sa déception lorsqu'elle retira brutalement son bras et qu'elle lui dit, le regard planté dans le sien :

— Monsieur Gilmore, je ne vous épouserai pas, même si vous étiez le dernier homme à vivre sur la terre de Dieu; et votre demande me laisse froide. Si je regarde mon passé, je m'aperçois que vous m'avez fait mille fois plus de mal que de bien, ou du moins que vous m'avez fait faire plus de mal que de bien.

— Hilda ! Enfin ! Comment osez-vous parler ainsi ? (Il était sincèrement offusqué et ne s'en cachait pas.) Vous n'êtes plus la même. Le malheur qui s'est abattu sur vous vous a totalement transformée.

— Eh bien, si c'est le cas, ce malheur aura au moins servi à quelque chose. Et écoutez, je vous l'ai déjà dit, j'ai à faire et... et je voudrais que vous partiez. De plus, ne vous attendez pas à me revoir dans votre église.

Le révérend Gilmore était trop abasourdi pour pouvoir proférer une parole, mais, semblant tout à coup se souvenir des devoirs que lui imposait son sacerdoce, il s'efforça de se conduire en pasteur, et il dit d'une voix posée :

— Quels que soient vos sentiments à mon égard, Hilda, vous n'avez pas le droit de les reporter sur Dieu. Nier l'existence du Tout-Puissant ne vous apportera aucun secours.

— Je ne nie pas l'existence du Tout-Puissant. Je vous dis seulement que ce n'est plus avec votre aide que je vais Le chercher. Je trouverai seule le chemin qui me mènera à Lui, du moins je l'espère.

— Je l'espère également. En vérité, je l'espère.

Il avait parlé comme un maître d'école qui vient de perdre un élève. Et il l'observa encore un moment avant de sortir de la pièce. Le claquement retentissant de la porte d'entrée révéla à quel point le pasteur était courroucé.

Assise, un coude posé sur le bras du divan et se soutenant la tête d'une main, Hilda se demanda comment elle avait pu supporter la bigoterie de cet homme durant toutes ces années. Mais l'énergie avec laquelle elle l'avait renvoyé témoignait de son évolution. Elle ne se reconnaissait plus. Ce qui se passait en elle l'alarmait. Ce qu'elle aurait condamné un an auparavant — provoquant ainsi un mépris silencieux ou une colère ouverte d'Abel — n'attirait même plus son attention.

La nuit, lorsque, effrayée de rester seule chez elle, elle attendait au portail le retour de Dick, qui était de garde ou qui avait emmené Molly au cinéma, et qu'elle observait les hommes en uniforme qui partaient bras dessus, bras dessous avec des femmes en direction de la campagne et des chemins isolés, elle ne pensait plus comme autrefois : « Un scandale ! On devrait l'interdire ! Une nouvelle chaque nuit, c'est certain. » Elle se contentait de les suivre du regard sans faire de commentaire, et peut-être ces silhouettes enlacées éveillaient-elles en elle une sorte de sentiment de jalousie.

La nuit précédente, adossée à ses oreillers, les yeux grands ouverts, elle s'était demandé si, à présent, elle pourrait rendre Abel heureux, si jamais cette chance lui était donnée. Mais elle s'était aussitôt dit que cette question était stupide, car elle ne lui serait pas accordée. C'était aux femmes dans le genre de Florrie que cette chance s'offrait, aux femmes qui n'avaient pas peur de la saisir, parce qu'elles prenaient la vie à pleines mains et vivaient comme si chaque jour eût été à la fois le premier et le dernier.

Trois coups de klaxon dans la cour la firent s'extirper du divan. Ce signal signifiait qu'Arthur Baines avait besoin d'aide. Elle ne s'était pas du tout rendu compte de la somme de travail qu'Abel accomplissait. Il ne s'était pas contenté de réparer les voitures d'occasion qu'il pouvait trouver, il avait également entretenu les bicyclettes, et c'était un véritable tour de force car il lui avait fallu fabriquer pratiquement toutes les pièces de rechange. Il avait aussi organisé tout le travail. Elle s'était figuré que c'était elle qui le faisait sous prétexte qu'elle tenait les livres. Mais au cours de ces derniers mois elle s'était aperçue qu'en fait les choses ne se passaient pas de cette façon. Elle avait appris également qu'Arthur Baines ne travaillait pas pour elle comme il le faisait pour Abel; elle était une femme, et, comme elle se l'était entendu dire, elle n'était même pas capable de distinguer un châssis d'un pare-chocs ou une boîte de vitesses d'une chambre à air. Elle aurait pu provoquer une explication avec Arthur à ce sujet, mais elle savait que si jamais elle avait des mots avec lui il s'en irait, et les hommes étaient rares, même les vieux.

D'ailleurs, elle était fatiguée de cette affaire, elle en avait assez de tout. Peut-être Dick la reprendrait-il lorsque la guerre serait terminée, et elle pourrait se retirer... mais pour faire quoi ? Partir en voyage comme les veuves fortunées d'avant-guerre ? Faire une croisière dans l'espoir de trouver un autre homme ? Non, il ne fallait pas qu'elle abandonnât ce travail, et, guerre ou pas, il fallait qu'Arthur Baines sût qu'elle était encore là. Mais quel effort tout cela allait lui demander !

Lorsqu'elle ouvrit la porte de la cuisine, elle vit Dick traverser la cour à vive allure. C'était son jour de congé; il était parti depuis huit heures du matin, et à présent il était quatre heures. Elle ne lui demandait jamais où il allait, car la plupart du temps quand il sortait sans Molly elle savait où il se rendait. De temps à autre, elle aurait voulu lui demander comment Abel prenait les choses, mais elle ne pouvait s'y résoudre, et lui, il ne faisait jamais allusion à son père. Comme il était parti de bonne heure ce matin, elle devinait où il était allé.

Elle entra dans la cuisine. Arthur Baines n'avait qu'à se débrouiller.

Elle attendit Dick qui lui sourit en entrant.

— Pouf ! Qu'est-ce qu'il fait chaud... Est-ce que tout va bien ? demanda-t-il en retirant son manteau.

— Oui.

— Il ne s'est rien passé ?

— Non. Ah si, j'ai reçu la visite de M. Gilmore.

— Oh !

— Je... je ne pense pas qu'il revienne.

— Non ? (Dick était étonné, et elle secoua la tête.)

— Non, il m'a fait une demande en mariage, ajouta-t-elle l'air sérieux.

— C'est impossible !

— Eh bien, si.

— Ex... excuse-moi. Tu as refusé ?

— Oui.

— Quel toupet ! A son âge ! Il est presque à la retraite, autant que je sache.

— Je crois qu'il a même dépassé l'âge de la retraite. On ne le garde que parce que l'on est en guerre. Toujours est-il qu'il ne reviendra pas et que je n'irai plus écouter ses sermons.

— Tu n'iras plus à l'église ? (Dick ne put s'empêcher de hausser les sourcils.)

— Pas dans la sienne en tout cas; et peut-être même dans aucune. Tout dépend si j'en éprouve le besoin.

Il lui saisit impulsivement le bras; elle laissa tomber la tête sur sa poitrine, et il la prit dans ses bras pour la tranquilliser.

— Allez, allez.

Lorsqu'elle se redressa, elle plissa les yeux et se frotta énergiquement les lèvres avant de lui demander :

— As-tu mangé ?

— Non, je meurs de faim.

— Patiente encore un instant. J'ai un ragoût sur le feu. Je vais juste faire un tour pour voir ce que veut Arthur, et ensuite je te préparerai quelque chose.

...Entre-temps, il avait mis la table, et elle apprécia son attention par une simple exclamation. Puis elle emplit une assiette qu'elle posa devant lui.

Il contempla son assiette, puis, relevant les yeux sur elle, il lui demanda :

— Eh bien, et toi ?

— Je n'ai pas faim.

— Tu devrais manger.

Elle lui fit un petit sourire.

— Avant, tu me disais tout le temps que je mangeais trop.

— C'est vrai, mais maintenant, tu ne manges plus assez et tu maigris beaucoup.

— Tant mieux ! C'est la première fois de ma vie que j'ai une silhouette.

Il saisit sa fourchette et son couteau, mais, laissant retomber ses mains de part et d'autre de l'assiette, il annonça, la tête baissée :

— Je l'ai vu aujourd'hui, et, si j'ai bien compris, il sortira dans une semaine ou deux.

Il la regarda alors, et elle lui dit :

— J'en suis heureuse. Tu peux me croire (elle hochait la tête), ça me rend vraiment heureuse. Je n'aurai pas l'âme en paix tant que l'on ne l'aura pas remis en liberté.

— Il a demandé de tes nouvelles.

Elle lui jeta un long regard inquisiteur.

— Tu dis ça pour me faire plaisir, Dick. Mais ça n'est pas la peine, tu sais.

Il lâcha ses couverts et, se penchant par-dessus la table :

— Je ne dis pas ça pour te faire plaisir. Je ne t'ai jamais dit ça avant, n'est-ce pas ? Et pourtant, je suis allé le voir très souvent. Je te répète qu'il a demandé de tes nouvelles. Il m'a demandé tout naturellement : « Comment va Hilda ? » Je pense qu'il se rend compte mieux que personne que, sans la lettre que tu avais écrite, il aurait eu une peine deux ou trois fois plus lourde.

Elle fit le tour de la table et se rapprocha de la cheminée :

— C'était... c'était le moins que je pouvais faire. Je ne m'étais pas très bien comportée avec lui, pas mieux que lui avec moi. Je ne l'ai jamais rendu... heureux. Comprends-tu ? (Elle détourna les yeux.) J'ai senti que j'avais une dette envers lui. Si... si j'avais été un peu plus sensible, si je n'avais pas eu ces saletés de préjugés, il ne serait jamais allé avec notre Florrie. Bien que... bien que je sache qu'il a été attiré par elle dès le premier jour.

Dick la regardait attentivement. Elle avait la tête penchée, et il se dit que ce n'était pas la première fois qu'elle employait ce mot de « saletés » depuis quelques mois et qu'elle ne disait plus « mon dieu » à tout bout de champ. Quel changement ! Son père ne la reconnaîtrait pas. Quel dommage qu'il fût trop tard !

Il comprit alors qu'il l'aimait comme si elle eût été sa mère. D'ailleurs ne s'était-elle pas conduite comme une mère toutes ces années ? Alors que cette femme qui était venue au tribunal, par Dieu ! S'il avait autrefois blâmé son père pour son aventure avec Alice et tout ce qu'elle avait entraîné, le comportement de sa mère au tribunal lui avait ouvert les yeux. Elle n'était qu'une mégère, une misérable petite mégère. Il ne s'était trouvé aucun point commun avec elle, et, à présent, quand il repensait aux enfants qu'il pourrait avoir avec Molly, il souhaitait qu'ils ne ressemblassent en rien à leur grand-mère.

Il était parvenu à l'éviter dans les couloirs du tribunal, mais après le jugement elle lui était tombée sur le dos dans la rue. Elle s'était plantée devant lui, et elle lui avait lancé :

— Eh bien ! On n'a pas beaucoup poussé, hein ?

Il avait cru se retrouver dans la cuisine du cottage lorsqu'elle lui hurlait : « Où est-ce que vous êtes allés ? Tiens, prends ça ! Tiens ! Et tiens ! » Chaque fois qu'il y repensait, il prenait conscience du léger trouble de son oreille gauche. Puis elle avait ajouté quelque chose qui l'avait révolté :

— En tout cas, il a fini par avoir son dessert.

En guise de réponse, il lui avait crié :

— C'est bien dommage que toi, tu n'aies pas eu le tien !

Sur quoi, il avait fait volte-face. Et tandis qu'il s'éloignait, elle lui avait encore hurlé :

— Tel père, tel fils, espèce d'ingrats !

La rencontre avait été brève, quelques secondes tout au plus, mais il souhaitait vivement ne jamais se retrouver en face d'elle.

Il écarta son assiette, se leva, fit le tour de la table et posa les mains sur les épaules d'Hilda :

— Je voudrais te dire quelque chose que je ne t'ai jamais dit : je... je te considère comme ma mère. Pour moi, tu as toujours été ma mère. Je ne t'appellerai plus tante Hilda; à partir de maintenant, tu seras ma maman. Et je tiens à te remercier pout tout ce que tu...

— Oh ! la la ! Dick ! Dick !

Sa voix tremblait et elle se mit à pleurer. Alors, il l'attira doucement contre son épaule, mais il la raisonna en même temps d'une voix assez rude :

— Allez, arrête ! Ne recommence pas. C'est fini ces histoires. Ecoute-moi, arrête-toi !

Comme elle ne se calmait pas, il se mit à la secouer par les épaules.

— Maintenant, écoute, dit-il. Je suis de service dans deux heures, et je voudrais bien prendre un bain, me changer et aller voir Molly, et si tu n'arrêtes pas je ne pourrai jamais faire tout ça. Et puis je veux te dire encore autre chose. Molly est de garde au square Primerose, et je passerai toute la nuit au poste de surveillance de l'école. Cela fait plus d'une semaine que l'on manque de bras là-bas; depuis que Mme Ratcliffe a la grippe. Alors pourquoi ne viendrais-tu pas pour prendre les appels ? Ce serait mieux que de rester seule ici, non ?

— Je... je n'en serais pas capable.

Elle s'essuya le visage avec la serviette à thé qu'elle avait saisie d'un geste brusque, et elle faillit étouffer lorsqu'il la serra à nouveau contre lui en disant :

— Mais si, tu le peux. Écoute, je me tourmente sans cesse lorsque tu restes seule ici, car tu ne descends pas dans l'abri... Je ne sais jamais ce que tu as en tête.

— Les bombardements ont diminué d'intensité; cela fait un temps fou qu'il n'y en a pas eu, et il n'y en aura sans doute plus...

— Tu oublies les bombes volantes sur la côte sud. La prochaine fois, ce sera peut-être notre tour. Écoute, je n'ai pas d'autre argument à t'avancer, tu vas venir, un point c'est tout. Et maintenant, si cela ne te dérange pas, je vais grignoter un peu. (Il regarda alors la table et demanda;) Où est mon thé ? Et ne me dis pas de ne pas boire de thé en mangeant de la viande, parce que je l'ai toujours fait.

Son grossier stratagème réussit. Hilda mit la bouilloire

sur le feu et commença de s'affairer dans la cuisine. Mais il eut soudain de la peine pour elle. Elle venait de vivre une histoire lamentable. Elle avait ses défauts, bien sûr, mais qui n'en avait pas ? Et elle ne méritait pas ce qui lui arrivait. Il lui vint subitement à l'esprit que, sans Florrie, son père reviendrait ici, et les choses se passeraient différemment. Mais Florrie faisait désormais profondément partie de la vie de son père. Elle était pour lui quelque chose d'aussi solide et durable que les fondations d'un pont.

Dans dix minutes, ce serait la relève. Il observait Hilda. Assise devant le poêle, elle paraissait fatiguée. Il lui sourit et désigna l'horloge d'un signe de tête. Puis il regarda Henri Blythe qui riait avec Georges Thompson : c'étaient les dessins d'enfants épinglés sur la cloison qui les amusaient. Henri Blythe disait :

— Cela veut sans doute représenter un Messerschmitt, mais il l'a réduit à la taille d'une boîte d'allumettes; et le bombardier Lancaster a presque un pied de long en trop.

A cet instant précis, la sirène se mit à mugir. Ils sursautèrent et se regardèrent les uns les autres; puis ils s'exclamèrent presque ensemble :

— Oh non ! Cela faisait six semaines !

Ils se précipitèrent sur leurs casques et leurs manteaux, et Henri Blythe demanda à Hilda :

— Pensez-vous pouvoir vous occuper du téléphone ?

— Oui, mais... je... ne vais pas rester seule ici ?

Il la regarda quelque peu surpris, puis répondit :

— Non, non; l'un d'entre nous restera avec vous, mais il devra peut-être partir un moment. Tout dépend de...

— Tout ira bien; ne t'en fais pas. Reste assise ici, interrompit Dick. Si jamais il y a un appel, note-le. Il faut que quelqu'un reste ici pour porter les messages. (Il lui adressa un sourire rassurant.)

— Je vais faire le tour du bâtiment, annonça Georges Thompson. Mary et Ronnie Biggs sont du côté nord, mais Hannah Farrow est partie seule sur la route. (Il boutonna son manteau, ajusta son casque et sortit.)

— Je ferais tout aussi bien de préparer encore du thé, dit Henri Blythe.

Il partit dans la cuisine, la théière à la main, et c'est à ce moment-là qu'ils perçurent tous les coups sourds de la défense antiaérienne. Dick dit en regardant Hilda :

— N'aie pas peur. Ne t'en fais pas. Ils sont de l'autre côté de la ville, je pense même qu'ils sont encore au-delà. A Gateshead ou Newcastle.

Mais lorsqu'il entendit à nouveau la DCA, il comprit qu'il se trompait; elle venait du cœur de la ville, du côté de Bog's End. L'ennemi visait donc les docks, mais toutefois on n'entendait pas encore le bruit des bombes.

Quelques minutes s'écoulèrent. Henri Blythe revint avec la théière en émail, pleine, et commença de remplir les timbales. Et, juste au moment où il en tendait une à Hilda par-dessus la table, toute l'école se mit à trembler. L'explosion suivante fit rouler au sol trois d'entre eux qui étaient tapis dans l'abri qu'ils avaient installé contre un mur de la salle de classe. D'autres explosions firent encore trembler le bâtiment...

Ensuite, ce fut le silence, et ils s'extirpèrent de l'abri. Le téléphone se mit à sonner et Henri Blythe se pencha sur la table pour le décrocher. Il acquiesça de la tête à plusieurs reprises avant de raccrocher. Puis, il se tourna vers Dick et déclara :

— Il y a du grabuge au bout de Brampton Hill. Ils ont dû avoir vent de l'installation de l'usine, mais ils l'ont manquée. Apparemment, un certain nombre d'immeubles ont été rasés. Ils réclament de l'aide, tout le renfort possible. Je vais y aller et emmener les autres avec moi. Dick, tu resteras ici, et tu t'occuperas de tout pendant mon absence...

— ...Monsieur Blythe, si... cela ne vous fait rien, je préférerais venir également. Voyez-vous, eh bien (il jeta un coup d'œil à Hilda qui le regardait en écarquillant les yeux), j'ai une tante qui habite dans ce quartier, elle vit au numéro 46; je... je voudrais m'assurer que tout va bien, si cela ne vous dérange pas.

— Mais non, venez aussi. Mais prévenez les autres.

...Bien avant d'arriver sur la crête de la colline, il

courait déjà dans la lueur des flammes. Et une fois au sommet, à la vue de ce qu'était devenu Brampton Hill, son estomac se retourna. Ils avaient dit que c'était l'extrémité qui avait été touchée, mais en fait les maisons qui flambaient se trouvaient juste après le centre du quartier, et juste après le centre il y avait le 46.

Pour redescendre la colline, il lui fallut se frayer un chemin parmi les voitures de pompiers, les tuyaux d'incendie et les remous de la foule; et il parvint enfin à ce qui avait été la grille du numéro 46. Un côté de la maison était en flammes et l'autre n'était plus qu'un enchevêtrement de débris de bois, de briques et de mortier. Il se précipita vers l'endroit d'où l'on emmenait les blessés en ambulances, en demandant d'une voix tendue et brisée à tous les hommes en uniforme qu'il croisait :

— Le 46 ? Est-ce que vous en avez sorti du 46 ?

Mais il obtenait toujours le même genre de réponses :

— Où se trouve-t-il, le 46 ? Il y a au moins six immeubles détruits.

En jouant des coudes, il parvint à s'avancer jusqu'à l'allée. A la lueur de l'incendie, il se rendit compte que de ce côté le mur était encore debout, ainsi qu'une partie du troisième étage qui avait l'air de flotter dans les airs. Il s'agissait sans doute du grenier : il était suspendu sous une portion du toit qui était restée fixée au mur.

Le vacarme et la confusion, l'odeur de brûlé, les cris multiples des blessés lui donnèrent le vertige et la nausée.

— Tiens, attrape ça !

Il se retrouva avec l'extrémité d'une poutre dans les bras, et, sans protester, il recula tout en la soutenant, tandis que deux autres hommes la retiraient précautionneusement des décombres. Une fois qu'elle fut posée sur le sol, il se précipita vers l'un d'entre eux et demanda :

— L'appartement... l'appartement sur jardin ?

— Le quoi ? (L'homme tourna vers lui son visage couvert de poussière.)

— L'appartement sur jardin. Il y avait ici un appartement sur jardin.

— Tout est dans le jardin, mon vieux, tu vois bien.

— Les gens, les gens qui étaient dedans ?

— Écoute (l'homme fit demi-tour), nous ne connaissons ni ceux qui étaient à l'intérieur, ni leur nombre; on pourra s'estimer heureux si l'on arrive à le savoir demain matin. Mais si tu veux te rendre utile, enlève les pierres qui sont là-bas, et surtout vas-y doucement.

Mais il ne fit pas ce qu'on lui avait demandé, il se mit à escalader à quatre pattes les débris qui s'entassaient sur le sol et fit le tour de ce qu'il pensa être l'angle de la maison, en direction de l'appartement sur jardin. Il n'en trouva aucune trace, du moins sur le sol. Il se retrouva face à un immense trou, autour duquel des hommes s'affairaient. Tirant l'un d'eux par la manche, il demanda en bégayant :

— A... a-t-on... retrouvé des gens ?

— Pas encore. Mais il y avait un abri au sous-sol, il doit donc y en avoir.

— Il... il y avait quelqu'un dans l'appartement juste au-dessus, ma tante et son enfant, et... et son père.

— Oh ! (L'homme se mit à crier.) Il y avait deux adultes et un gosse ici. Voilà quelqu'un de leur famille. (Puis il se retourna vers Dick :) Etes-vous sûr qu'ils étaient là ?

— Ils... ils ne pouvaient pas se trouver ailleurs. C'est un nouveau-né. Elle... elle ne sort pas le soir.

— Eh bien, tout ce que je peux vous dire, c'est que c'est vraiment dommage qu'elle ne soit pas sortie ce soir. Mais puisque vous êtes sûr qu'ils étaient là on va tenter le coup.

Lorsqu'il commença de donner ses ordres, Dick lui dit :

— Je vais... je vais vous aider. Il faut que je sache...

Mais il ne put achever sa phrase. L'homme l'avait bien averti : il restait peu d'espoir.

— Allez-y doucement. Dégagez cette poutre, si vous le pouvez. (Il saisit une lampe à arc qu'il dirigea vers la cavité :) Vous êtes le plus léger d'entre nous, glissez-vous sur la poutre. Là, lentement, parce que ça fait un angle raide, et si vous la sentez bouger, arrêtez-vous.

Dick se mit à califourchon sur la poutre et avança par saccades. Le visage couvert de sueur, il scrutait l'amoncellement de débris de bois et de briques, et il reconnut avec horreur des morceaux de meubles de Florrie. Elle qui avait tant aimé ses meubles ! Oh ! Florrie ! Oh ! papa !

Il fut tiré brusquement de ses lamentations par le sauveteur qui lui criait :

— Alors, ça tient ?

— On dirait, ça a l'air solide, répondit-il après un instant en pointant un doigt vers l'amas de pierres sous lequel disparaissait la poutre.

La voix du sauveteur lui parvint à nouveau :

— Bon ! Alors, nous attaquerons par là.

Et ils se mirent au travail. Dick perdit la notion du temps : tantôt il prenait conscience d'avoir le dos brisé, les bras rompus, la gorge pleine de poussière, les vêtements déchirés et couverts de plâtre, tantôt il ne sentait plus rien. Combien d'heures d'affilée avaient-ils passées dans ce trou, il n'en avait pas la moindre idée. Il savait seulement qu'ils avaient hissé des blocs de pierre, et que l'énergie qu'ils avaient déployée défiait toute imagination; qu'ils avaient fait la chaîne pour extraire le mobilier en miettes, qu'ils avaient tiré les trop gros débris avec des cordes et des courroies.

Le jour commençait à pointer quand une équipe fraîche vint les relever, et qu'on le hissa du trou, qui était beaucoup plus profond que lorsqu'il s'y était glissé la première fois. Il venait de s'asseoir sur un tas de gravats quand il s'aperçut qu'Hilda et Molly étaient là. Molly servait des tasses de thé à la cantine ambulante de l'Armée du Salut, et Hilda, quoi qu'elle ait été en train de faire, avait abandonné son poste; elle se tenait devant lui, mais il était trop épuisé pour lui dire un mot, et il laissa tomber sa tête dans ses mains.

La tasse de thé que Molly lui apporta le tira de son abattement. Il avait à peine fini de la boire qu'un cri jaillit de l'excavation :

— Ici ! Il y a quelqu'un !

Il se redressa d'un seul bond et ils s'avancèrent tous les trois. Ils ne purent rien voir jusqu'à ce que les hommes qui se tenaient sur le bord du trou s'écartent et que le corps d'une femme soit déposé avec précaution sur le sol. Mais ça n'était pas celle à laquelle tous trois pensaient.

— Il y en a plusieurs ici, dans le coin. On dirait qu'il y en a qui sont vivants.

On les poussa en arrière et tout ce qu'ils purent faire fut attendre.

Ils se penchaient sur chaque corps qui était extrait des décombres. Quelques-uns gémissaient, la plupart ne gémiraient jamais plus.

Le temps leur semblait s'être arrêté, et soudain une voix cria :

— Mon dieu ! Je crois qu'il y a là un bébé ! Mais oui, il y en a un !

Dick s'élança alors et redescendit une nouvelle fois dans les sinistres profondeurs. Lorsqu'il parvint à quatre pattes sur une extrémité du divan de Florrie, qui dépassait des décombres, un homme l'attrapa par le bras et lui dit :

— Doucement, attends, doucement.

— Est-ce que le bébé est vivant ?

— Mais oui, on dirait bien; nous l'avons entendu pleurnicher, seulement il est coincé sous une femme; elle doit être étendue sur le berceau.

Dick se mordit violemment la lèvre inférieure; puis il dit :

— Laissez-moi vous donner un coup de main. C'est... c'est quelqu'un de ma famille.

— Tout le monde donne un coup de main ici, mon gars, mais vas-y doucement. Ne t'approche pas trop. Aide-moi à écarter cette planche pour qu'ils puissent l'atteindre. Elle a le dos complètement coincé, d'après ce que je peux voir, et elle a l'air blessée au bras.

Dick regarda dans la direction que l'homme lui indiquait, mais tout ce qu'il pouvait voir, c'étaient des éclats de bois dont on n'aurait pu dire à quoi ils avaient appartenu. Puis il aperçut la tête d'un lit brisée sur laquelle reposait une étroite bande de velours rouge. Il avait noté que c'était du velours et qu'il était rouge; Florrie avait suspendu ce genre de galon dans la chambre et dans le salon...

Puis il distingua une forme, ou plutôt un dos tordu. Il ne pouvait apercevoir les jambes; un seul bras dépassait.

La tête et l'autre bras disparaissaient sous une plaque de plâtre déchiquetée.

Ils continuaient à travailler rapidement et en silence; les débris passaient de main en main. Il s'arrêta une fois pour murmurer :

— Il n'a pas recrié.

Et l'homme se contenta d'ajouter :

— Non.

Au moment où ils parvenaient à déloger la plaque de plâtre qui lui couvrait la tête, une partie du berceau sur lequel elle était allongée apparut, et un cri en jaillit. Ils s'arrêtèrent un instant pour écouter : c'était un cri naturel, un cri de colère.

— Attention, attention ! Doucement, doucement ! se répétaient-ils. (Puis ce fut :) Là, voilà. Là, voilà !

L'un des secouristes venait de dégager l'enfant de dessous le corps tout recroquevillé de Florrie. Il ne le passa pas à celui qui était à côté de lui, mais s'avança en trébuchant dans les gravats en disant :

— Je crois qu'il n'a pas une seule égratignure, il a juste le visage sale. Et c'est un cri plein de santé, ça, n'est-ce pas ?

Puis il s'arrêta, car Dick lui disait :

— Je vais la prendre; c'est... c'est ma nièce.

Il aurait pu dire « ma sœur », mais cela aurait compliqué les choses.

Cependant, l'homme lui mit l'enfant dans les bras, il se rendit compte qu'il ne pourrait pas sortir du trou avec elle, et qu'il lui faudrait la faire passer. Alors, levant la tête, il la déposa dans les bras qui se tendaient et cria :

— Donnez-la à ma... ma mère. Elle est là-haut, elle attend.

Hilda et Molly se tenaient un peu à l'écart, mais elles entendirent clairement chacun de ses mots, et elles se regardèrent l'une l'autre. Puis Hilda laissa retomber sa tête et fixa le sol; mais l'instant d'après elle fit quatre pas lents vers les sauveteurs qui attendaient. Quand le petit paquet couvert de poussière émergea au bout d'une paire de bras, elle le regarda intensément, figée, les bras le long du corps jusqu'à ce qu'une silhouette en uniforme de la

Croix-Rouge s'approchât d'elle. Alors, d'un seul coup, elle tendit les bras et elle saisit l'enfant, l'enfant de Florrie, l'enfant d'Abel.

— Ça va, madame ?

Elle hocha la tête.

— Vous vous en occupez ? Il y a un docteur au poste de secours si vous voulez.

Elle hocha la tête de nouveau.

Molly s'était approchée, et Hilda se tourna vers elle et ouvrit la bouche, mais aucun son n'en sortit. Elle se racla la gorge et avala sa salive avant de pouvoir dire d'une voix brisée :

— Je vais l'emmener à la maison et... la nettoyer. Tu veux bien rester là et voir ce qui est arrivé à... à notre Florrie ?

— Oui, bien sûr. Je vais rester. Vous vous débrouillerez ?

Hilda fit un simple signe de tête et s'éloigna, son visage penché sur celui du bébé.

Molly l'observa un moment; puis elle se retourna vivement vers le trou dans lequel un homme porteur d'une mallette de médecin était en train de disparaître. Dans un souffle, elle demanda à son voisin :

— Est-ce qu'elle est... vivante... la mère ?

— Je ne sais pas, mademoiselle, mais il y a quelqu'un pour qui on vient d'appeler le médecin. Celui qu'ils sont en train de remonter, par contre, ne semble plus avoir besoin de personne.

Molly regarda le corps ratatiné que l'on était en train de déposer sur les pierres. Malgré le plâtre qui lui blanchissait le visage, elle reconnut immédiatement M. Donnelly. « Pauvre créature ! Pauvre créature », pensa-t-elle.

Combien de fois se répéta-t-elle ces mots dans la demi-heure ou l'heure qui suivit, elle n'aurait pu le dire. Soudain elle se rendit compte que Dick était à côté d'elle. Elle ne l'avait pas vu arriver. Toute son attention avait été prise par les victimes que l'on pansait sur des brancards de fortune. Quand il s'éloigna d'un pas incertain, elle le rattrapa et lui prit le bras. Elle fut surprise de le voir l'entraîner — après qu'ils eurent enjambé l'emmêlement de tuyaux des pompiers et longé la file des camions de l'armée — vers le mur de séparation du jardin qui était encore debout. Là, après avoir dégagé doucement son bras de son étreinte, il appuya son front contre les pierres, et il se mit à pleurer. Sans rien dire, Molly le fit se retourner et elle le prit dans ses bras. Elle le tint ainsi enlacé jusqu'à ce qu'il se reprenne et qu'il dise en séchant ses larmes :

— Excuse-moi.

— Ne fais pas l'idiot... Elle... elle est morte ?

— Non. (Il secouait la tête.) Mais il aurait peut-être mieux valu. Le médecin a dû l'amputer d'un bras et elle a un pied écrasé. Mais le pire, c'est son dos.

— Pauvre Florrie. (Molly avait la voix brisée.)

— Oui, pauvre Florrie. (Il n'ajouta pas : « Et pauvre papa. »)

Décidément, le sort s'acharnait sur son père, il semblait destiné à n'être jamais heureux. Comment allait-il réagir ? Il se reprocherait constamment de ne pas avoir été avec elle. Et il ne l'en aimerait que plus... si jamais elle vivait. Et il fallait qu'elle vive, du moins jusqu'à sa sortie de prison, sinon... Son esprit se refusa à continuer dans cette voie.

CHAPITRE IX

Le bébé gazouillait dans son nouveau berceau. Elle le laissait la plupart du temps dans la cuisine : ainsi elle l'avait sous les yeux, car elle voulait le regarder sans cesse. Elle restait assise à ses côtés pendant des heures, qu'il fût éveillé ou endormi. Elle n'arrêtait pas de se dire qu'elle avait tort, qu'elle ne l'avait que pour une brève période, qu'Abel allait bientôt sortir de prison et qu'il la prendrait avec lui... Mais où donc allait-il l'emmener ? Il n'avait plus d'endroit où vivre. Dès aujourd'hui, il lui faudrait dire à Dick qu'il le prévienne, elle s'en occuperait jusqu'à ce qu'il soit installé, et elle savait que cela lui prendrait un certain temps, car il devrait trouver un appartement où l'on puisse rouler un fauteuil. Et puis Florrie ne sortirait pas de l'hôpital avant des semaines, des mois peut-être; et pendant ce temps elle aurait l'enfant avec elle... s'il acceptait de la lui laisser, bien sûr. Mais que pouvait-il faire d'autre ? La placer dans un orphelinat ? Cela, elle ne l'accepterait pas. Elle préférerait se faire violence et aller le voir pour lui en parler.

Elle alla mettre une bouilloire à chauffer, puis retourna auprès du berceau et, en se penchant, elle sourit au petit visage qui riait :

— Là, là. Ou tu pleures ou tu ris, et de toute façon c'est parce que tu veux qu'on te porte, n'est-ce pas ? C'est ça que tu veux ?

Après s'être donné les excuses habituelles, elle allait la prendre dans ses bras lorsqu'elle entendit le pas rapide et familier de Dick dans la cour. Elle se redressa et retourna à l'évier. Elle était occupée à le nettoyer quand il ouvrit la porte.

Il n'y avait en Dick plus aucune trace du jeune homme qu'il était encore une semaine auparavant. Son bégaiement et son tic de l'épaule, qui avaient quelque peu persisté après le procès, avaient totalement disparu. La dure réalité avait chassé ses peurs inconscientes.

Sans rien dire, il alla regarder l'enfant dans son berceau. Puis il retira son manteau et le jeta sur le dossier d'une chaise avant de s'approcher de la cheminée.

— Je n'ai pas pu le lui dire, annonça-t-il soudain.

— Tu aurais dû; il faudra bien qu'il le sache un jour, dit-elle en se retournant brusquement vers lui.

Il alla s'asseoir dans le fauteuil en bois.

— Je n'ose pas tant qu'il est enfermé là-bas. Cela pourrait le rendre fou furieux. Il serait capable de s'évader, alors qu'il n'en a plus que pour une semaine environ. Il... il n'a pas compris pourquoi elle n'est pas venue. Je lui ai dit qu'elle avait attrapé une mauvaise grippe. A propos (il se tourna vers elle), je suis... je suis passé à l'hôpital en revenant. Elle aimerait te voir.

— Qu'est-ce que tu as dit ? (Elle porta la main à sa gorge.) Elle a demandé ça ?

— Oui.

Elle aussi alla s'asseoir.

— Iras-tu ?

— Je... je ne sais pas; je ne m'en sens pas capable, répondit-elle en secouant lentement la tête.

— Mais tu ne lui en veux plus maintenant, n'est-ce pas ?

— Mais non, bien sûr. (Elle s'était mise à trembler.) C'est que... (Elle se leva et tortilla ses doigts comme si elle eût voulu se les arracher. Puis, le dos tourné, elle murmura :) J'ai souvent souhaité qu'elle tombe malade, je... je ne pense pas pouvoir me retrouver en face d'elle.

Alors il s'approcha, passa un bras autour de ses épaules, et il lui dit avec un petit rire :

— Rentre donc dans le gang.

— Comment ?

Elle se tourna vivement vers lui, et il lui expliqua :

— Molly a vécu l'enfer parce qu'elle a souhaité la mort de sa mère. Pendant des années et des années, j'ai souhaité la mort de la mienne pour que papa n'ait pas à subir ce qu'il subit en ce moment. Le désir de vengeance est un sentiment naturel, nous le connaissons tous. Va la voir.

Elle a besoin de quelqu'un, elle a besoin de voir quelqu'un de sa famille.

— Mais non, c'est idiot. Nous n'avons aucun lien de parenté, tu le sais bien.

— Vous en avez un : vous avez été élevées ensemble. Les liens du sang n'ont rien à voir avec la famille. Ce qui compte, ce sont les premières années de l'enfance que vous avez passées ensemble. Pourquoi crois-tu que, moi, je n'éprouve aucun sentiment d'affection envers la femme qui m'a donné le jour ? Pourquoi crois-tu que je te considère comme ma mère ? Allez, vas-y. (Il la serra contre lui pendant un instant.) Nous irons ensemble ce soir; Molly s'occupera du bébé. Et maintenant (il l'écarta gentiment), je pense que j'ai bien mérité une tasse de thé.

Il savait qu'elle répondait toujours avec empressement à ce genre de demande. C'était la seule tactique qu'il osait employer avec elle pour lui changer les idées. Sans sourire, elle acquiesça d'un signe de tête, se dirigea vers le fourneau pour retirer la bouilloire et remplit la théière.

L'infirmière ouvrit les portes de la salle et la horde de visiteurs se rua dans toutes les directions, comme des feuilles mortes éparpillées par un coup de vent. Mais Hilda resta immobile au milieu du couloir. Le corps raide, la gorge serrée, elle regardait Dick d'un air implorant.

— Vas-y d'abord, s'il te plaît. J'aimerais la voir seule... Prépare-la un peu à ma visite.

Il fit un signe d'assentiment et s'éloigna tandis qu'elle restait à la même place à attendre. Il revint à peine quelques secondes plus tard, ses yeux s'écarquillèrent et elle secoua la tête comme si elle eût protesté à l'idée qui venait de lui traverser l'esprit. Mais il la rassura aussitôt :

— Tout va bien, on l'a juste changée de salle. Elle est au numéro 2. Celle-là, dit-il en la désignant du doigt.

— Son état a-t-il empiré ?

— Je ne sais pas, attends-moi.

Elle l'attendit cinq bonnes minutes cette fois, et quand il revint il avait un visage fermé.

— On a dû l'opérer à nouveau, ce matin, lui dit-il.

— C'est grave ?

— Elle n'a pas l'air plus mal qu'hier, mais... mais je crois qu'il y a un problème... au niveau de la moelle épinière. Allez, va. (Il la poussa en avant avec gentillesse.) Elle t'attend.

Elle s'avança vers la porte, la franchit et se retrouva dans la pièce. Elle s'immobilisa et fixa l'étrangère qui était étendue sur un lit étroit. Elle fut incapable d'avancer ou de reculer jusqu'au moment où une voix familière l'interpella.

— Bonjour, Hilda.

Elle se força alors à marcher jusqu'au lit et se pencha vers le visage de celle qu'elle avait tant jalousée toute sa vie durant.

— Comment vas-tu ? (Ce n'était pas elle qui avait posé cette question, mais Florrie.)

Que pouvait-elle répondre ? Elle baissa la tête, et lorsque des larmes coulèrent sur son visage Florrie lui dit :

— Allons, allons !

— Pardonne-moi. (Ces paroles étaient sûrement les plus sincères qu'Hilda eût jamais prononcées.)

— Ce serait à moi de le dire, Hilda. Tu as... tu as tellement souffert, et... et c'est en bonne partie de ma faute. J'y pense sans cesse. Alors tu vois, c'est à moi de te le demander.

Hilda ferma les yeux une seconde, puis les posa sur le bras unique étalé sur le couvre-lit. Son regard se dirigea ensuite vers la potence installée au-dessus du lit, et l'image du pied mutilé envahit son esprit. Florrie avait de jolis pieds, de belles jambes aussi; Hilda avait toujours envié ses longues jambes, élancées et souples — les siennes étaient courtes et disgracieuses. Mais elle les avait encore. Mon dieu ! Mais pourquoi cette catastrophe ? Elle ne l'aurait souhaitée à personne, même pas au diable. Et soudain elle se sentit coupable de tout. Ses désirs de vengeance étaient la cause de tout cela.

— Comment va Lucy ?

— Elle... elle va très bien. C'est un gentil bébé.

— Je suis contente que ce soit toi qui t'en occupes, Hilda... Assieds-toi un instant.

Elle approcha la chaise du lit et s'y installa, les mains agrippées à sa jupe. Elle observait Florrie qui avait tourné la tête vers elle, et, en attendant qu'elle lui parlât, elle se fit la réflexion qu'elle était méconnaissable. Seuls ses yeux, mais à la vérité ils étaient boursouflés et reflétaient une grande souffrance, étaient inchangés.

— Veux-tu m'écouter, Hilda ?

— Oui, bien sûr, tu peux me dire tout ce que tu veux.

— Il faut... il faut que nous parlions de lui... d'Abel. Il va bientôt être libéré. Dick ne lui a encore rien dit, ça va lui faire un choc. Et... et il n'a aucun endroit où aller. Voudrais-tu... accepterais-tu de le reprendre chez toi ?

Hilda ferma un instant les yeux avec force, puis baissant la tête elle répondit d'une voix qui n'était plus qu'un chuintement à peine audible :

— Il n'acceptera pas de revenir à la maison, c'est bien la dernière chose qu'il accepterait de faire. Il ne reviendra jamais.

— Tu n'en sais rien, Hilda. Il voudra... il voudra être auprès de sa fille.

— Je pense qu'il va se chercher un appartement et qu'il la prendra avec lui.

— Cela va lui demander un certain temps. Et, de toute façon, il va falloir qu'il travaille et il faut que quelqu'un s'occupe du bébé. Pour le moment, il... il te la laissera. Il est obligé de faire cela pour toi. Si tu as envie de prendre soin d'elle. Cela ne te dérange pas, n'est-ce pas ?

Impulsivement, Hilda releva la tête et répondit :

— Oh non ! Florrie, mais non ! Je veux m'en occuper. C'est vraiment un gentil bébé.

— Merci, Hilda. Je... je ne le mérite pas.

— Ne t'en fais pas...

— Ils disent que je vais me rétablir, mais... je ne les crois pas, parce que je... je ne peux pas bouger mon dos, ni mes jambes. Mais même si je m'en sors, tu imagines quelle vie m'attend ? Un fauteuil roulant au mieux. (Elle détourna la tête et sa gorge se serra.) Et cela voudra dire une espèce de bungalow. En tout cas, je vais être un handicap pour les autres, et aucun homme, aussi bon soit-il, ne voudra partager sa vie avec un tel poids mort.

— Lui, si.

Florrie tourna de nouveau son visage vers Hilda, avec qui elle échangea un long regard, puis elle ferma les yeux et laissa échapper un cri de douleur.

— Hilda ! Je suis désolée. Je regrette tellement tout ce qui s'est passé.

Elle sanglotait. Hilda se leva, se pencha vers elle et murmura :

— Ce n'est rien, ce n'est rien. Ne t'occupe pas de moi; il faut que tu ne penses qu'à toi, et tout ira mieux. Il va rester avec toi, il ne te quittera jamais. Je le connais. Je le connais bien. Du moins, sur ce point. Il t'a aimée dès qu'il t'a vue. Mais maintenant, cela m'est égal. Tu peux me croire, Florrie. Je ne souhaite qu'une chose, c'est que tu ailles mieux. Je... je m'occuperai de ta fille jusqu'à ce que tu sois rétablie. Et ne te fais pas de souci pour lui, il...

A cet instant, la porte s'ouvrit et une infirmière entra.

— Je crois qu'il serait préférable que vous vous en alliez, dit-elle.

Hilda, qui s'était redressée, agrippa la main de Florrie, et elle lui chuchota d'une voix étranglée :

— Ne t'inquiète pas; tout se passera bien.

Puis elle s'éloigna en titubant un peu jusqu'à la porte. Dans le couloir, elle se raccrocha au bras de Dick en marmonnant des paroles incohérentes.

Quand l'infirmière sortit de la chambre, elle leur jeta un regard et dit d'une voix ferme :

— Plus de visite pour ce soir !

Alors Dick l'entraîna en disant d'une voix blanche :

— Viens. Ça n'est pas la peine de rester ici. Je reviendrai demain matin et j'essaierai de savoir ce qu'il en est exactement.

Ils prirent le chemin du retour en silence. La nuit tombait. Mais elle ne lui demanda pas, comme à l'accoutumée, d'accélérer le pas à cause de l'obscurité. Au contraire, elle marchait sans hâte, la tête légèrement penchée en avant, les yeux fixés sur le trottoir. A mi-parcours, elle lui dit sur un ton paisible :

— Elle veut que je reprenne Abel à la maison quand il sortira, mais c'est impossible, n'est-ce pas ?

C'était une question et, tournant brusquement la tête vers elle, il l'observa quelques instants avant de lui répondre :

— Non ! Bien sûr que non !

— C'est ce que je lui ai dit, parce que c'est bien la dernière chose qu'il ferait, n'est-ce pas ?

— Mais oui. Il ne reviendra pas. Cela serait... (Il fit des petits mouvements de tête comme s'il eût cherché un mot, mais c'est le terme « abus » qui lui vint à l'esprit. Aussi se contenta-t-il de dire :) Connaissant papa, il n'acceptera jamais.

— C'est bien ce que je lui ai dit. (Elle regarda le ciel et répéta :) Il n'acceptera jamais.

CHAPITRE X

Les portes s'ouvrirent, et Abel refit son entrée dans le monde libre. Dick se rua et lui tendit la main comme si l'on venait à peine de le lui présenter.

Abel ne saisit pas immédiatement cette main, mais lorsqu'il le fit il l'étreignit avec force. Puis il regarda autour de lui. Quand son regard revint sur Dick, un large sourire éclairait son visage, et il lui demanda impatiemment :

— Et Florrie ? Va-t-elle mieux ? Je... je pensais qu'elle m'écrirait cette semaine.

En guise de réponse, Dick se détourna et se mit à marcher dans la rue; puis il commença d'une voix calme :

— Papa, j'ai quelque chose à te dire, mais allons prendre un verre; il y a un pub un peu plus loin, on aura peut-être la chance...

Son père le tira brusquement par la veste pour qu'il se tourne vers lui, et il dut déglutir parce que le bouton de son col avait heurté violemment sa pomme d'Adam.

— Qu'est-ce qui se passe ? Qu'est-ce qui ne va pas avec Florrie ?

— Elle ne... elle ne va pas bien, papa.

— Comment ça, pas bien ? Tu m'avais dit qu'elle avait une mauvaise grippe, c'est quoi ? une pneumonie ?

— Non, non. Rien de tout ça. (Il regarda autour de lui.) Écoute, allons nous asseoir, viens, c'est à deux pas d'ici.

Il lui fallut tirer avec force le bras de son père, qui le fixait avec insistance, pour le faire avancer. Il le fit entrer dans un bar qui était vide, se dirigea vers une table dans l'angle le plus reculé et attendit qu'il fût assis en face de lui pour lui déclarer :

— Il y a eu un bombardement, papa.

Abel pressa fortement ses mains de chaque côté de son visage et dit :

— Oui ?

— Elle... elle a été blessée.

— Gravement ? (Il avait posé cette brève question sur un ton mesuré.)

— Oui, oui, assez gravement.

Abel se laissa aller contre le dossier de sa chaise et ferma les yeux.

— Allez, arrête de tergiverser.

Alors Dick se décida à parler sur un ton hésitant et très bas :

— Elle a perdu un bras et... (Il baissa la tête et fit une pause, puis il acheva d'une voix à peine audible :) Elle a la colonne vertébrale brisée.

Un long moment s'écoula avant qu'il relevât la tête pour observer son père. Abel était assis, immobile, et il le regardait fixement, mais certainement sans le voir. Puis il ouvrit la bouche et demanda doucement :

— Vivra-t-elle ?

— Oui, oh oui.

— Et la petite... elle a été... ?

— Oh non, non.

Son père battit plusieurs fois des paupières avant de lui demander :

— Elle est vivante ?

— Oui, grâce à Florrie... Elle était couchée au-dessus du berceau, le bébé n'a pas eu la moindre égratignure.

— Dieu tout-puissant ! (Il hocha la tête, puis dit avec un peu d'amertume dans la voix :) Elle n'aurait sûrement pas été chez elle si elle n'avait pas eu la petite.

— Non, pas du tout, papa, elle aurait probablement suivi le même chemin que son père, j'en suis persuadé.

— Fred... Ils l'ont eu ?

— Oui.

Abel poussa un profond soupir, puis il bondit presque de sa chaise en disant :

— Qu'est-ce qu'on fait là ? Allez, viens.

Dick ne bougea pas.

— J'ai commandé, papa. Attends un peu, nous allons

boire un verre et après nous partirons. De toute façon, l'autobus ne passe pas avant une quinzaine de minutes. Allez, assieds-toi.

Abel se rassit et resta un moment la tête appuyée sur ses poings. Puis il regarda Dick et lui demanda d'une voix calme :

— Mais qu'est-ce que j'ai, mon garçon ? Est-ce que tu peux me dire ce que j'ai ? J'attire le malheur sur tous ceux que j'aime.

Dick ne répondit rien, car cela n'était que trop vrai. Alice, sa mère, Hilda et maintenant Florrie.

Abel se leva à nouveau précipitamment, et Dick ne put que le suivre. Et tandis qu'ils marchaient en silence vers l'arrêt de l'autobus il pensa : « Il n'a pas demandé où était le bébé. »

— Ce n'est pas l'heure des visites, dit l'infirmière.

— Je le sais, mais je veux la voir.

— Je viens de vous dire que ça n'est pas l'heure...

— ...Indiquez-moi un chef de service, voulez-vous ?

L'infirmière observa un instant ce grand homme à l'air décidé, puis elle lui tourna le dos et partit à la recherche de la sœur. Tandis qu'il attendait, Abel regardait Dick qui se tenait tout au bout du couloir.

Quand la sœur apparut, elle déclara d'emblée :

— Ça n'est pas l'heure des visites, monsieur.

— Je voudrais voir Mme Ford.

— Quel lien de parenté avez-vous avec elle ?

— Aucun pour l'instant, mais elle sera bientôt ma femme.

Les yeux de la sœur s'étrécirent.

— Quel est votre nom ? demanda-t-elle.

— Mason. Abel Mason.

— Ah oui. (Les pièces du puzzle se mirent en place dans son esprit. Il s'agissait de l'homme dont elle avait entendu parler, du père de l'enfant, du bigame qui était en prison. Il venait sans doute d'en sortir.) Je vois, je vois ! (Elle étirait et resserrait ses lèvres jointes comme quelqu'un qui étudie un problème. Ensuite, elle regarda l'infirmière, puis une porte sur laquelle était inscrit le numéro 2, et tout à coup elle dit sèchement :) Cinq minutes, pas plus.

Abel resta de marbre; il ne remercia même pas; il se retourna simplement vers la porte qu'elle lui indiquait du doigt, s'en approcha rapidement et l'ouvrit.

Il ne l'aperçut pas tout de suite, car elle était allongée et le pied de la potence la lui masquait. Mais quand il la découvrit, son cœur se glaça et il retint sa respiration si longuement qu'il eut l'impression de se noyer. Elle avait les yeux fermés et ne semblait pas avoir pris conscience que quelqu'un était entré dans la chambre, ou bien elle pensait que c'était une infirmière qui vaquait à ses occupations. Il fit le tour de la pièce des yeux, tira une chaise auprès du lit et s'assit; puis il tendit lentement la main et saisit la sienne — celle qui lui restait. Alors elle ouvrit les yeux et sursauta si brusquement qu'il se hâta de dire :

— Là, là. Doucement. Ce n'est que moi.

— Abel... Abel !

Sa main tremblait dans la sienne. Elle la dégagea et lui caressa le visage, puis elle la glissa sur sa nuque. Quand leurs lèvres s'unirent en un long baiser, il fit taire le désir qu'il sentait monter en lui. Et lorsqu'ils se regardèrent à nouveau elle répéta :

— Abel !

Ses yeux étaient embués de larmes, mais les siens étaient secs, tellement secs qu'il ressentait une irritation semblable à celle provoquée par le sable sous les paupières.

— Tu penses que ça va aller ?

— Oui, oui. (Elle hochait la tête.)

Il ferma les yeux et se pencha en murmurant :

— Si seulement j'avais été là.

Alors elle sourit, et avec une trace de son ancien humour elle dit :

— Nous aurions fait une belle paire et (elle lui tapota la joue) les sœurs ne nous auraient jamais permis d'être dans la même chambre.

Il ne répondit pas à son sourire, mais déclara :

— Je vais vite te faire sortir d'ici.

Ignorant ce qu'il venait de dire, elle lui demanda un mouchoir.

— Je voudrais m'essuyer les yeux.

Ce fut lui qui sécha ses larmes. Mais quand il voulut retirer sa main elle la saisit et la porta à ses lèvres.

— Je t'aime, Abel, lui dit-elle.

Le sable lui brûlait les pupilles; un instrument pointu comme une dague lui transperçait la poitrine et s'efforçait de lui atteindre le cœur. Il n'avait jamais trouvé absurde que l'on pût mourir de chagrin. Peut-être était-ce le souvenir inconscient d'Alice qui l'avait induit à penser ainsi. Et la douleur qu'il ressentait à présent était si insupportable qu'il eût préféré être mort.

— As-tu vu Hilda, lui demanda-t-elle. (Et comme il lui faisait signe de la tête que non elle murmura :) Hilda a été tellement bonne. Ne l'oublie jamais. Elle a été vraiment très bonne.

— Comment ? (Le nom d'Hilda et ce qu'il impliquait l'égarèrent un instant, et il répéta :) Comment ?

— Elle a pris Lucy.

— Hilda ?

— Oui.

Il secouait la tête d'un air incrédule.

— Elle est venue me voir.

— Hilda ? demanda-t-il à nouveau.

Mais il n'en dit pas plus, car l'infirmière venait de passer la tête à la porte :

— Il faut que vous partiez, maintenant. Il y a des visites le soir à dix-neuf heures.

Il se leva lentement et se pencha pour poser une fois encore ses lèvres sur celles de Florrie. Mais il ne dit rien, il se contenta de la regarder d'un regard profond dans lequel elle lut ces choses qu'il ne lui disait que la nuit.

Quand il arriva à l'extrémité du couloir, où Dick l'attendait, il lui demanda :

— Est-ce qu'il y a des toilettes par ici ?

— Oui, là au bout, tu tournes à droite, lui répondit-il avec un geste de la main.

Il l'accompagna jusqu'à la porte, mais demeura à l'extérieur, car il pensait que son père allait pleurer.

311

Cependant, quand il réapparut cinq minutes plus tard, il avait les yeux secs. De toute évidence, il n'avait pas versé une seule larme. Ces mois passés en prison l'avaient-ils endurci ? Alors qu'ils marchaient côte à côte vers la sortie de l'hôpital, il lui jeta un coup d'œil et il se dit : « Il a changé. »

— A quoi ressemble cette pièce ? demanda Hilda.

Il tourna les yeux vers la cheminée et hésita avant de répondre :

— Ce n'est pas grand-chose. Mais c'est propre. Il dit que pour le moment ça fera l'affaire, que c'est mieux qu'un garni.

— C'est dans quel coin ?

Dick hésita à nouveau, un peu plus longtemps, avant d'avouer :

— C'est à Bartwell Place.

— Bartwell Place ? dit-elle d'une voix haut perchée. Mais c'est dans Bog's End !

— Oui (il se retourna vers elle), mais pour lui c'est bien situé. Il est juste à mi-chemin entre l'usine et l'hôpital.

— Et combien paie-t-il pour ça ?

Dick ne put s'empêcher de sourire, et elle lui cria :

— Et alors, il n'y a pas de honte à avoir l'esprit pratique.

— Non, non, pas du tout, maman. (Il avait pris l'habitude de l'appeler ainsi avec une facilité qui les avait surpris tous les deux, et elle l'acceptait si bien qu'elle agissait envers lui comme une vraie mère, elle n'avait plus peur que l'un de ses mots provoquât son départ.)

— Alors, combien paie-t-il ?

— Je ne le lui ai pas demandé et il ne me l'a pas dit.

— Il va falloir qu'il trouve quelque chose d'autre s'il veut qu'elle sorte.

— Il le sait, et il cherche autour de lui un autre appartement.

— Dans... dans combien de temps penses-tu qu'elle sera en état de sortir ?

Elle était debout devant le placard et sa question, qui lui

312

parvint comme un murmure, semblait adressée à quelqu'un qui aurait été à l'intérieur.

Comme il ne répondait pas, elle lui fit face :

— Je te parle. Je t'ai demandé...

— Oui, j'ai entendu, mais je ne sais pas.

— Pourquoi ?

Elle marcha vers lui et ils s'observèrent par-dessus la table; il lui dit alors :

— Je me demande... je me demande si elle sortira un jour. Elle a l'air vraiment très mal. J'ai parlé avec une des infirmières.

— Tu ne me l'avais pas dit.

— Non, car elle n'aurait pas été longue à le deviner à notre attitude.

Au bout d'un moment, elle se dirigea vers le petit lit de Lucy, et elle se pencha vers elle en demandant à voix basse :

— Est-ce qu'il lui arrive de parler d'elle ?

Elle dut à nouveau se retourner vers lui et le regarder pour obtenir une brève réponse :

— Non.

Elle se pencha vers l'enfant et tira la couverture sous son menton. Dick, qui l'observait, prit conscience du fait qu'elle devait souffrir tout autant que Florrie ou que son père, car si ce dernier arrivait à louer un bungalow et si jamais l'état de Florrie s'améliorait, ils voudraient tout naturellement reprendre la petite, et, connaissant son père, il savait qu'il ferait ce qu'il faudrait pour ça et qu'il saurait trouver quelqu'un qui aiderait Florrie à s'occuper d'elle. D'autre part, si Florrie mourait, Abel n'aurait plus que cette enfant à qui se raccrocher, et, bien qu'il n'en ait jamais parlé, cela ne voulait pas dire qu'il n'y pensait pas. Il l'avait vu tenir sa fille dans ses bras et c'était comme s'il avait tenu la mère. Pauvre Hilda ! Bien qu'il sût que sa présence et la compagnie de Molly lui étaient d'un grand secours, il avait la certitude que c'était d'avoir l'enfant qui la soutenait, et que, tant qu'elle pourrait la garder, elle se maintiendrait. Mais, une fois qu'elle lui serait enlevée, elle retomberait dans le désespoir.

D'un geste automatique, il alla allumer le poste de radio

pour écouter les nouvelles, et il se fit la remarque que la tragédie qui se déroulait dans cette maison lui faisait oublier celle, ô combien plus grande, de la guerre. De façon assez étrange, elle semblait n'avoir plus d'importance pour lui à présent. Il ne pensait même plus à l'armée de l'air; ce qui le préoccupait, c'était l'absence de bonheur dont souffraient ses proches. Quand l'on touche au fond du gouffre, ce sont les sentiments égoïstes qui dominent. Florrie paralysée, son père qui n'avait jamais été heureux, et Hilda, là, penchée sur le lit de l'enfant, cette épouse qui n'avait jamais vraiment su ce que c'était que d'être une femme... eux seuls comptaient pour lui.

Il avait promis à Molly qu'ils allaient être heureux, en dépit du tourbillon des émotions au sein duquel ils vivaient; mais ces dernières semaines lui avaient appris que les destinées des êtres sont entremêlées et qu'il est impossible de s'isoler en disant tout simplement « nous allons être heureux », car le drame des autres finit par vous pénétrer et par jeter une ombre sur votre bonheur. Ils teintent votre amour de tristesse et de peur jusqu'à ce que vous soyez forcé de reconnaître que la tristesse et la peur font partie de l'amour. Mais il ne voulait pas que son amour fût ainsi, pas l'amour qu'il portait à Molly. Il ne voulait pas que sa vie ressemblât à celle de son père.

CHAPITRE XI

Elle avait dit à Dick :

— Je voudrais revoir notre Florrie.

Il lui avait expliqué :

— Le meilleur moment, c'est le mercredi après-midi, car lui, il y va tous les autres jours, samedi et dimanche compris.

— J'irai donc demain, avait-elle conclu.

Et maintenant, elle était là, un panier contenant une boîte de gâteaux qu'elle avait faits elle-même et sa ration mensuelle de sucreries dans une main et un bouquet de fleurs dans l'autre, debout, les yeux exorbités et la bouche ouverte devant le lit vide. Il avait été entièrement défait et il ne restait que le matelas.

Quand elle se rua dans le couloir, elle faillit renverser deux visiteurs qui approchaient, puis elle se précipita dans une salle de service en demandant dans un hoquet :

— Mᵐᵉ Ford ? Mᵐᵉ Ford, où est-elle ? On l'a changée de chambre ?

— Hé ! Moi je n'en sais rien. (La femme qui lavait de la vaisselle s'était retournée.) Il faut le demander à une infirmière ou à une sœur. Allez au secrétariat.

Elle ressortit dans le couloir, puis elle jeta un regard dans la cuisine et demanda :

— Où se trouve le secrétariat ?

La femme la regarda comme si elle avait eu affaire à une folle et répondit :

— Juste en face de vous, la porte avec le panneau « Secrétariat ».

Elle regarda autour d'elle et, l'instant d'après, frappait à cette porte. Une infirmière vint ouvrir et elle lui demanda en bredouillant :

— Mᵐᵉ... Mᵐᵉ Ford, où est-elle ? On... on l'a changée de place ?

Sans lâcher la poignée de la porte, l'infirmière regarda par-dessus son épaule la sœur qui était assise derrière un bureau, et celle-ci se leva, s'avança et dit :

— Entrez, prenez une chaise, je vous en prie.

Quand elle fut assise, la sœur lui déclara :

— Je suis désolée, mais Mme Ford est morte ce matin. Vous auriez dû être avertie; nous avons envoyé un message à l'homme qui vient la voir, mais il n'y a pas de réponse, il devait sans doute être parti travailler. En tout cas, nous lui avons laissé un message.

— Florrie est morte !

Quand elle bondit de son siège, la sœur la retint par le bras :

— Restez là assise tranquillement un moment.

Mais Hilda se dégagea en murmurant :

— Non, non. Il faut que je rentre et... que je le dise à Dick, il ira le chercher... son père.

L'infirmière et la sœur se regardèrent.

Hilda se dirigeait vers la porte, mais elle s'arrêta pour demander platement :

— Où est-ce qu'on l'a mise ?

— A la morgue. (La sœur n'avait pas ajouté « évidemment », mais son ton l'avait impliqué.)

— Ah !

Elle s'élança dans le couloir, sortit de l'hôpital, contourna les plates-bandes — autrefois réservées aux fleurs, on n'y voyait plus alors que les tiges dépouillées des choux de Bruxelles — et elle se retrouva dans la rue.

Une fois sur le trottoir, elle hésita un moment, regarda à droite, puis à gauche, puis prit finalement la direction de chez elle en courant. Elle se remit ensuite à marcher en bredouillant tout le long du chemin. Dick terminait son travail à cinq heures, mais elle pourrait aller le chercher et obtenir qu'il sorte une heure plus tôt, et lui irait voir son père pour le lui annoncer. Oui, c'est cela qu'elle devait faire, aller chercher Dick. Mais il lui fallait d'abord passer chez elle et y déposer toutes ces choses. Molly s'occuperait du bébé. C'était une chance qu'elle fût de l'équipe de nuit. Oui, c'est ça. Elle continuait à se parler comme une déséquilibrée.

Au moment où elle pénétrait dans la cour, un homme l'accosta :

— Et alors vous ne travaillez plus ? Ça fait une demi-heure que je tourne en rond, je voudrais ma bicyclette.

— Oh ! Excusez-moi. Vous êtes monsieur Turnbull, n'est-ce pas ?

— Oui.

— Un instant, s'il vous plaît.

Elle ouvrit la porte de la cuisine, jeta les fleurs et le panier sur la table, attrapa un trousseau de clefs qui était suspendu à un clou, et referma la porte derrière elle; puis elle ouvrit celle du garage en répétant :

— Turnbull ?

— Oui.

— Ah... la voilà.

— Il en a fallu du temps; ça va faire quinze jours qu'elle est là.

Elle se retourna vers lui, en colère :

— Et alors ! Vous savez bien que nous ne pouvons pas faire les réparations en ce moment, même les plus petites. Considérez que vous avez de la chance que mon fils l'ait faite pendant son temps libre.

— Il est payé pour ça, non ?

Elle fit rouler la bicyclette vers lui et la lui fourra dans les mains. Quand il lui demanda le prix de la réparation, elle partit en courant vers le bureau où elle consulta un petit registre avant de lui crier :

— Douze livres et six pence !

— Bon dieu ! Pour ce prix-là, j'aurais pu en acheter une d'occasion, répondit-il en criant lui aussi.

Elle les poussa presque, lui et sa bicyclette, à l'extérieur du garage. Puis, après en avoir refermé la porte à clef, elle repartit en courant encore. Il y avait un bon quart d'heure de marche jusqu'à l'usine, mais il lui fallut moins de dix minutes pour y arriver. Le portier, auquel elle s'était adressée, consulta un fichier :

— Gray. Dick Gray. Ah ! voilà, atelier numéro 4. C'est par là, tout au fond, dit-il en lui indiquant le chemin du doigt.

Cinq minutes plus tard, elle refranchissait la grille avec Dick.

— J'étais sûr que cela allait arriver. J'en étais sûr, mais je n'aurais jamais pensé que cela serait aussi rapide, dit-il.

Elle observa son visage barbouillé de graisse et demanda :

— Tu penses qu'il... qu'il s'en doutait ?

— Oui, il devait bien s'en douter. Son état avait empiré ces deux dernières semaines, mais il gardait bon espoir. Et il ne s'attendait certainement pas à quelque chose d'aussi soudain.

Quand ils parvinrent au carrefour où leurs routes divergeaient, elle se planta calmement en face de Dick et lui dit :

— Reste avec lui aussi longtemps qu'il aura besoin de toi. Moi, ça... ça ira. Avec Molly, je ne me sentirai pas trop seule. Il faudra qu'il s'occupe des formalités pour l'enterrement et de tout le reste. Il aura... il aura besoin d'aide.

Il la regarda un certain temps, puis l'embrassa sur la joue avant de faire brusquement demi-tour.

Tandis qu'elle marchait, sans rien voir, vers la maison, elle se répétait sans cesse le prénom de Florrie, comme si elle eût imploré son pardon. De tout temps, elle l'avait diffamée, et depuis l'arrivée d'Abel la haine qu'elle ressentait pour elle n'avait cessé de croître. Et voilà qu'elle n'était plus là, et il était trop tard désormais pour lui dire qu'elle regrettait ses paroles.

Quand elle arriva dans la cuisine, elle s'effondra sur une chaise sans même ôter son manteau, ni son chapeau, et, la tête posée sur ses bras, elle se mit à pleurer. Et elle continuait à parler à celle qu'elle avait cru être sa sœur pendant des années.

Elle en arriva même à la supplier de lui laisser son enfant. Puis elle se redressa.

CHAPITRE XII

Dick n'arrivait pas à comprendre son père. Ce soir-là, il l'avait attendu à la sortie de l'usine. Sa simple présence en ce lieu avait dû immédiatement lui faire deviner ce qui était arrivé, et il lui avait appris la nouvelle aussi délicatement que possible. Abel l'avait à peine regardé, puis il était parti à pied en direction de Bog's End. Il s'était arrêté une fois en cours de route pour s'appuyer contre le poteau d'un réverbère; les yeux fixés au sol, il était resté là un instant, puis était reparti.

Dick s'était attendu à ce qu'une fois rendu dans la minuscule pièce sombre il se laissât aller au désespoir. Mais il s'était contenté de s'asseoir et de regarder fixement le rond du gaz qui était posé sur la table nue à côté du petit évier. Quand il lui avait proposé une tasse de thé, il avait refusé d'un simple signe de tête.

Son père n'avait pas prononcé un mot jusqu'à ce qu'il lui parlât de l'enterrement.

— Il va falloir s'occuper des obsèques, lui avait-il dit.

Et Abel avait répondu :

— Je le ferai.

Puis il était sorti pour aller aux toilettes, et comme vingt minutes plus tard il n'était toujours pas revenu, Dick avait ouvert la porte qui donnait sur la cour, et il était tombé sur un homme bizarre. Il était appuyé contre le mur de l'escalier qui conduisait aux autres chambres. Après avoir regardé Dick, il avait indiqué la porte des toilettes du menton en disant :

— Il prend son temps, le bougre.

Quand il était enfin sorti, Abel était passé devant cet homme sans même le voir, puis de retour dans la pièce il avait dit :

— Il faut que tu rentres, ça ira.

— Je ne vais pas te laisser comme ça.

Abel avait tourné la tête et l'avait alors regardé comme s'il le voyait pour la première fois de la soirée, puis il avait déclaré :

— Tu sais, je vais être comme ça pendant longtemps, mon garçon, pendant très, très longtemps, alors rentre.

Dick s'était raclé la gorge.

— Je vais aller prendre une douche et je reviendrai plus tard.

— Je serai peut-être sorti.

— Je reviendrai quand même...

Quand il était revenu, Abel était toujours là, et les quatre soirs qui précédèrent l'enterrement il l'avait trouvé chez lui...

Le soleil brillait et la rosée scintillait dans l'herbe. Aux côtés du pasteur et du fossoyeur, les seules personnes présentes autour de la tombe étaient son père, Hilda et lui.

Une fois le cercueil descendu, Dick prit Hilda par le bras et l'entraîna à l'écart. Son visage était rouge et tuméfié, et des larmes roulaient lentement sur ses joues.

— Je m'en vais, lui dit-elle quand ils atteignirent la chapelle.

— Il voudra sûrement te parler.

Elle secoua vigoureusement la tête.

— Oh non ! non !

— Attends quand même.

Lorsque, finalement, Abel s'éloigna de la tombe, Hilda le regarda s'avancer vers eux. C'était la première fois qu'ils se retrouvaient face à face depuis le jour où elle l'avait mis à la porte. Il s'arrêta et baissa les yeux sur elle :

— Merci, Hilda, lui dit-il doucement.

Que pouvait-elle répondre ? Même si elle avait voulu parler, ses paroles seraient restées bloquées dans sa gorge. Elle fit simplement un petit mouvement de tête.

— Je... je reprendrai la petite dès que j'aurai trouvé un nouveau logement.

Elle sursauta de façon visible et bredouilla en le fixant :

— Ça n'est pas un problème. Aussi longtemps que tu voudras, je veux dire... je m'en occuperai aussi longtemps que tu voudras. Dick (elle agita la main dans sa direction) peut te l'amener quand tu veux et tu peux.., tu peux la prendre quand tu veux. Il ira la chercher. Je veux dire, il te l'amènera.

Abel hocha la tête et lui dit :

— Merci, merci, Hilda. C'est très gentil de ta part. J'apprécie vraiment ce que tu fais. Je... je sais que ça ne doit pas être facile.

— Oh ! (Elle agita violemment la tête de droite à gauche en signe de protestation.)

Et il ajouta :

— Je... je te paierai.

Elle lui cria alors presque sur le même ton qu'autrefois :

— Ah non ! Je t'en prie. Non ! Epargne-moi ça, s'il te plaît.

— Excuse-moi. Alors nous ferons comme tu voudras. Comme tu as dit. Mais... mais je veux que tu saches que je t'en suis reconnaissant.

Il la regarda encore un moment, puis se détourna lentement vers le fossoyeur, qui, là-bas, au bord de l'allée, continuait à enterrer son amour, enterrer son amour...

Mais non, ce n'était pas possible. On ne pouvait pas enterrer son amour. Il voulait vivre avec sa souffrance jusqu'à la fin de ses jours, ne jamais oublier qu'il avait été quelque chose d'extrêmement rare. Il avait mis des années à éclore, mais lorsqu'il avait fleuri, son bonheur avait touché à l'extase. Cependant il savait que ces bonheurs-là disparaissent presque toujours dans la douleur. Quel qu'en soit le prix, il vivrait avec son souvenir. Une chose le surprenait : la mort de Florrie ne lui avait pas arraché une seule larme; mais il sentait que si, dans cet instant, il s'était mis à pleurer ses larmes eussent été de sang.

Hilda était en train de lui dire au revoir. Il se retourna de nouveau vers elle.

— Merci, merci beaucoup, Hilda, lui dit-il poliment.

Et en la regardant s'éloigner il s'étonna de sa transformation : il ne semblait pas y avoir trace d'amertume en elle à présent. La mort de Florrie devait l'avoir effacée. Pourtant, elle s'occupait déjà de la petite avant sa mort.

Cela avait dû lui coûter beaucoup de prendre sa fille, la fille de Florrie, sous son toit, dans cette maison que Dieu tenait sous son aile protectrice, à l'abri du péché. Ah non, il n'allait pas se fourvoyer dans ce genre d'idées. Elle avait changé, quelque chose en elle avait radicalement changé. Ils avaient tous changé. Dick aussi était différent.

Il le regarda alors. Son fils était devenu un homme, un homme bien et qui le resterait, à condition qu'il ne lui ressemble pas trop; sinon il allait lui aussi courir au désastre. D'autre part, il préférait qu'il tînt plus de lui que de sa mère. Cette pensée lui rappela qu'il avait reçu le matin même une lettre de l'avoué lui annonçant que la procédure de divorce était entamée.

Il se tourna vers les grilles du cimetière, et, tout en marchant, il se disait :

— Je peux épouser Florrie maintenant. Je peux épouser Florrie maintenant...

Il s'arrêta et tout en lui adressant un petit signe de tête il demanda à Dick

— Tu m'accompagnes ?

— Oui, bien sûr. Où donc crois-tu que je vais ?

CHAPITRE XIII

Durant les neuf mois qui suivirent, tout se passa comme prévu. Le samedi et le dimanche après-midi, Dick et Molly poussaient à tour de rôle la voiture d'enfant jusqu'à Bartwell Place, et là ils laissaient Lucy à Abel.

Dick avait la certitude qu'il aimait avoir la petite, car, à présent, elle trottait toute seule et babillait avec lui. Il savait également qu'Hilda ne connaissait pas une minute de répit tant que l'enfant n'était pas revenue et qu'elle vivait dans la terreur du jour où Abel viendrait lui dire :

— J'ai trouvé un appartement décent et... une gouvernante.

Ce mot avait été mentionné une seule et unique fois, un soir où ils avaient parlé de Lucy, et c'était lui qui l'avait laissé échapper. Il avait dit exactement :

— Il cherche un appartement, mais, comme je le lui ai dit, il lui faudra aussi une gouvernante, car la petite est terrible maintenant.

Elle avait fait volte-face, et avec une trace de son ancien mauvais caractère elle s'était écriée :

— Une gouvernante ! Une gouvernante pour s'occuper de la petite ! Oh ! Je connais bien les gouvernantes, j'en ai vu faire quelques-unes.

Il avait pu lire dans ses pensées. Une gouvernante ne pouvait pas s'occuper de l'enfant sans chercher à mettre la main sur le père. Il avait deviné le soir même qu'Hilda avait pris une décision. Ils étaient installés devant la cheminée avec Molly, et cette dernière avait annoncé :

— Nous allons nous marier à Pâques, tante Hilda.

Elle les avait regardés l'un après l'autre, avant de répondre avec douceur :

— Je suis contente, encore que (son regard s'était arrêté sur Dick) mon homme va bien me manquer.

— Hé là ! (Il avait esquissé le geste d'un boxeur qui se

met en garde.) Tu feras difficilement la différence; je suis toujours tantôt dans une maison, tantôt dans une autre; j'ai parfois l'impression d'être la bobine d'un diabolo. (Puis il avait ajouté :) Quand la guerre sera finie, j'ai l'intention de continuer de travailler à l'usine, maman. On aura encore besoin de pièces détachées pour les avions pendant un bon bout de temps. (Il avait eu un petit ricanement, puis avait continué sur un ton sérieux :) Je pense que tu devrais te mettre à chercher quelqu'un qui s'occuperait des ateliers en permanence. Comme le disait Molly tout à l'heure, on sent que la guerre touche à sa fin, et les gens vont sûrement s'enticher à nouveau d'automobiles; il y a de bonnes affaires en vue. Le jeune Stephen s'occupe très bien des bicyclettes, mais c'est tout.

— Stephen ne sait pas s'occuper des bicyclettes, il farfouille au hasard, et il fait plus de dégâts qu'autre chose. C'est à un point tel que (elle avait redressé le menton) je vais me débarrasser de lui aussi tôt que possible, je te le dis. Il est aussi incapable qu'Arthur Baines.

Le jour suivant, elle lui demanda :

— Comment va-t-il ?

Il revenait de chez Abel où il avait conduit Lucy — chaque fois que c'était possible, il l'emmenait en la portant dans ses bras, car il détestait pousser la voiture d'enfant. Et il lui répondit :

— Oh ! comme d'habitude. (Puis il saisit la tasse de thé qu'elle lui tendait, alla s'asseoir dans le fauteuil en bois, sur le bras duquel il s'accouda, et il dit presque en gémissant :) Chaque fois que je le vois, j'ai envie de pleurer. Cette pièce... il serait mieux installé à l'hospice. Et il ne sort jamais.

— Est-ce... est-ce qu'il boit ?

— S'il boit ? (Il lui jeta un coup d'œil.) Non, non; je ne crois pas. Je pense qu'il économise chaque penny. Je pense même qu'il ne se nourrit pas correctement, il n'a plus que la peau et les os, et il a l'air si... si perdu. Il ne peut pas continuer à vivre comme ça. (Il leva la tête et la regarda dans les yeux en répétant :) Il ne peut pas continuer à vivre comme ça. Il va lui arriver quelque

chose. Cela m'étonne qu'il n'ait pas encore tenté de...
de... Je pense que s'il n'y avait pas la petite il l'aurait fait.

Elle s'assit près de la table sur l'angle de laquelle elle se
mit à promener un doigt :

— Pourquoi fait-il des économies ?

— Oh, je ne sais pas, peut-être pour trouver un
logement.

— Et prendre Lucy ?

Il y eut un long silence avant qu'il réponde :

— Oui, c'est sûrement ce qu'il a dans l'idée de faire. Il
l'aime... il l'aime vraiment beaucoup. Il attend sans cesse
sa venue.

Elle continuait à suivre du doigt l'angle de la table.

— S'il me la reprend, j'en mourrai, Dick, dit-elle.

— Oh, maman.

Sans faire un geste vers elle, il la regarda attentivement
et, pour la première fois, il ne trouva pas un mot qui fût à
même de la réconforter.

— Elle est tout pour moi. Elle a complètement changé
ma vie, elle m'a fait voir... voir les choses différemment.
Je ne pourrais supporter de la perdre.

Son doigt s'arrêta, et elle le regarda, en quête d'une
réponse. En la donnant, il savait qu'il ne faisait que
formuler ce qu'elle avait en tête depuis longtemps.

— La seule façon pour toi de la garder, dit-il, serait
qu'il revienne. (Elle l'approuva en disant doucement :)

— Oui, je sais. Mais est-ce qu'il voudra revenir ? C'est
ça la question : est-ce qu'il voudra revenir ?

— Son divorce sera prononcé très bientôt. (Il fut
surpris de la voir bondir.)

— Ça n'est pas cela que j'attendais, cria-t-elle. Il aurait
pu venir quand il le voulait.

Il la regarda bouche bée et se fit la réflexion que ce
n'était pas tante Hilda qui aurait parlé ainsi. Cette
personne semblait ne jamais avoir existé. C'est d'un ton
neutre qu'il lui demanda alors :

— Qu'est-ce que tu proposes de faire ?

— Nous verrons ça demain. (Elle hocha la tête à
plusieurs reprises et répéta :) Nous verrons ça demain.

Debout dans la cour, il secouait la poussette, aidé par Lucy qui s'agrippait à l'un des côtés. Elle poussait de petits cris inintelligibles comme elle avait l'habitude de le faire quand elle était heureuse; et elle n'aimait rien tant que de jouer avec sa poussette. Mais son regard se porta brusquement sur Hilda qui venait d'apparaître sur le seuil de la cuisine, et il l'observa attentivement pendant qu'elle fermait la porte à clef.

— Eh bien ! Qu'est-ce que tu regardes comme ça ?

— Rien.

Il avança la poussette jusqu'à sa hauteur et marcha un peu en retrait tandis qu'ils sortaient de la cour. Elle était élégante. C'était la première fois qu'il la voyait avec du rouge aux lèvres, et il était sûr qu'elle était fardée. Elle portait sa plus belle toilette et un chapeau qu'il ne lui avait jamais vu. Certains chocs sont capables de tuer. Il espérait intensément qu'un tel choc lui serait épargné, que l'attaque qu'elle lançait cet après-midi-là lui donnerait la victoire, et qu'elle trouverait un peu de bonheur, et son père un peu de paix.

Quand, vingt minutes plus tard, il frappa chez lui et que ce dernier vint ouvrir, il eut un moment d'appréhension, car il ne put s'expliquer l'expression qui se peignit sur son visage pendant qu'il contemplait Hilda, la petite dans ses bras.

C'est Hilda qui brisa le charme en demandant d'une voix un peu altérée mais douce :

— Est-ce que je peux entrer ?

— Oh oui ! Bien sûr.

Il ouvrit la porte en grand et se tourna vers Dick qui disait :

— Est-ce que je laisse la voiture dehors aujourd'hui ?

— Non, non, rentre-la; dans deux minutes, elle aurait disparu.

Ils se retrouvèrent tous les trois debout dans la pièce, se regardant les uns les autres jusqu'à ce qu'Abel dise :

— Asseyez-vous.

Il saisit une chaise qu'il poussa devant Hilda, mais avant de s'asseoir cette dernière lui tendit la petite. Il la prit dans ses bras et la contempla, et, quand elle lui agrippa le menton en gazouillant, il déclara :

— Elle dit pa-pa.

Dick se mit à rire.

— Elle répète ça sans arrêt depuis hier, dit-il.

— Oh ! (Abel sourit à sa fille qui avait la bouche et les yeux de Florrie. Lorsqu'il lui donna un baiser sur la joue, elle serra ses bras autour de son cou, et, l'air intimidé, il regarda à nouveau Hilda.) Elle est en pleine forme, dit-il.

— On ne peut pas en dire autant de toi, j'ai l'impression.

— Comment ? oh ! moi ? Oh ! moi, ça va.

— C'est vite dit.

Dick observa l'air intrigué de son père. La bataille avait commencé et il ne s'y attendait pas. Allait-il rendre les armes ou se défendre ? Il fallait attendre pour mesurer la force de l'adversaire. Et l'adversaire lui faisait face à présent.

Hilda s'était levée aussi brusquement qu'elle s'était assise, et elle se mit à arpenter la pièce à pas lents. C'était un endroit désolant, et la façon dont elle l'inspectait mit Abel tellement mal à l'aise qu'il déclara :

— Je n'en ai plus pour longtemps à rester là, j'ai autre chose en vue.

— Vraiment ? (Elle hochait la tête en le regardant.) A te voir, je me demande si tu vivras assez vieux pour en profiter.

Abel jeta un coup d'œil interrogateur à Dick, mais il n'obtint qu'un petit haussement de sourcils accompagné d'un imperceptible mouvement de tête qui signifiait : « Je ne suis au courant de rien. »

— Assieds-toi, Abel.

Elle lui faisait face. Il changea sa fille de bras, puis attira l'unique autre chaise de la pièce et y prit place. Leurs visages étaient presque au même niveau, et c'est d'une fois ferme mais douce qu'elle commença :

— Maintenant, écoute-moi sans m'interrompre. Tu ne peux pas continuer à vivre dans cette tanière dégoûtante, c'est trop mauvais pour ton moral. Je suis venue te chercher pour te ramener à la maison... Non, non, non.

(Elle avait levé la main comme un policier qui règle la circulation, puis elle continua :) Je t'ai demandé de me laisser parler. Je n'attends rien de toi, parce que tu n'as rien à me donner, je le sais, je me suis faite à cette idée, mais je veux... je veux garder la petite. Et, de plus, j'ai besoin de quelqu'un là-bas. Dick va bientôt se marier et je resterai seule. L'ouvrier que j'ai pris me sert ni plus ni moins de décoration, il me fait perdre de l'argent tous les jours. Si tu reviens, c'est une faveur que tu me feras. Et je vais te dire quelque chose que je ne devrais pas : cette faveur, tu me la dois, et en revenant tu t'acquitteras de ta dette. Alors, si tu le veux bien, ramasse tes affaires et partons d'ici; même un cochon ne pourrait y vivre.

Il ne bougea pas, et l'enfant restait étrangement calme sur ses genoux. Ils la regardèrent tous les deux; Lucy observait celle qui était devenue sa mère et Abel celle qui autrefois pensait être son épouse. Comme Dick, il remarqua avec étonnement qu'elle était élégante; il nota également sa nouvelle silhouette fine, mais ce qui lui sautait aux yeux, c'était le changement de son attitude. Elle lui demandait de revenir, elle lui offrait la propreté, la chaleur, une bonne alimentation... et le bien-être. Un bien-être qu'elle lui donnerait, elle ? Il voulait les avantages matériels, mais serait-il capable de se sentir bien un jour auprès d'elle... ou de quelque autre femme que ce soit ? Il baissa la tête et son regard tomba sur le linoléum fané qu'il avait nettoyé à quatre pattes, peu avant.

— Je suis toujours marié, Hilda, dit-il en relevant la tête.

— Je m'en fiche complètement.

Il eut presque envie de rire.

— Tu as ton nom à défendre, on jasera. Si je reviens, tu ne pourras plus regarder le pasteur en face.

— La question du pasteur est définitivement réglée.

Il eut alors réellement envie de rire; mais il ne le fit pas, car, au fond, le sentiment qu'il éprouvait ne prêtait ni au rire ni aux larmes. D'ailleurs il avait à jamais fini de pleurer.

Il était en train de baisser la tête à nouveau quand la

voix d'Hilda qui s'adressait à Dick stoppa son mouvement.

— Ramasse les affaires de ton père et allons-y, dit-elle avec entrain.

Comme s'il avait eu quatorze ou quinze ans, Dick s'empressa d'exécuter son ordre. C'est presque en courant qu'il alla jusqu'à l'armoire délabrée, en sortit une valise, la posa sur le lit et commença de rassembler le peu de choses que possédait Abel. Il évita de se retourner quand il entendit Hilda dire « donne-la-moi », mais il sut qu'elle prenait l'enfant et la mettait dans sa poussette, puis qu'elle sortait et attendait à l'extérieur.

Abel se tenait près de la porte conduisant à l'arrière-cour, et il l'appela doucement. En s'approchant de lui, il se rendit compte que son père était à peine capable de parler. Mais il parvint à murmurer :

— Je ne sais pas; ça n'est pas correct; j'ai... j'ai honte.

Dick l'agrippa par les deux bras et tenta même de le secouer en lui disant :

— C'est ce que tu as de mieux à faire. Nous voulons tous que tu viennes, et elle a besoin de toi. Et, comme elle le dit, tu lui dois quelque chose. N'oublie pas ça, papa. Tu lui dois quelque chose... tu lui dois même beaucoup.

Quelques minutes plus tard, ils étaient dans la rue. Hilda, en tête, poussait la voiture, Dick et son père marchaient côte à côte derrière, et l'on eût dit une famille en promenade.

Quand ils arrivèrent dans la cour, Dick se rendit réellement compte combien son père était affecté. Son visage était dépourvu de toute couleur, ses pommettes saillaient sous la peau et ses yeux étaient enfoncés dans leurs orbites. En s'avançant vers la porte de la cuisine, il regarda d'un côté, puis de l'autre. Ses yeux restèrent fixés plus longtemps sur les fenêtres au-dessus du garage; ses pensées étaient sans doute tournées vers cette pièce qui les avait abrités le jour de leur arrivée.

— Là, là ! Arrête de crier, je vais te donner ton thé dans une minute. Tiens, Dick, prends-la, et ne la laisse pas se traîner par terre, elle est toute propre.

Dick, la petite dans les bras, observait Hilda avec

admiration. On aurait vraiment dit qu'ils rentraient de leur sortie dominicale.

Puis il regarda son père. Il ne s'était pas installé dans le grand fauteuil en bois, au coin de la cheminée, mais sur une chaise au bout de la table. Il avait gardé son manteau et posé son chapeau mou sur ses genoux.

Quand Hilda lui dit de lui donner son manteau, il ne se leva pas, ne la regarda pas. Il se passait quelque chose en lui, quelque chose qui venait d'éclater dans ses entrailles et coulait dans son corps comme une lave brûlante. Cela déversait du feu dans sa poitrine, grimpait dans sa gorge. « Non ! Non ! Jamais plus ! Jamais plus ! » se disait-il. Il pouvait supporter cette humiliation, supporter n'importe quoi tant qu'il restait enfermé en lui-même, tant qu'il refusait la bienveillance des autres. Aussi longtemps qu'il pourrait emprisonner ses émotions, rien ne pourrait l'atteindre, mais il était en train de perdre pied. Il sentait sa résistance diminuer. Le flot brûlant se répandait inexorablement en lui. Il fut submergé.

Et il poussa un grand cri. Le visage caché dans les mains, il se mit à se balancer d'avant en arrière comme une femme au désespoir.

Hilda l'observa quelques secondes, puis elle passa ses bras autour de son cou et attira sa tête contre sa poitrine, et c'est d'une voix embarrassée et altérée qu'elle le réconforta.

— Tout va bien, tout va bien. Tu es à la maison. C'est fini. C'est fini, maintenant. Allez, chéri, allez !

Elle se demanda quand elle l'avait appelé ainsi pour la dernière fois, mais elle avait l'habitude d'appeler Lucy « ma chérie ».

Quand il écarta les mains de son visage et passa ses bras autour de ses hanches, elle ne s'abusa pas; elle savait que c'était le geste d'un enfant qui cherche réconfort et protection.

Elle tourna ses yeux brouillés par les larmes vers la petite que Dick tenait toujours dans ses bras, et elle se dit que dorénavant elle aurait à s'occuper de deux enfants; elle devrait élever l'une et apaiser l'autre. Elle ne se demanda pas si cela serait par le biais de l'amour; ils

330

pouvaient vivre encore longtemps cependant, et il lui restait l'espoir...

Dick, Lucy serrée contre lui, observait son père. C'était lorsqu'il pleurait ainsi qu'il mesurait réellement quel homme il était. Ses propres yeux étaient humides, mais il savait qu'il ne pleurerait jamais comme lui, parce qu'il ne lui arrivait pas à la cheville. Ce père, qui avait passé sa vie à s'opposer à ses quatre femmes, avait en lui quelque chose de très grand; il l'utiliserait peut-être dans les années à venir, peut-être apporterait-il un peu de bonheur à celle qu'il avait trompée et qui savourait son désespoir avec une certaine joie.

TABLE DES MATIÈRES

Cet ouvrage a été composé par EUROCOMposition S.A.
et réalisé sur SYSTÈME CAMERON
par Firmin-Didot S.A.
pour le compte des Éditions Belfond
le 22 avril 1981

Numéro d'édition : 382 — Numéro d'impression : 8104
Dépôt légal : 2ᵉ trimestre 1981